Los 1000 primeros días de tu bebé

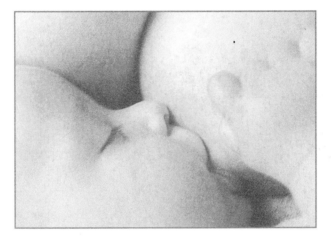

Los 1000 primeros días de tu bebé

Italo Farnetani

EVEREST

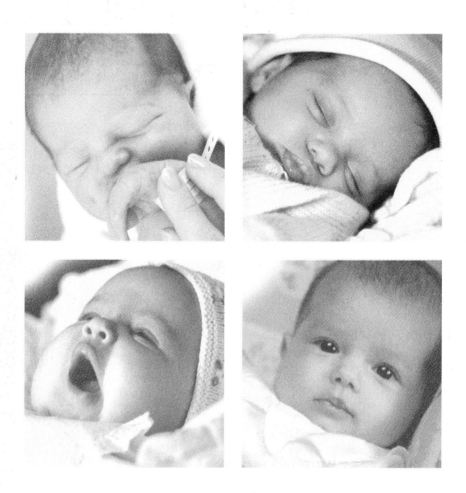

ÍNDICE DE CONTENIDOS

Cuerpo y salud

Los 1000 primeros días de tu bebé

Prólogo:
CÓMO USAR ESTE LIBRO

Queridos padres,

Este libro os acompañará hasta que vuestro hijo cumpla los tres años, es decir, durante sus primeros mil días de vida, en los que llegará a superar el metro de estatura. El libro está dividido en veintidós etapas que abarcan unos períodos de tiempo muy precisos y que se indican en el índice. Id leyendo las etapas de una en una y no paséis a la siguiente hasta que vuestro hijo no alcance la edad correspondiente.

Primero debéis leer las etapas completas, luego sólo tendréis que consultarlas cuando queráis aclarar alguna duda concreta. En cada etapa se indican una serie de datos que se debe ir controlando y anotando, como son el aumento de peso, la talla o las etapas del "desarrollo psicomotor". Todos estos datos os servirán de recuerdo y serán de gran ayuda para el pediatra.

Las tres primeras etapas presentan una organización especial, mientras que las demás (de la cuarta a la vigesimosegunda) siguen un esquema fijo.

En el apartado "QUÉ PASA", os explicaré cómo crece y cómo se desarrolla vuestro hijo. En otras palabras, daré respuesta a todas vuestras preguntas antes de que os las hayáis planteado siquiera. A partir de la novena etapa (página 125), encontraréis una nota en negrita. Esta nota hace referencia al desarrollo psicosomático integral del niño y no sólo a su desarrollo en términos de aprendizaje.

En el apartado "DATOS Y CONSEJOS ÚTILES", encontraréis diversas indicaciones extremadamente prácticas. No dejéis de leerlas. A veces se repiten en más de una etapa porque pueden ser de gran utilidad en distintas ocasiones.

► En algunas etapas especifico las "COSAS QUE DEBÉIS APRENDER A HACER".

► En la última página de cada etapa, al final, encontraréis las cosas y las citas importantes que no debéis olvidar.

► Si en algún momento necesitáis algún tipo de información adicional que no aparezca en la etapa en la que estáis, echad un vistazo al "DICCIONARIO DE LOS PADRES" que se incluye al final del libro. En él figuran una serie de temas que os pueden interesar ordenados por orden alfabético, así como el número de la página en la que se abordan.

Ahora que ya sabéis cómo está organizado el libro, ¿cuál es el siguiente paso?

► Si el bebé no ha nacido todavía, abrid el libro por la etapa número uno y seguid la programación normal.

► Si ya ha nacido:

■ Buscad en el índice la edad de vuestro hijo y empezad a leer a partir de esa etapa.

■ Debéis leer también la primera etapa.

► *Éstos son mis primeros consejos*

Antes de despedirme, me parece oportuno dar algunas indicaciones que debéis tener siempre presentes para criar y educar bien a vuestro hijo.

1. Los niños no son tan "frágiles" como se suele pensar y no se "rompen" ni caen enfermos con excesiva facilidad. Debéis vivir de la forma más natural y desenvuelta posible, sin abrigarlos demasiado ni tenerlos recluidos en casa si no hay necesidad.

2. Olvidaos de los consejos autoritarios. Cuando un niño llora (como explicaré más adelante), hay que cogerlo en brazos.

3. A la hora de tomar cualquier decisión, guiaos siempre por el sentido común (es suficiente y funciona de maravilla), sin dejar que nadie, y en especial los abuelos del niño, interfiera entre vosotros con el pretexto de su supuesta experiencia.

4. Prestad especial atención a los apartados relativos a la lactancia materna, en los que os indico qué podéis hacer para que os "suba" mucha leche.

Me despido por ahora con un hasta luego, ya que nos iremos encontrando en cada etapa. Embarquémonos juntos en esta aventura que será, sin lugar a dudas, una de las más apasionantes de vuestra vida.

¡Enhorabuena y mucha suerte para estos mil primeros días!

Italo Farnetani

Primera etapa:

COSAS QUE DEBÉIS SABER

A PARTIR DEL OCTAVO MES

VUESTRO HIJO OS OYE

A partir de la vigesimoctava semana de gestación, cuando ya se ha desarrollado la corteza cerebral, el niño es capaz de reconocer la voz de su madre. Deja de estar inerte, participa, y "siente" lo que ocurre en el exterior (oye las voces, los sonidos y los ruidos, siente dolor y tiene sentido del equilibrio). Habladle y llamadle por su nombre en cuanto lo hayáis decidido. Este tipo de estímulos avivará su inteligencia.

¿QUERÉIS SABER CUÁNTO MEDIRÁ?

Para ello, debéis rellenar el siguiente esquema:
Sumad la estatura en centímetros de los padres y dividídla entre 2:

.... + ... : 2 = ...

estatura del padre   estatura de la madre   estatura media de los padres

A continuación, para averiguar la estatura definitiva de vuestro hijo, rellenad el espacio "niño" o "niña", según sea el sexo del bebé que estáis esperando:

Niño: .... + 7,5 cm = ...

estatura media de los padres   estatura más probable de vuestro hijo de adulto

▶ De todas formas, este valor puede no ser exacto y que el niño sea más alto o más bajo:

Estatura máxima: .... + 5,5 cm = ...
              estatura más probable   estatura máxima que puede alcanzar
              de vuestro hijo de adulto

Estatura mínima: .... - 5,5 cm = ...
              estatura más probable   estatura mínima que puede alcanzar
              de vuestro hijo de adulto

Niña: .... - 7,5 cm = ...
        estatura media de los padres   estatura más probable de vuestra hija de adulta

▶ De todas formas, este valor puede no ser exacto y que la niña sea más alta o más baja:

Estatura máxima: .... + 5,5 cm = ...
              estatura más probable   estatura máxima que puede alcanzar
              de vuestra hija de adulta

Estatura mínima: .... - 5,5 cm = ...
              estatura más probable   estatura mínima que puede alcanzar
              de vuestra hija de adulta

COSAS QUE DEBÉIS SABER Y HACER ANTES DEL PARTO

En primer lugar, debéis saber distinguir entre las cosas que os serán verdaderamente útiles y las que son inútiles o superfluas.

Después, disponed dentro de casa los distintos ambientes en los que vivirá el niño.

Por último, os aconsejamos que leáis con mucha atención las páginas relativas a la lactancia materna. En ellas encontraréis recomendaciones muy útiles y un buen método para conseguir "tener mucha leche".

▶ *No os dejéis influenciar por la publicidad y las publicaciones que insisten en la necesidad imperiosa de tener un ajuar con multitud de accesorios. Lo indispensable es bien poco, menos de lo que normalmente se cree.*

COSAS QUE DEBÉIS COMPRAR

A continuación encontraréis una lista de las cosas indispensables que seguramente tendréis que comprar

▶ Una *bañera-vestidor.*

▶ Una *trona* o *silla alta* (se utiliza a partir de los seis meses y debe tener una base ancha).

▶ Un *cochecito,* a ser posible, que se transforme en sillita.

▶ Una *sillita* (es indispensable que el respaldo se pueda reclinar del todo).

▶ Una *cuna* de al menos 110 cm de largo, para que el niño pueda usarla hasta los cuatro o cinco años. La separación de los barrotes de protección laterales debe estar entre 6-7,5 cm para evitar que el niño pueda meter la cabeza entre ellos.

▶ Una *silla especial para el automóvil* (modelo homologado por el Código de Circulación). Debéis usarla hasta los 3 ó 4 años.

► Un *chupete*. Los niños pueden usarlo desde el nacimiento hasta los tres años sin que les ocasione daños irreparables en los dientes. Los más apropiados son los de caucho de una sola pieza. (Son los más seguros porque impiden que el niño se pueda tragar algún trozo si se desgastan o se rompen).

► *Interfono*. Es un aparato que permite escuchar desde otra habitación los ruidos que se producen en la habitación del niño. Es muy útil tanto para la seguridad del recién nacido como para su óptimo desarrollo psicológico. Como veremos más adelante, el niño debe comprender que puede condicionar el ambiente si quiere. En otras palabras: que, por ejemplo, al llorar, se hace entender y consigue lo que quiere. Huelga decir que lo que el niño no sabe es que si llora y la puerta está cerrada, su madre no vendrá porque no lo oye, por lo que puede llegar a pensar que no es capaz de hacerse entender. Por eso es tan importante responder rápidamente a sus necesidades cuando llora.

► *Pañales a tutiplén*. Al comprarlos, aseguraos de que son los adecuados para las primeras semanas.

► *Ropa interior*. Mejor de algodón que de lana.

► *Ropa*. No debe ser demasiado agobiante, ya que los lactantes apenas sudan y pierden menos calor. La ropa interior debe ser siempre de algodón o de algún material sintético, nunca de lana. La elección de la ropa está condicionada por la estación en la que se espera que nazca el niño. Como cifras orientativas, pensad que un recién nacido mide como máximo unos 50 cm, pesa de 3 a 3,3 kg y el perímetro de su cabeza es de 34 cm.

Id tachando los objetos de la lista a medida que los vayáis comprando u os los regalen. Os será más fácil saber en todo momento lo que os falta y así no olvidaréis nada.

COSAS QUE PODÉIS EVITAR

► *Un andador*. No es aconsejable porque el niño, en vez de habituarse a andar, aprenderá a "empujar" el andador. Se acostumbrará a echar hacia delante el abdomen y a andar con la punta de los pies. Es una mala costumbre, difícil de quitar cuando el niño ha aprendido a caminar y "anda de puntillas".

► *El parque*. No es recomendable porque el niño se siente "enjaulado". Es preferible ponerlo sobre una mantita en el suelo con sus juguetes preferidos a mano.

► *Accesorios para esterilizar*. Basta con hervir las cosas que usa el niño (chupetes, tetinas, biberones) en un cazo durante 10 ó 15 minutos. No hace falta comprar aparatos especiales. No soy partidario de la esterilización con productos químicos, ya que se corre el riesgo de que las sustancias empleadas lleguen a la boca del niño y le produzcan irritaciones.

► *Accesorios para la lactancia artificial*. Biberón, calientabiberones eléctrico... Puede que no los lleguéis a necesitar y siempre estáis a tiempo de comprarlos. No os precipitéis.

QUÉ LLEVAR AL HOSPITAL

Debéis preparar una bolsa con todo lo necesario para vestir al bebé en cuanto nazca: pañales, una camiseta interior de algodón, unos patucos y un vestido. Conviene llamar a la Unidad de Neonatología del hospital en el que tenéis pensado dar a luz para informaros acerca de las prendas de vestir y demás accesorios que necesitan los recién nacidos.

QUÉ PREPARAR EN CASA

Un rincón para dar el pecho y cambiar al niño

Elegid el lugar de la casa en el que colocaréis el vestidor del niño. Los hay de diversos modelos y tamaños. Lo ideal es encontrar una amiga que os pueda prestar uno. Si lo compráis, fijaos en que tenga una altura cómoda para vosotros. *En los cajones y estantes del vestidor o en un mueble cercano, guardad la ropa de recambio, los pañales y los productos del baño y de aseo.* En cuanto a la lactancia, cualquier lugar es perfecto para dar de mamar al niño (es una de las ventajas de la lactancia materna). Con el fin de que todo sea perfecto y de crear un poco de "ambiente", elegid un lugar de la casa que os guste, que sea cómodo y acogedor y que esté alejado del televisor y del teléfono, y colocad un sillón o una butaca (a poder ser con brazos) en el que dar el pecho a vuestro hijo.

La habitación del niño

▶ *Cómo debe ser*

Pared	**SÍ** decorar las paredes con pósters alegres y de colores
	NO papel pintado: favorece la formación de humedades y de moho
Suelo	**SÍ** cerámica, madera, mármol, linóleo
	NO moquetas y alfombras (si se usan, hay que lavarlas con frecuencia)
Cortinas y persianas	**SÍ** es preferible no ponerlas. Si no hay más remedio, que sean de plástico (de las que se enrollan en un cilindro), de nailon o de muselina (hay que lavarlas con frecuencia)
	NO persianas venecianas (si son de tela, hay que lavarlas a menudo)
Muebles	**SÍ** de madera, de plástico o de metal, siempre y cuando tengan superficies lisas y patas altas para que se pueda limpiar bien el suelo
	NO los modelos con mucho almohadón o de paja

Cuna	**SÍ** de 110 cm de longitud, con barrotes de protección laterales con una separación de al menos 6-7,5 cm y relleno de material sintético	
	NO tipo balancín	
Sábanas y colchas	**SÍ** de algodón o de lino	
	NO edredones de plumas	
Mantas	**SÍ** de material sintético	
	NO de lana	
Colchones	**SÍ** de látex	
	NO de lana o de gomaespuma	

Más consejos importantes

▶ No es aconsejable poner plantas decorativas ni acuarios en la habitación donde vive el pequeño. Tampoco debéis fumar cerca de él. No es bueno que el niño se sienta solo y aislado del mundo, pero debéis evitar que haya mucho ruido o jaleo a su alrededor.

Ventilación

Debéis ventilar la habitación por lo menos tres o cuatro veces al día y dejar las ventanas abiertas como mínimo durante una hora cada día.

En invierno, conviene humidificar el ambiente con un vaporizador eléctrico. Otra alternativa mucho más sencilla consiste en poner toallas de felpa mojadas encima del radiador.

CÓMO PLANEAR LAS VACACIONES

Planead las vacaciones con total libertad. Por muy pequeño que sea el niño, puede viajar en coche, ir a la playa, a la montaña... Creedme, os dará muchos menos problemas de pequeño que cuando crezca. Tened siempre presentes estas tres cosas:

■ Junio y septiembre no son los únicos meses en los que se puede llevar a los niños a la playa.

■ Se puede ir a la playa también en julio y en agosto, sobre todo si así puede ir toda la familia.

■ Es absurdo ir de vacaciones cuando las temperaturas todavía no son muy altas y pasar en la ciudad los meses más calurosos.

Si optáis por la playa...

Recordad que no es cierto que los niños pequeños sólo puedan estar en la playa durante las primeras horas de la mañana y a última hora de la tarde. Podéis llevarlos en cualquier momento, aunque se aconseja no llevar a los niños al mediodía. Aun así, no olvidéis que los niños sudan menos (hablaremos de ello con más detalle más adelante) y pierden el calor con mayor dificultad: dejad que anden desnudos y procurad que permanezcan a la sombra.

Si os decidís por la montaña...

Pensad que tener niños muy pequeños no impide que podáis pasar una temporada en un pueblo de montaña, independientemente de la altitud a la que se encuentre. Como cota máxima orientativa para dormir con niños se baraja la cifra de 2 000 metros, claro que normalmente los lugares de veraneo suelen estar a una altitud inferior. Si queréis hacer excursiones, no hay problema pero, en caso de duda, utilizad vuestro sentido común.

LACTANCIA MATERNA

ELEGIR EL TIPO DE LACTANCIA

Lo más importante que debéis saber y tener presente antes de dar a luz es que seguramente, si queréis, podréis optar por la lactancia materna. No debéis caer en el error de intentar estimular la producción de leche por vuestra cuenta. El mejor alimento para el niño es la leche materna. Es el alimento más idóneo porque lo produce la propia especie humana.

Sin embargo, las mujeres que no tengáis leche o no podáis dar el pecho (las contraindicaciones son escasas) no debéis sentiros "menos madres" o "menos realizadas" por ello. Dejad a un lado todo sentimiento de culpa porque aunque no podáis dar el pecho a vuestro hijo, esto no empañará lo más mínimo la figura materna. El niño os seguirá mirando a la cara y a los ojos, os llamará cuando quiera que acudáis, aprenderá a distinguir vuestra voz...

Ventajas de la leche materna

▶ Es producida por y para la especie humana: no provoca alergias al niño y lo defiende de enfermedades que afectan a los humanos.

Por tanto, los niños alimentados por medio de la lactancia materna padecerán menos:
■ infecciones del aparato respiratorio,
■ otitis,
■ diarreas agudas o crónicas,
■ infecciones de las vías urinarias,
■ otras enfermedades.

▶ La incidencia de manifestaciones alérgicas es diez veces menor en los niños alimentados con leche materna, de modo que tendrán menos riesgo de contraer:
■ *dermatitis atópica* (eccemas),
■ enteritis por intolerancia de las proteínas de la leche de vaca,
■ rinitis alérgica,
■ asma bronquial.

Además:

▶ Siempre está lista y a la temperatura idónea, la madre puede dar el pecho al niño en cualquier momento. Además, es gratis.

▶ Desde el punto de vista psicológico y afectivo, es ventajoso tanto para la madre como para el niño.

▶ Los niños que se alimentan con leche materna son más despiertos.

Contraindicaciones de la lactancia materna

Los casos en los que se debe descartar la lactancia materna son escasos. A continuación los enumeraremos todos para que veáis que en la mayoría de las circunstancias no hay ningún problema.

Contraindicaciones reales

■ Infecciones del virus del SIDA (seropositividad o enfermedad ya desarrollada).

■ Hay fármacos que contraindican la lactancia. Cuando tengas que iniciar un tratamiento, advierte al médico tu condición de madre lactante. Él sabrá aconsejarte.

■ Necesidad de tratamiento inmediato por cáncer materno.

■ Enfermedades congénitas del metabolismo: galactoremia, alactasia (la fenilcetonuria es una contraindicación parcial).

▶ Estas circunstancias son las únicas en las que coinciden todos los médicos a la hora de prohibir la lactancia materna. En cuanto a las situaciones que indicamos a continuación, al no haber unanimidad, se ha de tomar una decisión a la vista de cada caso concreto teniendo en cuenta la gravedad de la condición de que se trate:

■ Trastornos graves de la madre (de corazón, de riñones, de tiroides).

■ Tuberculosis (es contraindicación total si es de forma grave y abierta).

■ Enfermedades mentales graves.

■ Consumo de drogas duras.

Contraindicaciones falsas

Lamentablemente son numerosas, si bien al carecer de base científica se puede dar de mamar al niño sin problemas:

■ Anemia (real o supuesta) de la madre.

■ Problemas de vista de la madre, en especial, miopía.

■ Aspecto "grácil" de la madre.

■ Pezones hundidos.

■ Madre HbsAg positiva, siempre que se hayan administrado al recién nacido las inmunoglobulinas específicas y la vacuna contra la hepatitis vírica del tipo B.

■ Reaparición de la menstruación.

■ Nuevo embarazo de la madre (pero las demandas combinadas de aportar leche al lactante y nutrientes al feto son enormes, por lo que hay que prestar una especial atención a la nutrición de la madre).

■ El niño tiene cólicos.

■ Ictericia a causa de la leche materna.

Cómo conseguir que "suba" leche al pecho

Con un poco de paciencia, tesón y confianza en vosotras mismas, podréis amamantar a vuestro hijo.

▶ *Acercad al niño al pecho lo antes posible, a poder ser, en las doce primeras horas de vida.* Si no surgen complicaciones en el momento del parto y el niño tiene unos índices de Apgar buenos (véase más adelante), podréis darle de mamar nada más nacer.

▶ *Insistid al personal, enfermeras y médicos, para que mientras permanecéis en el hospital os dejen tener al niño en la habitación,* al lado de vuestra cama. Es lo último y se conoce como "rooming-in".

▶ *Acercad al niño al pecho aunque os parezca que no tenéis leche.* Durante los primeros ocho días el niño come muy poco y el calostro -la

Cuerpo y salud

Los 1000 primeros días de tu bebé

leche de los cuatro primeros días, que se produce en una cantidad muy pequeña- es esencial para él al contener las defensas contra numerosas enfermedades. (Lo normal es producir al día una cantidad de calostro equivalente a entre una y cuatro cucharadas soperas).

▶ *Los primeros días alimentad al niño únicamente con leche materna.* Bajo ningún concepto se le debe dar agua, líquidos azucarados o leche artificial (esta leche podría además darle alergia).

▶ Durante las primeras semanas y, sobre todo, los primeros días, *el niño "come" muy a menudo,* puede que cada dos horas o incluso a intervalos más cortos. Esto se debe a que todavía no ha "aprendido" a coordinar los movimientos y las acciones necesarias para alimentarse, y no porque la madre no tenga leche suficiente.

▶ *No os atormentéis con el temor de no tener leche suficiente.* "La naturaleza es sabia", sólo tenéis que tener paciencia. Aunque al principio os dé la sensación de producir poca leche, no es que vosotras tengáis poca leche, sino que el niño, que es todavía muy pequeño, tiene poca hambre, come poco y no mama lo suficiente, por lo que el estímulo para la producción de leche es menor. A medida que vaya creciendo (una vez transcurridos los primeros diez días) y tenga más hambre, mamará con más energía y tendrá toda la leche que necesite. Al principio, lo único que hay que hacer es darle el pecho más a menudo, una hora o una hora y media después del final de la última toma.

▶ *No empecéis a controlar el peso del niño hasta que hayan pasado tres semanas desde su nacimiento,* porque la pérdida de peso fisiológica, fenómeno que aparece siempre, puede confundiros. No se puede saber si el niño no ha ganado peso porque no toma la suficiente leche o si se debe a que ha tenido una pérdida de peso fisiológica excesiva.

▶ *Durante los primeros veinte días, olvidaos de que existe la leche artificial* y no intentéis medir vuestra capacidad de producir leche por la frecuencia de las tomas del niño (cuanto más pequeño, más buscará el pecho), ni por el peso que va ganando el pequeño. Es normal que los niños lleguen a perder peso durante los primeros siete días (a veces hasta los catorce días). No es más que una consecuencia de la llamada "pérdida de peso fisiológica" (véase la página 37). Tampoco os guiéis por el aspecto de las heces. Las de las primeras semanas se denominan "heces de tránsito" y son un resquicio de la vida intrauterina.

RECOMENDACIONES PARA VOSOTRAS, MAMÁS

Tonicidad de los pechos

Si veis que las mamas, sobre todo en el tramo final del embarazo, han perdido un poco de su tonicidad natural, basta con usar un sujetador adecuado, a poder ser, de un tejido de fibra natural, que no comprima en exceso ni la caja torácica ni el pecho.

Una vez que finalice el período de lactancia podéis recurrir a un tratamiento reafirmante.

Durante la lactancia, las madres deben descansar lo máximo posible

Aunque el ajetreo que provoca la llegada de un nuevo miembro a la familia es siempre considerable, la madre debe intentar descansar lo máximo posible y estar tranquila. Una forma estupenda de relajarse es pasear tanto como se pueda. Además, tenéis la excusa perfecta: sacar de paseo al niño.

Pezones hundidos

Cuando, a diferencia de lo que es habitual en las mujeres, los pezones de la madre no sobresalen y están en el mismo plano que la mama o metidos hacia dentro, conviene consultar al médico y empezar a darse masajes en las mamas, a apretarlas y a estimular la zona del pezón dos meses antes del parto.

Los kilos

Es normal que al final del embarazo la madre haya aumentado de peso. Esos kilos de más son los que se van a utilizar para la lactancia. Es un asunto del que no os debéis preocupar. Volveremos a hablar de ello al final del período de lactancia. De todas formas, mucho ojo: la celulitis no tiene nada que ver con la obesidad.

▶ *Si queréis, pedidle a alguien que os acompañe en el parto.*

TÉRMINOS CON LOS QUE OS DEBÉIS FAMILIARIZAR

Apgar: "puntuación" que se da al niño dos veces, al minuto y a los cinco minutos de su nacimiento.

Ictericia fisiológica: coloración amarillenta de la piel.

Meconio: contenido del intestino que es expulsado por el niño.

Prematuro: el niño que ha nacido antes de la trigesimoctava semana de gestación (es decir, que ha nacido antes de lo previsto).

A-término: el niño que ha nacido entre la trigesimoctava y la cuadragésima segunda semana de gestación (es decir, que ha estado en el útero el tiempo necesario, ni más ni menos, por lo que la duración del embarazo ha sido normal y el parto ha tenido lugar en la fecha prevista).

Hipermaduro: el niño que ha nacido después de la cuadragesimosegunda semana de gestación.

Pequeño para la edad de gestación, de bajo peso al nacer o "small for date": son los términos que se utilizan para describir a los niños que al nacer tienen un peso inferior al que deberían tener en relación con el tiempo que han estado en el útero materno.

Adecuado para la edad de gestación: el recién nacido que tiene el peso que le corresponde con respecto al tiempo (normal, inferior o superior) que ha pasado en el útero materno.

Grande para la edad de gestación: el recién nacido que pesa más de lo que debería pesar.

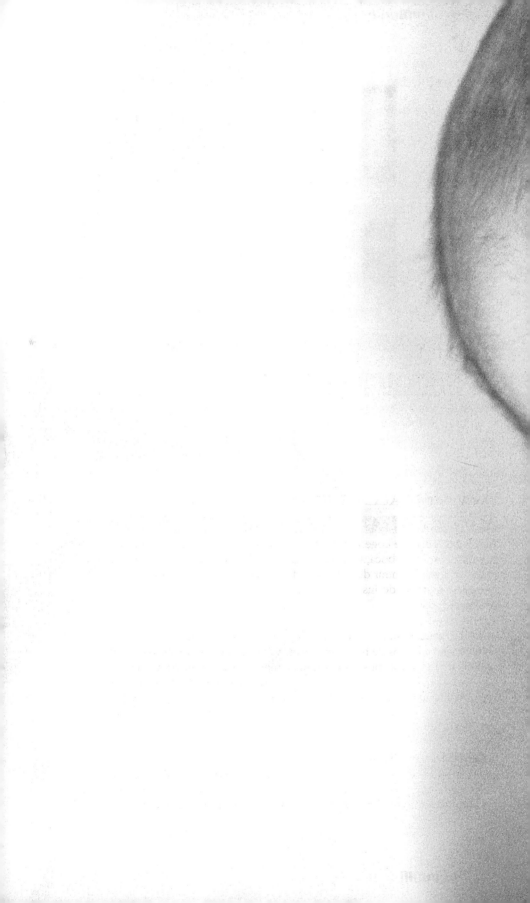

Segunda etapa:
EL NACIMIENTO

NADA MÁS NACER EL NIÑO

En cuanto nace, se coge al niño por los pies y se pone boca abajo para que le salgan de la boca, la nariz y la garganta los líquidos y la sangre que le hayan podido entrar durante el parto. En ocasiones, esta operación se realiza con ayuda de instrumentos mecánicos, como por ejemplo jeringuillas o sondas.

Busca enseguida a su madre

A los pocos minutos de nacer, el niño empieza a abrir la boca y los ojos y a darse la vuelta: está buscando instintivamente a su madre. Por eso es tan importante que pidáis enseguida al personal de la sala de parto que os entregue al niño nada más nacer y lo cojáis en brazos. No esperéis a que sea él quien os busque. ¡Los brazos de una madre no son mal sitio para comenzar la vida!

El cordón umbilical

Poco después se corta el cordón umbilical a unos 5 cm del abdomen y se coloca una pinza. Hay que mantener al niño seco y caliente. No se aconseja quitar por completo el vérnix caseoso. Se reabsorbe y es bueno para la piel del bebé.

Se lava al niño

Lo habitual es que se lave al niño en la propia sala de parto o en el nido. Para ello se suele usar gasa estéril empapada en agua caliente o en una solución ligeramente detergente. Otras veces se introduce al recién nacido en una palangana con agua templada, a unos 37 °C (lo normal es que en el fondo de la palangana se coloque un tejido blando). Si os lo permiten, no es mala idea que sea el padre el encargado de bañar y vestir al niño. Después del baño, se seca al niño y se le viste.

Se le echan unas gotas de colirio en los ojos

Bien en la propia sala de parto o, como máximo, al cabo de una hora de su nacimiento, se echan al niño unas gotas de colirio antibiótico en los ojos. Ayudan a prevenir diversas infecciones (en especial gonococos y clamidia).

La "prueba del talón"

Entre los 5-7 días de vida, se toma una muestra de sangre por medio de una punción en el talón. Sirve para la detección precoz de posibles enfermedades, como el hipotiroidismo, la fenilcetonuria y otras enfermedades metabólicas. Queridos padres, no os preocupéis, estas pruebas se realizan a todos los recién nacidos.

El niño no debe perder calor

Una vez realizadas estas primeras operaciones, se debe evitar que el niño se enfríe. En el momento del nacimiento, su temperatura corporal es la misma que la de la madre, pero una vez en el exterior puede ser que el niño se enfríe. Si es necesario, meterán al niño en la incubadora pero, en condiciones normales, lo mejor es el contacto con la piel de la madre.

Entregar el niño a su madre

▶ *Principales ventajas:*
- La madre ve y toca los resultados de tanto sufrimiento.
- Se crea enseguida un vínculo entre madre e hijo.
- Podrá darle el pecho, con lo que se estimula de forma precoz y eficaz la producción posterior de leche.
- El niño, que ya en el útero ha aprendido a reconocer la voz de su madre, volverá a oírla enseguida, un poco cambiada pero con el mismo tono.
- Las horas que siguen al parto, en las que el niño parece adormilado, pero en las que en realidad está atento a todo lo que sucede a su alrededor, son esenciales porque son la base de las futuras relaciones del bebé, no sólo con la madre sino con las demás personas que se ocuparán de él, entre ellas y la más importante, su padre. Está comprobado que desde sus primeros minutos de vida, el recién nacido, de todo lo que ve, presta una especial atención a las cosas que se parecen al rostro humano. Sabed que, por muy pequeños que sean, los recién nacidos ven, sienten, tienen sentido del gusto y perciben el dolor.

▶ *¿Qué hacer?*
No hay que hacer nada especial. Coged al niño en brazos con naturalidad, metedlo en la cuna y habladle.

La temperatura

En los hospitales, en las zonas donde hay bebés se suele mantener una temperatura de alrededor de 24 ºC. En casa basta con mantenerla en torno a los 22-23 ºC.

VALOR APGAR

Es una "puntuación" que se da a todos los niños, y también al vuestro, dos veces:
- al minuto de nacer,
- a los cinco minutos.

Igual que en el colegio, la "puntuación" es de 0 a 10. Se puntúan de 0 a 2 cinco aspectos diferentes del recién nacido que reflejan su vitalidad y su estado físico. A continuación encontraréis el denominado "Test de Apgar".

ELEMENTOS QUE SE EVALÚAN	2 PUNTOS	1 PUNTO	0 PUNTOS
Respiración	Respira bien	Respira mal, débilmente y de modo irregular	No respira
Color de la piel	Rosado	Rosado en el tronco y violeta en las extremidades	Violeta o pálido
Pulsaciones por minuto (pulso)	Más de 100	Menos de 1 000	Ninguna
Estado de los músculos	Las extremidades están flexionadas y se mueven bien	Las extremidades están ligeramente flexionadas	Totalmente relajadas y sin oponer resistencia (atonía)
Reflejos - respuesta a un estímulo doloroso	Hace una mueca y emite un grito enérgico	Hace sólo una mueca y emite un leve grito o quejido	Ninguna respuesta

Resultados

Puntuación: de 7 a 10.
Diagnóstico: el recién nacido es normal.
Puntuación: de 0 a 4 al minuto de nacer o de 0 a 6 a los cinco minutos de nacer.
Diagnóstico: el recién nacido es un niño de alto riesgo.

ASPECTO DEL RECIÉN NACIDO

Se dice que los recién nacidos son todos iguales, pero no es cierto. Este tópico se debe a que tienen unas características comunes, muy distintas a las de los niños que apenas han cumplido un año.

Peso y talla

▶ *¿Cuánto debe pesar?*
El peso medio de los varones es de 3,300 kg y el de las niñas, de 3 kg.
El peso normal de un varón está entre 2,600 kg y 4,150 kg.
Vuestro hijo pesa .... kg.
¿Está dentro de lo normal? Sí ❑ No ❑
El peso normal de una niña está entre 2,300 kg y 3,800 kg.

21

Cuerpo y salud

Los 1000 primeros días de tu bebé

Vuestra hija pesa .... kg.

¿Está dentro de lo normal? Sí ❑ No ❑

▶ *¿Cuánto debe medir?*

La *talla* media es de 50 cm.

La *talla* normal de un varón oscila entre 47 cm y 55 cm.

Vuestro hijo mide .... cm.

¿Está dentro de lo normal? Sí ❑ No ❑

La *talla* normal de una niña oscila entre 45 cm y 55 cm.

Vuestra hija mide .... cm.

¿Está dentro de lo normal? Sí ❑ No ❑

Cabeza y cráneo

Cabeza grande

Al mirar a un recién nacido se observa que, en proporción, tiene la cabeza más grande que las demás partes del cuerpo si lo comparamos con las proporciones de un adulto o de un niño de más edad. Al nacer, la cabeza es la cuarta parte de todo el cuerpo, mientras que cuando somos adultos es sólo la octava parte (durante la vida fetal, la desproporción es todavía mayor: en el feto, a los dos meses, la cabeza es casi la mitad).

Perímetro craneal

El *perímetro craneal* medio de un varón es de 34,8 cm, mientras que el de una niña es de 34,3 cm.

El *perímetro craneal* normal de un varón está entre 32,6 cm y 37,2 cm, y el de una niña, entre 32,1 cm y 35,9 cm.

El p*erímetro craneal* de vuestro hijo es de .... cm.

¿Está dentro de lo normal? Sí ❑ No ❑

Para medir el perímetro del cráneo se puede utilizar un metro de costura.

Fontanela

En algunos casos, el recién nacido tiene "abierta" la fontanela posterior que se encuentra entre el occipital y los dos parietales. Casi en el centro del cráneo está la fontanela anterior, que tiene forma de rombo y unas dimensiones aproximadamente de 2 x 2 cm.

Hinchazones

▶ *Cefalohematoma.* Unas horas después de nacer puede que se note en la cabeza del niño una hinchazón. A veces llegan a ser de grandes dimensiones y no es más que sangre de algún vaso que se ha roto durante el parto. La sangre se queda entre el hueso y el revestimiento del cráneo porque en esta zona no tiene posibilidad de salir, a diferencia de cuando, por ejemplo, nos hacemos una herida en un dedo. De hecho, si acariciamos la cabeza del niño y ejercemos una leve presión, tendremos la sensación de estar tocando un líquido. Es lo que se conoce como cefalohematoma. Tarda unas horas en formarse porque tiene que pasar algo de tiempo para que la sangre, que va saliendo lentamente, se acumule y se haga evidente. En estos casos, igual que con las heridas, al cabo de poco tiempo la sangre deja de brotar. La hinchazón puede tardar varias semanas en desaparecer pero irá remitiendo sola, sin que haya que intervenir. Así que, aunque creáis que es enorme, estad tranquilos. El problema se resolverá por sí solo, sólo hay que esperar. Es importante que no intentéis rasgar la piel para vaciar el cefalohematoma porque podrían aparecer infecciones o surgir otras complicaciones.

Mejillas

Están llenas de grasa tanto por el interior como por el exterior.

Boca

▶ *Lengua:* parece grande con respecto al resto de la boca y a los labios, pero es normal, no os preocupéis.

▶ *Frenillo:* es la unión de la lengua al paladar. Aunque os parezca corto, no se lo cortéis para no ocasionarle posibles trastornos en el habla.

▶ *Saliva:* es muy escasa hasta los 2-3 meses.

Rostro

La cara es redonda y la mandíbula pequeña.

Cuello

Corto en relación con la cabeza y con el tronco.

Tórax

Es redondeado, aunque puede ser un poco "achatado", como el de los adultos.

El *perímetro torácico* medio es de 33 cm, pero puede oscilar entre los 31 y los 35 cm.

El *perímetro torácico* de vuestro hijo es de .... cm.

¿Está dentro de lo normal? Sí ❏ No ❏

El perímetro del tórax se mide a la altura de los pezones con un metro de costura.

Mamas

Como durante la vida fetal al niño le han llegado las mismas hormonas que preparan el seno de la madre para la producción de leche, puede que en los días posteriores a su nacimiento, tanto si se trata de un niño como de una niña, las mamas del bebé estén hinchadas e incluso lleguen a producir un líquido seroso que se parece a la leche materna (esta condición se denomina "intumescencia mamaria"). No estrujéis las mamas ni hagáis ninguna otra cosa porque podríais provocar una infección al niño.

Abdomen

Prominente y dilatado (es decir, hacia fuera e hinchado).

Genitales

Las niñas pueden tener los genitales hinchados y tumefactos, con una secreción serosa, mucosa, blanquecina y densa que a veces es rojiza y recuerda a la menstruación. Esta secreción se conoce como "pseudo-menstruación" o "menstruación precoz".

En los niños, es normal que el prepucio (la piel que recubre el extremo del pene, que se denomina glande) no se pueda deslizar.

Es frecuente que los recién nacidos tengan erecciones, pero no tiene ningún significado especial.

■ El pene mide entre 2,5 y 4 cm.

■ Los testículos son de unas dimensiones que, desde el nacimiento hasta la pubertad, su diámetro mayor pasa de 1,5 a 2,5 cm y el diámetro menor, de 1 a 1,3 cm.

Tened presente que el tamaño del pene y de los testículos al nacer no tienen influencia alguna en la futura virilidad del niño.

Extremidades

Extremidades superiores: los antebrazos están flexionados, es decir, los brazos están ligeramente doblados.

Extremidades inferiores: las piernas están flexionadas hacia los muslos y éstos, a su vez, hacia el abdomen.

El recién nacido se coloca en una posición parecida a la que tenía en el útero materno, con las extremidades retraídas (flexionadas).

Piel

► *Vérnix caseoso.* Sustancia blanquecina o amarillenta que recubre al bebé durante la vida fetal y le permite estar en un entorno líquido (el líquido amniótico) sin macerarse, cosa que sucedería si la piel no tuviera protección.

► *La piel puede estar enrojecida* (se trata de un eritema tóxico). Suele aparecer al segundo día, pero puede aparecer también en los días siguientes. Se notan unas manchitas rojas y unos nódulos o bultitos diminutos de color amarillento de 1 ó 2 milímetros.

► Es normal que el recién nacido presente una *ligera pátina blanquecina.*

► También es normal que el niño presente una *leve descamación.*

► Son muy frecuentes *las variaciones de coloración.* La piel puede ser rosada pálida. En cambio, las manos y los pies pueden estar azulados. Aunque es raro, puede darse que un mismo bebé tenga la mitad del cuerpo rosada y la otra pálida.

► *Manchas azules o grisáceas.* Se denominan "manchas mongólicas" porque son muy frecuentes en los pueblos de Extremo Oriente, pero no tienen nada que ver con el mongolismo o síndrome de Down. Pueden ser de un color más o menos intenso y de diversos tamaños. En general aparecen en la parte inferior de la espalda y en los glúteos. En la mayor parte de los casos, estas manchas desaparecen (es decir, remiten y dejan de verse) al cabo de un año o dos.

► *"Puntitos blancos".* Es el denominado "milium". Son duros y cada uno de ellos es como una cabeza de alfiler, de 1 ó 2 milímetros de diámetro, y de color blanco nacarado. Desaparecen solos.

► *"Puntitos amarillentos".* Son blanquecinos tirando a amarillentos y aparecen en la frente, la nariz, las mejillas y el labio superior. No hay que preocuparse, porque lo único que pasa es que las glándulas sebáceas se han hinchado. Irán disminuyendo en un par de semanas.

► *Manchitas rojas, rosadas y naranjas.* Cuando son lisas, están al mismo nivel que la piel de alrededor y son de color uniforme se denominan angiomas (también se conocen popularmente como "antojos"). Normalmente aparecen en la cara (frente, párpados) o en la nuca, que es el lugar donde surgen con más frecuencia y donde, por lo general, son de color anaranjado, casi salmón. No os preocupéis, son manchitas puramente estéticas y en algunas ocasiones van aclarándose con la edad. Otras veces es necesario acudir al dermatólogo.

ALIMENTACIÓN

La decisión de dar el pecho al niño corresponde a la madre. Si finalmente optáis por este tipo de alimentación, tenéis que actuar como si no existiera la leche artificial. Sobre todo, no os preocupéis si veis que vuestro hijo come poco. No es que os falte leche, es que el niño necesita muy poca cantidad de alimento. Es importante que no le deis nada mientras esperáis a que os suba la leche, ni agua ni leche artificial, porque, de lo contrario, dificultaréis la lactancia materna y además corréis el riesgo de que el niño desarrolle alguna alergia.

► *Los primeros dos o tres días el niño duerme mucho y muy profundamente.* Parece que no tiene ganas de despertarse ni de mamar. Que se os quite de la cabeza que no sois capaces de producir leche y que el niño no come porque "no tiene fuerzas ni para despertarse". Pamplinas. Veréis cómo al cuarto día el niño empieza a comer como es debido. Es normal que el recién nacido coma poco los primeros días, que la madre tenga los pechos poco hinchados y que la secreción de leche sea escasa. Entre los dos y cuatro días que siguen al parto, las mamas no producen leche propiamente dicha, sino un líquido que se llama "calostro".

► *El calostro es viscoso,* de color amarillo limón y contiene elementos de vital importancia para la defensa contra las enfermedades, así como unas sustancias especiales (las enzimas) que facilitan la eliminación del meconio y estimulan el desarrollo del intestino y la digestión de las grasas. Se produce en una cantidad muy pequeña: las mujeres segregan entre 10 y 40 ml de esta sustancia al día, lo que equivaldría a entre 1 y 4 cucharadas soperas. Ésta es la explicación de que durante los primeros días las mamas no estén muy hinchadas y de que el niño coma poco. Como veis, es un fenómeno completamente normal. No me cansaré de insistir en que la costumbre popular de estrujar el pecho de las mujeres que acaban de dar a luz para expulsar este líquido es un error y que sólo se debe a los recelos que despertaba antiguamente por su aspecto amarillento, un tanto sospechoso.

¿Cuándo come?

Hasta pasados los primeros siete u ocho días de vida, el niño todavía no sabe comer bien ni se ha adaptado por completo al entorno exterior, que es muy distinto al medio en el que ha vivido hasta su nacimiento. Comprobaréis que tiende a comer a menudo, sin una regularidad o un ritmo precisos, con tomas unas veces muy seguidas y otras a intervalos más o menos largos. Seguid su tendencia y plegaos a sus deseos. Lo importante es que le deis el pecho, que es la mejor forma de estimular la producción de leche. Sólo de la segunda semana de vida en adelante (véase la etapa número 4) el niño podrá ir alimentándose a intervalos más regulares, que oscilarán entre las 2 y las 5 horas.

La posición correcta para amamantar al bebé

■ Una de las ventajas de la lactancia materna es que se puede amamantar al niño en cualquier sitio. La única precaución que hay que tener es que pueda llegar al pezón sin obstáculos o dificultades.
■ Se debe sostener al niño en el regazo, apoyado en un brazo, de modo que esté recostado y pueda mirar a los ojos a su madre.

Una madre amamantando a su hijo es la imagen clásica de la maternidad, y hoy en día hace exactamente los mismos gestos que la primera mujer que pisó la Tierra hace más de 100 000 años.
El niño reconoce el olor del pecho de su madre y el sonido de su voz y se siente muy a gusto. Por eso cada vez que se le acerca al pecho tiene un "reflejo condicionado amoroso". El entorno de tan tierna estampa ha de ser sereno, agradable y relajado, y gran parte de la responsabilidad de que así sea recae en el padre.

■ La madre ha de estar sentada en una butaca o un sillón más bien bajos con brazos y tener a mano un reposapiés donde apoyar los pies para poder levantar la rodilla del lado sobre el que está recostado el niño.

■ Para que el bebé empiece a mamar, tocad ligeramente con el pezón la mejilla del niño del lado de la mama.

■ El pecho al que se acerca el niño debe sujetarse con la mano contraria, sosteniendo el pezón entre los dedos índice y corazón (o pulgar e índice) para hacer que sobresalga un poco y facilitar así la succión.

■ El niño se meterá en la boca todo el pezón y gran parte de la areola, llegando a introducirse en la boca durante la succión entre cuatro y seis centímetros de la mama.

■ El niño hace aproximadamente una succión por segundo.

■ No se le debe separar del pecho mientras está mamando. Cuando haya necesidad de hacerlo, por ejemplo, si la madre siente dolor en los pezones, se introduce un dedo (por supuesto, limpio) entre las encías y la areola. No obstante, en condiciones normales no se ha de separar al niño del pecho.

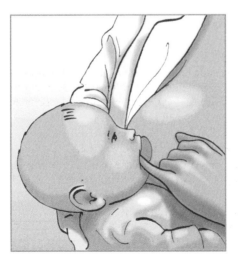

En general es el niño el que se separa del pecho, pero cuando sea necesario interrumpir la toma, basta con introducir el dedo meñique en su boca como se indica en la figura. De todas formas, este recurso sólo se debe utilizar cuando sea realmente indispensable ya que es molesto para el niño.

Vaciad siempre las mamas

Cuanto más se vacíen las mamas, más se estimula la producción de leche. Por eso conviene alternar el pecho al que se acerca primero al bebé en cada toma. Si en una toma el niño ha mamado sólo de un lado, en la siguiente se le ha de dar primero el pecho del que no ha mamado la vez anterior. Mamás, no debéis pensar que tenéis más leche en un lado que en otro. Esa sensación nace probablemente de un error en la técnica de alimentación: ¡no olvidéis ir alternando los pechos tal y como hemos indicado!

El horario de las tomas

▶ *No hay un horario fijo y predeterminado para las tomas: el niño mama cuando quiere, es decir, cuando tiene hambre.*
■ Nos dice que tiene hambre cuando llora.
■ Al llorar está pidiendo que se le alimente, por lo que hay que darle el pecho.
■ En cambio, si está dormido significa que no tiene hambre. Por ahora no sé de ningún niño que se haya muerto de hambre porque se le haya olvidado comer...

La cantidad de tomas

▶ *Puede comer tanto como quiera y cuando quiera.*
■ Ahora que sabemos que el niño come cuando quiere o, mejor dicho, cuando tiene hambre, debemos dejar que sea él quien nos lo pida con el llanto, que es su forma de hablar.
■ A diferencia de lo que se decía hasta hace unos años, no hay un número exacto y definido de tomas.
■ Normalmente los niños se alimentan a menudo, cada dos o tres horas, y llegan a hacer entre ocho y doce tomas al día. De todas formas, el número de tomas tiende a disminuir a medida que van pasando los días y las semanas.
■ Por lo general, los recién nacidos tienen hambre a las dos horas del final de la toma anterior y, en ese intervalo, la mama ya ha vuelto a producir tres cuartas partes de la leche.
■ Durante la primera semana es normal que el bebé tome una cantidad muy pequeña de leche, por lo que no se debe pensar que la madre tiene poca leche.
■ Una cosa más: *¡prohibido despertar al niño!*

Duración de las tomas

Como máximo quince minutos de cada lado. *Es importante recordar que el niño toma el 80% de la leche en los primeros cuatro minutos.* Se le puede conceder algún minuto más porque el contacto con la madre desempeña un papel esencial desde el punto de vista psicológico y afectivo.

¿Cómo se sabe si el niño ha comido lo suficiente?

Descartad la idea de pesar al niño dos veces (véase más adelante), porque será él mismo quien os diga si ha comido lo suficiente. Veréis lo fácil que es averiguarlo:
▶ Si, después de darle los dos pechos durante el tiempo indicado, el niño no llora y se adormila, estad tranquilos porque ha tenido suficiente. ¿Cómo podemos estar tan seguros? Porque si el niño no llora, está

callado a su manera, es decir, no habla. Y no habla porque no tiene nada que decir.

Acordaos de que los bebés, cuando tienen alguna necesidad, nos lo comunican con su propio lenguaje, que es el llanto.

¿Cómo hacer que expulse el aire?

Es conveniente hacer que el bebé eructe al terminar la toma, bien cuando se separe (solo) del pecho o bien una vez que hayan transcurrido quince minutos durante las primeras tres semanas y diez de ahí en adelante. Para ayudarle a expulsar el aire, en vez de volver a meter al niño en la cuna:

■ mantenedlo con la espalda recta, o
■ apoyadlo en vuestro hombro, o
■ colocadlo sobre vuestro regazo.

▶ Generalmente, como todavía no saben comer bien, los recién nacidos y los niños muy pequeños empiezan a tragar antes de que les llegue la leche a la boca, por lo que tragan mucho aire.

Se puede ayudar al niño a expulsar mejor el aire si, mientras se le sostiene con la espalda derecha, se le golpea con delicadeza el tórax o se le da un ligero masaje. Conviene repetir esta operación a intervalos regulares de uno o dos minutos hasta que el pequeño eructe. No siempre es necesaria tanta parafernalia, porque puede que durante la toma haya tragado poco aire y no tenga necesidad de expulsarlo.

▶ Al cabo de cinco o diez minutos, se acuesta otra vez al niño, siempre de lado.

▶ No se le debe colocar boca abajo porque, en esa posición, si vomita es más fácil que la leche pase del esófago al aparato respiratorio, que estaría más bajo, por lo que el líquido iría a parar ahí por la fuerza de la gravedad.

Bebés que se alimentan de noche y duermen de día

Muchos niños hacen las tomas más seguidas durante la noche y durante el día se alimentan a intervalos más largos (aunque normalmente sucede lo contrario). No se puede hacer nada, y mucho menos intentar acostumbrarlos a la fuerza a que cambien de hábitos. Para el niño está bien así; para la madre un poco menos pero, tranquilos, porque seguramente pasados tres o cuatro meses el bebé se adaptará al ritmo de sueño y vigilia de los adultos y aprenderá a dormir por la noche y a estar despierto y comer de día.

¿Debe beber?

No es indispensable.

LAS HECES Y LAS DEPOSICIONES

Meconio

La primera evacuación se conoce como "meconio". Es de color negruzco-verdoso, viscosa y bastante dura y compacta. No huele a nada.

Son las primeras "heces" del recién nacido pero, más que un producto de la digestión de alimentos, se trata de la expulsión de una materia compuesta sobre todo por células del intestino del niño que se han ido exfoliando durante su vida en el útero: líquido amniótico, bilis y jugos segregados por el aparato digestivo.

La cantidad total de meconio que se suele expulsar es de unos 70 ó 90 g.

A las pocas horas de nacer, el niño expulsa una pequeña cantidad de meconio, pero, por lo general, lo acaba de expulsar en el transcurso de las primeras 24 horas de vida.

Heces de tránsito

Este tipo de heces suele tener un color marrón-verdoso. Se expulsan entre el tercer o cuarto día y el sexto o el séptimo y están a medio camino entre el meconio (ya que continúa la emisión de las secreciones producidas durante la vida fetal) y las heces normales, que son el resultado de las escorias de los alimentos (para ver el aspecto de las heces de los niños que se alimentan con leche materna y con leche artificial, véase la etapa número 4, página 51).

EL PESO

Pesar al niño dos veces

► *¡Es una pérdida de tiempo!*
No sólo es algo innecesario, sino que puede ser hasta contraproducente: los niños no ingieren siempre la misma cantidad de leche en cada toma, igual que los adultos no comemos la misma cantidad de alimentos en cada comida. Además, si durante las primeras semanas, la madre nota que el lactante no come mucho, probablemente empezará a angustiarse y a pensar que "se le está acabando la leche" o que su hijo "no está bien". La cantidad de leche que toma el niño puede variar considerablemente (de 30 a más de 100 g) de una toma a otra.

Hasta la cuarta semana (etapa 5) no se debe pesar al bebé.

► *Si veis que pierde peso, no os preocupéis, es la pérdida de peso fisiológica.*
Prácticamente todos los recién nacidos pierden peso durante los primeros días de vida con respecto a lo que pesaron al nacer. Pueden perder hasta un 10% de su peso. Es un fenómeno completamente normal, tan normal que hasta tiene nombre: pérdida de peso fisiológica. Está comprobado que durante los primeros 8 ó 10 días de vida, el niño come menos porque ha de adaptarse a la vida fuera del útero materno. Durante este período, además de que el organismo va consumiendo las energías que le hacen falta, se produce una pérdida de peso adicional porque:
■ se expulsa el meconio (70-90 g),
■ se seca y se cae el cordón umbilical, y
■ se elimina el vérnix caseoso.

La pérdida de peso fisiológica es patente durante los primeros 3 ó 4 días, sobre todo durante las primeras 24 horas, cuando el recién nacido expulsa el meconio. Por tanto, durante este período no debéis controlar el peso del niño porque es inútil: no podréis saber cuánto peso ha ganado el niño en realidad ni cuánto ha perdido como consecuencia de la pérdida de peso fisiológica.

EL BEBÉ SE PONE AMARILLENTO

Ictericia del recién nacido

Es muy frecuente (le ocurre a uno de cada dos niños) que, durante los primeros días de vida, el recién nacido presente una ictericia (término con el que se designa la coloración amarillenta de la piel y de los ojos) que se denomina fisiológica (término científico que significa "normal"). En los recién nacidos, la aparición de la ictericia, que en los niños de más edad o en los adultos es un síntoma de enfermedad, se debe a que el hígado, al igual que los demás órganos y aparatos, está todavía en fase de "rodaje" y no acaba de funcionar con la regularidad oportuna en un momento en el que precisamente tiene mucho "trabajo" que hacer. ¿Por qué tanto trabajo? Porque al nacer se destruye una gran cantidad de glóbulos rojos fetales y el hígado debe transformar algunos de sus componentes pero, como acabamos de comentar, funciona más despacio de lo normal y no es capaz de transformar una sustancia, la bilirrubina, que se acumula en espera de que el hígado la vaya transformando más adelante.

El responsable de la aparición de la ictericia es precisamente el aumento de la cantidad de bilirrubina en estado de "espera".

■ Normalmente, la ictericia aparece al segundo o tercer día de vida (nunca antes de la 36.ª hora de vida), ya que han de pasar unas horas para que la bilirrubina se acumule en la sangre.

■ Este tipo de ictericia (fisiológica) desaparece entre el quinto y el séptimo día de vida.

■ La ictericia fisiológica tiene su origen en una variedad especial de bilirrubina, la denominada bilirrubina indirecta.

A continuación os mostramos los valores de bilirrubina presente en la sangre de los recién nacidos que tienen ictericia para que tengáis un punto de referencia. Así sabréis cómo va evolucionando vuestro hijo y cuándo se suele recurrir a algún tipo de tratamiento (fototerapia o eanguinotransfusión).

EDAD EN HORAS DESDE EL NACIMIENTO	FOTOTERAPIA ACONSEJABLE	FOTOTERAPIA	EANGUINO-TRANSFUSIÓN ACONSEJABLE ✗	EANGUINO-TRANSFUSIÓN
<24 (Se excluye por considerarse patológica, y precisa evaluación más amplia)				
25-48	>12 mg/dl	>15 mg/dl	>20 mg/dl	>25 mg/dl
49-72	>15 mg/dl	>18 mg/dl	>25 mg/dl	>30 mg/dl
>73	>17 mg/dl	>20 mg/dl	>25 mg/dl	>30 mg/dl

✗ *Si con la fototerapia no se consigue reducir en 1 ó 2 mg/dl la bilirrubina o al menos no se detiene su incremento pasadas 4 ó 6 horas desde la aplicación de la fototerapia.*

El cuidado del pecho

■ Debéis lavar las mamas una vez al día. Es preferible hacerlo después de la toma para no desorientar al niño, que reconoce a su madre por el olor. Por ello es tan importante que no os lavéis las mamas antes de alimentar al niño y que no os echéis ni perfumes ni cremas o aceites en general, ni siquiera los que previenen la aparición de grietas.

■ No utilicéis jabón porque seca mucho la piel.

■ No uséis ácido bórico porque puede ser tóxico para el niño.

■ Mantened el pecho bien seco para evitar que se macere o sufra daños como consecuencia del roce con otros tejidos. Secaos muy bien.

■ En la medida de lo posible, es bueno tener el pecho al aire.

■ Usad sujetadores firmes de fibra natural y discos absorbentes de un solo uso (fijaos en que estén bien secos).

■ Podéis tomar el sol tanto como queráis, ya que la exposición al sol enriquece la leche con la vitamina D necesaria para la calcificación.

■ Podéis tomar el sol también en *topless*.

■ Podéis utilizar lámparas solares.

31

Pezones hundidos

Podéis utilizar una tetina artificial que se coloca sobre la areola al dar de mamar al niño o bien vaciar el pecho con las manos (véase la página 46) y dar al niño la leche con un biberón (acordaos de que se conserva perfectamente en la nevera durante 24 horas).

Oclusión mamaria

▶ *¿Qué se nota?*

■ Los pechos (o sólo uno de ellos) aumentan de volumen, se hinchan, se ponen duros y duelen.

▶ *¿Cuándo suele ocurrir?*

■ Entre el segundo y el quinto día después del parto.

▶ *¿Qué hacer?*

■ Debéis seguir dando el pecho al niño.

■ Incluso debéis alimentar al niño con más frecuencia.

■ Aplicaos compresas húmedas calientes en las mamas.

Grietas en el pecho

▶ *¿Qué se nota?*

■ Alrededor del pezón, la piel presenta fisuras en forma de estrella o en círculo, más o menos profundas y sangrantes, que pueden llegar a provocar dolores muy intensos.

▶ *¿Cuándo suele aparecer?*

■ A los dos o tres días del parto, normalmente durante la primera semana y nunca después de la tercera semana.

▶ *¿Cómo prevenirlas?*

■ Lavaos bien el pecho.

■ Acordaos de mantenerlo siempre bien seco. Si expulsáis leche entre toma y toma, secaos bien e id cambiando los discos absorbentes de un solo uso.

■ Tened cuidado de que el niño tome el pecho de manera correcta (véase la figura de la página 26), de modo que se introduzca en la boca todo el pezón y gran parte de la areola.

■ No estéis dando el pecho al niño demasiado tiempo (15 minutos como máximo).

■ Al final de la toma, no separéis al niño del pecho de forma brusca, dejad que sea él quien se separe. Si tenéis dolores y queréis interrumpir la toma, basta con que introduzcáis un dedo en la boca del bebé (véase la figura de la página 26), no lo separéis de repente. Así evitaréis la formación de laceraciones que puedan propiciar la aparición de grietas.

▶ *¿Qué hacer si tenéis grietas?*

■ Si tenéis grietas en el pecho, evitad que el niño mame más de 5 minutos de cada lado, es decir, 10 minutos en total. Pero, como siempre, procurad que el niño mame de los dos pechos y, si no lo hace, id alternándolos en cada toma.

■ Aplicaos una *pomada cicatrizante*. Lavaos bien el pecho antes de cada toma para que no queden restos.

■ En determinados casos, si es necesario, se puede dejar de dar el pecho al niño durante unos días y extraer la leche a mano o con un sacaleche y dársela con el biberón. Sin embargo, muchas veces este método es más doloroso que seguir dando el pecho al niño.

■ Es bueno tener el pecho al aire porque así se secan mejor las grietas.

COSAS QUE DEBÉIS APRENDER A HACER

Aprender a ser mamás

Tanto si tenéis al niño con vosotras en la habitación (práctica que se conoce como "rooming-in") como si está en el nido, debéis aprender desde ahora a realizar una serie de operaciones básicas, como cambiarle los pañales, limpiarlo y darle el pecho. Es el mejor momento para empezar porque si tenéis alguna duda podéis consultar al personal del hospital y dejar que os aconsejen.

Dar el pecho

Debéis aprender a coger al niño en brazos.

■ Para darle el pecho en la posición correcta, véase la página 26.

■ Para hacer que expulse el aire, véase la página 28.

El contacto piel con piel

Mantened al niño desnudo, sólo con el pañal, en contacto con vuestra piel (puede hacerlo tanto la madre como el padre): no sólo le daréis calor de forma natural sino que le haréis recordar toda una serie de sensaciones agradables que ya conoce, como por ejemplo el olor de la madre, que, asociado al sonido de su voz, afianza y fortalece el vínculo entre madre e hijo.

Limpiar y cambiar al niño

■ Hay que cambiar de ropa al niño una vez al día y de pañales con bastante frecuencia (los recién nacidos orinan cada hora y media aproximadamente).

■ Mirad si el pañal está seco antes y después de cada toma y cada vez que llore.

■ Hay que cambiar al niño cada vez que se haga pis o caca.

- No utilicéis leches o toallitas detergentes. La orina y las heces se limpian con agua corriente (tened mucho cuidado de no mojar la gasa que recubre el cordón umbilical).
- Hay que limpiar al niño cada vez que se le cambian los pañales.
- Limpiad con atención los pliegues de la piel de la ingle.
- Por ahora, limitaos a lavar la parte exterior del pene; no es necesario que limpiéis el glande.

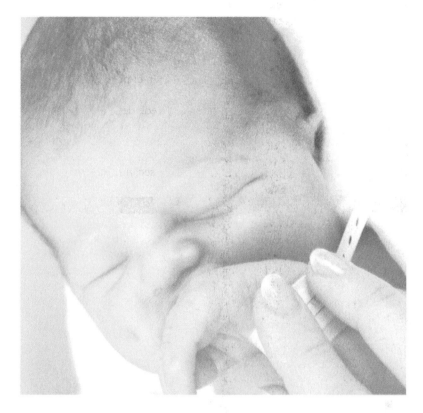

LA VUELTA A CASA

A la hora de tomar cualquier decisión, guiaos siempre por el sentido común (es suficiente y funciona de maravilla), sin dejar que nadie, y en especial los abuelos del niño, interfiera entre vosotros con el pretexto de su supuesta experiencia.

▶ Si todavía no lo habéis hecho, leed la etapa número 1.

ANTES DE NADA

▶ *¿Qué temperatura debemos tener en casa?*
22-23 ºC.

¿Dónde ha de dormir el niño?
Si es posible, puede dormir desde la primera noche en su propia habitación, en una cuna (para más información sobre los requisitos de la cuna, consúltese la etapa número 1). También puede dormir en el cochecito o en un moisés las primeras semanas, pero nunca, nunca, lo metáis en la cama con vosotros.

▶ *¿En qué posición debe dormir?*
SÍ Debe dormir de lado.
NO No se le debe colocar boca abajo o boca arriba.

▶ *¿Dónde debe estar durante el día?*
SÍ Debe estar a la luz, rodeado de familiares, oír ruidos y a quienes están cerca de él; y cuanto más se le hable mejor.
NO No se le debe dejar a oscuras, solo, sin que oiga ruidos, voces...

► *¿Se le puede bañar?*

NO se debe hasta que no se le haya caído el cordón umbilical (véase la etapa siguiente, la número 4).

► *¿Cómo y cuándo lavarlo?*

SÍ Cada vez que se le cambia el pañal se ha de lavar muy bien al niño con agua corriente (pero tened mucho cuidado de no mojar la gasa que cubre el cordón umbilical).

NO En cambio, no es recomendable usar leches detergentes y/o toallitas húmedas, a menos que las circunstancias sean especiales, como por ejemplo si hemos salido a dar un paseo con el bebé o si estamos en un sitio donde las condiciones higiénicas dejan mucho que desear.

¿Cuándo se puede empezar a salir a la calle con el niño?

Se le puede sacar de paseo desde el momento en que os den el alta en el hospital. Aprovechad los momentos del día en los que haga una temperatura agradable (ni excesivo calor, ni excesivo frío). En el invierno es mejor dar paseos cortos (de 15 ó 20 minutos) para evitar que el niño se enfríe.

¿Cómo hay que vestirlo?

Recordad que los lactantes sudan menos que los adultos y que por eso tardan más en perder el calor y están siempre más calientes. No llevéis a vuestro hijo demasiado abrigado.

Podéis orientaros por el calor y el frío que sintáis vosotros, pero, eso sí, tened siempre presente que en invierno no conviene llevar a los niños demasiado abrigados y que en verano es suficiente con ponerles una sola prenda además de los pañales, como por ejemplo un pelele o una camiseta de algodón, sin patucos ni botas.

¿Cómo debe ser la ropa interior del niño?

SÍ De algodón.

NO De lana (ni siquiera en invierno porque puede irritar la piel del niño).

NO Tampoco utilicéis las que tienen el interior de algodón y el exterior de lana, ya que también pueden irritar la piel del bebé.

¿Se le puede dar el chupete?

SÍ Pero tiene que ser de goma, de los que son de plástico y de una sola pieza, para evitar que el niño se lo pueda tragar accidentalmente. Sujetádselo a la ropa con una cadenita y un alfiler o un broche de plástico. Estos accesorios se venden en farmacias y en tiendas especializadas de artículos sanitarios.

NO No lo mojéis en miel ni en azúcar.

Heces

Hasta la segunda semana no prestéis demasiada atención al color, el aspecto o la consistencia de las heces porque todavía son de transición (véase la etapa número 2). A título orientativo, pensad que las heces de tránsito son entre negruzcas y verdosas, las de los niños que se alimentan de leche materna amarillo-doradas, y las de los niños que toman leche artificial, de color paja.

► *En el caso de las niñas, se ha de lavar siempre primero la vagina y después el ano para evitar que los gérmenes que se encuentran normalmente en las heces se extiendan a la orina, que no tiene, y puedan provocar infecciones.*

Si veis que pierde peso, no os preocupéis, es la pérdida de peso fisiológica

Prácticamente todos los recién nacidos pierden peso durante los primeros días de vida con respecto a lo que pesaron al nacer. Suelen perder entre 150 y 200 gramos. Es un fenómeno completamente normal, tan normal que hasta tiene nombre: pérdida de peso fisiológica.

Está comprobado que durante los primeros 8 ó 10 días de vida, el niño come menos porque ha de adaptarse a la vida fuera del útero materno. Durante este período, además de que el organismo va consumiendo las energías que le hacen falta, se produce una pérdida de peso adicional porque:

■ se expulsa el meconio (70-90 g),

■ se seca y se cae el cordón umbilical, y

■ se elimina el vérnix caseoso.

Por tanto, durante este período no debéis controlar el peso del niño porque es inútil: no podréis saber cuánto peso ha ganado el niño en realidad ni cuánto ha perdido como consecuencia de la pérdida de peso fisiológica.

ALIMENTACIÓN

LACTANCIA MATERNA

▶ *No le deis nunca leche artificial. Recurrid a ella sólo si el pediatra os lo indica expresamente.*

La decisión de dar el pecho al niño corresponde a la madre. Si finalmente optáis por este tipo de alimentación, tenéis que actuar como si no existiera la leche artificial. Sobre todo, no os preocupéis si veis que vuestro hijo come poco. No es que os falte leche, es que el niño necesita muy poca cantidad de alimento.

Mis queridas mamás, podéis estar seguras de tener leche suficiente, aunque os dé la sensación de no tener bastante: lo más probable es que vuestro hijo no haya aprendido todavía a mamar con la suficiente energía porque es muy pequeño y todavía no tiene demasiada práctica. Dadle un poco de tiempo.

No cometáis el error de añadir leche artificial. Es preferible dejar que el niño llore un poco y darle el pecho con más frecuencia. De todas maneras, no le deis el pecho durante más de quince minutos de cada lado bajo ningún concepto.

Durante las primeras semanas de vida no intentéis controlar lo que come el niño guiándoos por el peso, ya que los días siguientes a su nacimiento todos los recién nacidos tienen una pérdida de peso fisiológica, que hace que parezca que crecen menos de lo que en realidad crecen.

Las primeras tomas en casa

Hasta la próxima semana (etapa número 4) no esperéis grandes cosas de la lactancia materna. Es normal que sea así porque:

■ viviréis el ajetreo de la vuelta a casa y el de ser uno más en la familia,

■ vuestro sistema de lactancia está todavía en fase de "rodaje" y es normal que así sea,

■ el niño todavía no tiene necesidad de comer en abundancia; empezará a hacerlo hacia el octavo o el décimo día.

Para él también es normal esta circunstancia: pensad que hace sólo diez días no tenía ni que alimentarse.

La leche todavía no responde a las características de la leche madura porque está en una fase de transición entre el calostro (amarillento) y la leche definitiva (blanca). Durante toda esta semana, en el transcurso de cada toma, aseguraos de que el bebé mama de los dos pechos (si no se duerme antes) para que la estimulación sea mayor.

La posición correcta para amamantar al bebé

▶ Consúltese la etapa número 2 (página 19).

Vaciad siempre las mamas

Cuanto más se vacíen las mamas, más se estimula la producción de leche. Por eso conviene alternar el pecho al que se acerca primero al bebé en cada toma. Si en una toma el niño ha mamado sólo de un lado, en la siguiente se le ha de dar primero el pecho del que no ha mamado la vez anterior. Mamás, no debéis pensar que tenéis más leche en un lado que en otro. Esa sensación nace probablemente de un error en la técnica de alimentación: ¡no olvidéis ir alternando los pechos tal y como hemos indicado!

El horario de las tomas

▶ *No hay un horario fijo y predeterminado para las tomas*: el niño mama cuando quiere, es decir, cuando tiene hambre.

■ Nos dice que tiene hambre cuando llora.

■ Al llorar está pidiendo que se le alimente, por lo que hay que darle el pecho.

■ En cambio, si está dormido significa que no tiene hambre. Por ahora no sé de ningún niño que se haya muerto de hambre porque se le haya olvidado comer...

La cantidad de tomas

▶ *Puede comer tanto como quiera y cuando quiera.*

■ Ahora que sabemos que el niño come cuando quiere o, mejor dicho, cuando tiene hambre, debemos dejar que sea él quien nos lo pida con el llanto, que es su forma de hablar.

■ A diferencia de lo que se decía hasta hace unos años, no hay un número exacto y definido de tomas.

■ Normalmente los niños se alimentan a menudo, cada dos o tres horas, y llegan a hacer entre ocho y doce tomas al día. De todas formas, el número de tomas tiende a disminuir a medida que van pasando los días y las semanas.

■ Por lo general, los recién nacidos tienen hambre a las dos horas del final de la toma anterior y, en ese intervalo, la mama ya ha vuelto a producir tres cuartas partes de la leche.

■ Durante la primera semana es normal que el bebé tome una cantidad muy pequeña de leche, por lo que no se debe pensar que la madre tiene poca leche.

■ Una cosa más: *¡prohibido despertar al niño!*

Duración de las tomas

Como máximo quince minutos de cada lado. Es importante recordar que el niño toma el 80% de la leche en los primeros cuatro minutos. Se le puede conceder algún minuto más porque el contacto con la madre desempeña un papel esencial desde el punto de vista psicológico y afectivo.

¿Cómo se sabe si el niño ha comido lo suficiente?

Descartad la idea de pesar al niño dos veces (véase más adelante), porque será él mismo el que os diga si ha comido lo suficiente. Veréis lo fácil que es averiguarlo:

► Si, después de darle los dos pechos durante el tiempo indicado, el niño no llora y se adormila, estad tranquilos porque ha tenido suficiente. ¿Cómo podemos estar tan seguros? Porque si el niño no llora, está callado a su manera, es decir, no habla. Y no habla porque no tiene nada que decir. Acordaos de que los bebés, cuando tienen alguna necesidad, nos lo comunican con su propio lenguaje, que es el llanto.

¿Cómo hacer que expulse el aire?

Es conveniente hacer que el bebé eructe al terminar la toma, bien cuando se separe (solo) del pecho o bien una vez que hayan transcurrido quince minutos durante las primeras tres semanas y diez de ahí en adelante. Para ayudarle a expulsar el aire, en vez de volver a meter al niño en la cuna,

■ mantenedlo con la espalda recta, o

■ apoyadlo en vuestro hombro, o colocadlo sobre vuestro regazo.

► Generalmente, como todavía no saben comer bien, los recién nacidos y los niños muy pequeños empiezan a tragar antes de que les llegue la leche a la boca, por lo que tragan mucho aire.

Se puede ayudar al niño a expulsar mejor el aire si, mientras se le sostiene con la espalda derecha, se le golpea con delicadeza el tórax o se le da un ligero masaje. Conviene repetir esta operación a intervalos regulares de uno o dos minutos hasta que el pequeño eructe. No siempre es necesaria tanta parafernalia, porque puede que durante la toma haya tragado poco aire y no tenga necesidad de expulsarlo.

► Al cabo de cinco o diez minutos, se acuesta otra vez al niño, siempre de lado.

► No se debe colocar boca abajo porque, en esa posición, si el niño vomita, es más fácil que la leche pase del esófago al aparato respiratorio, que estaría más bajo y por ello el líquido iría a parar ahí por la fuerza de la gravedad.

Bebés que se alimentan de noche y duermen de día

Muchos niños hacen las tomas más seguidas durante la noche y durante el día se alimentan a intervalos más largos (aunque, afortunadamente, normalmente sucede lo contrario). No se puede hacer nada, y mucho menos intentar acostumbrarlos a la fuerza a que cambien de hábitos. Para el niño está bien así; para la madre un poco menos pero, tranquilos, porque seguramente pasados tres o cuatro meses el bebé se adaptará al ritmo de sueño y vigilia de los adultos y aprenderá a dormir por la noche y a estar despierto y comer de día.

¿Debe beber?

No es indispensable.

Leche materna y artificial

► No tengáis prisa por empezar a darle leche en polvo. El niño necesita tiempo para acostumbrarse al nuevo entorno y adaptarse a él (tened en cuenta que hasta hace sólo diez días no tenía problemas de alimentación, de frío, de calor...). Esperad unos días para volver a planteároslo, por lo menos hasta la etapa siguiente (la número 4).

► No empecéis a alimentar al niño con leche artificial por iniciativa propia. Si el niño toma el pecho, llora como un desesperado y no hay quien le consuele, consultad a vuestro pediatra.

► En cuanto al método de preparación de la leche en polvo (que, por cierto, es muy sencillo), consultad el apartado siguiente.

Debéis tener la leche artificial preparada y a la temperatura oportuna para que no transcurra mucho tiempo entre que acabáis de darle el pecho al niño y empezáis a darle la leche artificial. Lo ideal es que no haya ninguna interrupción y que ofrezcáis el biberón al niño como si fuerais a darle el otro pecho.

Si se usa leche en polvo, cómo prepararla

El agua

Podéis utilizar agua del grifo hervida durante 10-15 minutos o agua mineral. **NO** En teoría, el agua de pozo sólo se puede consumir si se analiza con frecuencia. A efectos prácticos, y sobre todo en verano, os aconsejamos no utilizarla para no correr riesgos innecesarios.

La leche en polvo

Coged la medida que viene en el envase, llenadla hasta arriba, rasad el contenido y no lo comprimáis. Disolved en agua en una proporción de 30 cc de agua por cada medida. (No olvidéis que todas las leches en polvo se preparan con la misma proporción).

Si se usa leche líquida

Debéis prestar especial atención a su conservación.

► *Una vez abierta,*

■ consumidla en las 24 horas siguientes,

■ guardadla en la nevera,

■ mantenedla bien tapada y

■ calentadla al baño María sin dejar que llegue a hervir.

Duración de las tomas

Los primeros días, la duración de las tomas oscila entre cinco y veinticinco minutos. En general, los niños pequeños son los que más tardan, pero la duración y la cantidad de leche de las tomas varían incluso dentro de un mismo día y de una toma a otra.

Podéis comprobar si la leche está a la temperatura adecuada dejando caer unas gotas en el dorso de la mano.

► *Los agujeros de las tetinas tienen el tamaño apropiado para que, al darle la vuelta al biberón, la leche caiga goteando lenta y continuamente.*

¿Cómo alimentar al niño con el biberón?

SÍ Cogedlo en brazos como si le fuerais a dar el pecho, en la posición que se indica en la figura.

NO No lo alimentéis tumbado en la cama porque debe tener un contacto estrecho con la madre.

Si alimentáis al niño con biberón no os sintáis culpables por no tener leche y tranquilizaos contemplando el aire "soñador" que tiene el niño mientras come en vuestros brazos y contempla el rostro de su madre. Dar el biberón en esta posición no es un mero gesto mecánico de alimentación. El ambiente que os rodea tiene que ser sereno y relajado y la madre tiene que prestar especial atención a sus propios gestos: ha de estar sonriente, guapa y contenta porque el niño escruta su expresión y basa en ella su propio humor.

IRRITACIONES

En la zona de los pañales

Es lo que se conoce como eritema del pañal y se debe a que el plástico y otros componentes de los que están hechos los pañales debilitan el revestimiento de la piel, que desempeña una función protectora.

▶ *¿Qué hacer?*

En cuanto detectéis una irritación en la zona del pañal, intentad que el niño esté seco la mayor parte del tiempo y, para ello, *lavad y cambiad al niño a menudo.* Dejadle con el culito al aire cuanto sea posible. Podéis aplicarle una fina capa de crema especial para el culito de los bebés (normalmente contienen óxido de zinc que es cicatrizante).

▶ *Si la irritación no desaparece o empeora, acudid al pediatra.*

▶ *¿Qué no debéis hacer?*

■ Aplicarle fármacos por iniciativa propia.

■ Usar pomadas con cortisonas.

■ Usar ácido bórico o almidón.

■ Ponerle ungüentos.

■ Aplicar aceite de oliva en la zona irritada.

▶ *Si la irritación vuelve a aparecer: muchas veces la piel recupera su estado normal y a las pocas semanas vuelve a irritarse. No os asustéis y repetid el proceso que acabamos de describir.*

En la nuca

Si notáis que le han aparecido manchitas anaranjadas, color salmón o rojas, no os alarméis porque es una manifestación muy frecuente en los niños.

Son angiomas. Suelen desaparecer por sí solos y no ocasionan complicaciones.

BOCA

Muguet

▶ *¿Qué se ve?*
■ Filamentos parecidos a los coágulos de leche.

▶ *¿Cómo se diferencian?*
■ Los *coágulos de leche* se separan con facilidad y la mucosa que reviste el interior de la boca es normal.
■ Las *membranas del muguet*, en cambio, están adheridas a la boca y, al separarlas, la mucosa de debajo se queda irritada.

▶ *¿Dónde se localizan las membranas del muguet?*
■ En la lengua.
■ En las encías.
■ En el interior de la boca, distribuidas de forma irregular.

▶ *¿Qué hacer?*
■ *Coágulos de leche:* no hagáis nada.
■ Muguet: consultad al pediatra. Habrá que aplicar al niño en la boca *nistatina* o *miconazol* cuatro veces al día.

FÁRMACOS

▶ El bebé puede tomar *gotas polivitamínicas y comprimidos de flúor* que prevengan la caries dental, conforme a las instrucciones del pediatra del hospital o de vuestro pediatra de cabecera.

▶ Las pomadas se han de aplicar siempre sobre la menor superficie de piel posible. Aplicadlas sólo en la irritación o en la zona del trastorno, pero no alrededor porque podrían interferir con la respiración y las demás funciones de la piel.

Fármacos que conviene tener en casa

Pedid a vuestro pediatra de cabecera que os recete los siguientes fármacos:
SÍ *Pomada* para las "irritaciones".
SÍ *Suero fisiológico* (se vende en farmacias y ópticas) u otros preparados para despejar la nariz cuando se tiene un resfriado.
NO No utilicéis ninguna medicina por iniciativa propia sin preguntar antes al pediatra.
NO *Gotas para los oídos.* Por mucho que llore, es muy importante que no pongáis al niño gotas en los oídos, ya que si la membrana del tímpano está perforada podrían causarle daños graves. En caso de dolor de oídos se puede usar *paracetamol* (véase la etapa número 11, página 147).

HECES

Durante estos días, las heces son *de "transición"*, a medio camino entre el meconio (véase la página 28) y las heces "normales" en función del tipo de lactancia (véase la página 36). Presentan un color entre amarillento y verdoso, y son de consistencia líquida o mucosa. Por ahora no debéis preocuparos del número de evacuaciones, del color o de la consistencia de las heces. Volveremos a hablar de ello a partir de la segunda semana.

GENITALES

Las niñas pueden presentar, o seguir teniendo, pérdidas vaginales. Son secreciones mucosas, densas y blanquecinas que, en algunos casos, pueden ser rojizas, como una "pseudomenstruación".

En cuanto a *los varones*, hasta pasado un año no tiene importancia que en el escroto tengan un solo testículo, que no tengan ninguno o que se desplacen "hacia arriba y hacia abajo". Tampoco os debéis preocupar si el pene está "cerrado" (es la fimosis): normalmente se "abre" de forma espontánea antes de los tres años.

MAMAS (del recién nacido)

Tanto las niñas como los varones pueden presentar, o seguir teniendo, las mamas hinchadas. La hinchazón es muy evidente porque se nota como una "canica" bajo la piel de la zona de la areola y del pezón. Los bultitos pueden ser de diverso tamaño, entre el equivalente a un guisante y a una nuez.

No estrujéis el bulto bajo ninguna circunstancia porque podríais provocar una infección.

NARIZ

Los lactantes pueden padecer cinco trastornos relacionados con la nariz y la respiración:
1 hacer "ruido" al respirar,
2 estornudar,
3 tener la nariz taponada,
4 tener mocos,
5 respirar mal.
► *A continuación os indicamos todo lo que debéis saber si el niño:*
Hace ruido al respirar
No debéis preocuparos si vuestro hijo hace ruido al respirar. Estos ruidos son producidos por el aire al entrar en las diminutas cavidades respiratorias del bebé, la nariz y las vías aéreas. La presencia de mocos en el interior de la nariz puede hacer que el ruido aumente, pero tampoco se debe hacer nada en ese caso. Sólo se debe realizar un lavado cuando la cantidad de moco en el interior de la nariz es excesiva (véase el apartado "Qué debéis aprender a hacer" de la página 49), pero, eso sí, sin introducir en ningún caso algodón, gasa u otro elemento en el interior de la nariz.
Estornuda
Los estornudos no tienen ningún significado, no son el síntoma de una enfermedad. No hagáis nada y ni se os ocurra echar al bebé gotas en la nariz. Tampoco se deben al frío, así que no hace falta abrigar más al niño ni tenerlo recluido en casa.
Nariz taponada o con mocos
Quitadle los mocos, sobre todo antes de empezar a comer. Para ello, seguid las instrucciones del apartado "Qué debéis aprender a hacer" de la página 49.

Respira mal

▶ *No es grave*

Si el niño respira mal o con dificultad y tiene la nariz taponada o llena de mocos. La explicación más sencilla es que el problema sea resultado del resfriado. En ese caso, quitadle los mocos como se indica en el apartado "Qué debéis aprender a hacer". Cuando pese a tener la nariz despejada siga respirando con dificultad, *mirad a ver si tiene ligeras depresiones en el tórax y vigilad su frecuencia respiratoria* (véase el punto siguiente).

▶ *Es grave*

En cambio, la situación es más grave y se debe llevar al niño a Urgencias *si se le notan en el tórax, entre costilla y costilla, depresiones más o menos profundas* (hay que fijarse bien porque durante la respiración normal también se notan ligeras depresiones entre las costillas, si bien mucho más superficiales).

Cuando creáis que el niño respira mal, contad el número de aspiraciones por minuto. Para ello, apoyad una mano en su diafragma y contad las veces que se eleva; cada elevación corresponde a una aspiración.

La situación es grave y tendréis que avisar al pediatra o llevar al niño a Urgencias, si el número de aspiraciones es:

■ superior a 50 por minuto si el niño tiene hasta 1 mes de edad, o

■ superior a 40 por minuto si el niño tiene más de 1 mes de edad.

OJOS

Si el niño tiene muchas legañas

Si el niño tiene muchas legañas y sus ojos producen una secreción amarillenta y pegajosa, podéis limpiárselos con una bolita de algodón hervida previamente en agua durante cinco minutos (¡esperad a que se enfríe!). No utilicéis pomadas ni colirios por iniciativa propia ya que podéis ocasionar al bebé graves complicaciones, no sólo en los ojos sino también en todo el organismo.

HIPO

Para que se le pase, dadle unas cucharaditas de agua sin gas.

VACUNAS

La primera vacuna ya se le puso nada más nacer (la primera dosis de la *vacuna anti-Hepatitis B*). Las siguientes no hay que ponerlas hasta el 2.º mes (véase la etapa número 6).

RECOMENDACIONES PARA LAS MADRES DURANTE LA LACTANCIA

Dieta de la madre

No os preocupéis si todavía notáis el abdomen hinchado y los muslos y los glúteos más voluminosos porque todo irá volviendo poco a poco a su estado original.

Aunque estéis cansadas y durmáis poco, no descuidéis vuestro aspecto. Las mujeres que amamantan a sus hijos pueden:

■ comer de casi todo (véase más adelante),
■ tomar el sol o broncearse usando una lámpara solar,
■ tratarse o teñirse el pelo como quieran.

Podéis comer todo lo que os apetezca

En contra de las creencias populares que llevan a pensar lo contrario, la mujer que le da el pecho a su hijo no sólo puede comer de todo sino que los platos que tome han de ser suculentos y apetitosos. Cuanto más variada sea su dieta, mejor. Así, además de evitar el aburrimiento, se estimulan el apetito y la curiosidad, al tiempo que se están ingiriendo las diversas sustancias que son necesarias para el organismo.

La leche es importante, pero no debe sustituir a otros alimentos esenciales

▶ *Alimentos que pueden ocasionar trastornos al niño*

Es poco frecuente que un determinado alimento de la dieta de la madre trastorne al niño que amamanta; sin embargo, la ingestión de ciertas bayas, tomates, espárragos, cebollas, coles, chocolates, especias y condimentos pueden inducir en el lactante trastornos gástricos o emisión de heces sueltas. No hay que prohibir ningún alimento a la madre, salvo que produzca trastornos en el niño.

Una cosa más: las madres pueden tomar pequeñas cantidades de estos alimentos, pero han de ser conscientes de que pueden dar mal sabor a la leche y hacerla poco agradable para el lactante, que puede llegar a comer menos o a llorar durante la toma en alguna ocasión.

En cambio, no es verdad que las verduras vuelvan verdes las heces del bebé. Es una creencia popular que no tiene ni pies ni cabeza, ¡quien haya visto leche verde alguna vez, que levante la mano! Es más, después del parto, es bueno que la madre coma mucha verdura y mucha fruta para prevenir el estreñimiento.

Durante la lactancia la madre no debe seguir dietas adelgazantes. Puesto que la leche se forma a expensas de su organismo, debe comer cuando tenga hambre para evitar que, al limitar la ingestión de alimentos, pueda tener carencia de algún elemento nutritivo.

Si la madre está estreñida

Debe tomar verduras cocidas o crudas, fruta, pan integral y beber en abundancia. No debe tomar laxantes porque si pasan a la leche pueden provocar diarrea al niño.

Fármacos que no debe tomar la madre durante la lactancia

Mientras le estés dando el pecho a tu hijo no tomes ningún fármaco sin consultar antes con tu médico de cabecera.

Durante la lactancia, las madres deben descansar lo máximo posible

Aunque el ajetreo que provoca la llegada de un nuevo miembro a la familia es siempre considerable, las madres debéis intentar descansar lo máximo posible y estar tranquilas. Una forma estupenda de relajarse es pasear tanto como podáis y tenéis la excusa perfecta para hacerlo: sacar de paseo al niño.

No se deben hacer análisis de la leche

Hace ya muchos años que no se realizan este tipo de pruebas que en el pasado crearon problemas, confusión y, sobre todo, ansiedad. A estas alturas se sabe con certeza que la leche materna es muy buena para el niño y que no le falta de nada. De hecho, al formarse a expensas del organismo de la madre, es ella quien podría tener carencia de alguna sustancia (por eso no nos cansaremos de insistir en que no se debe hacer régimen durante este período). Además, la composición de la leche materna va variando a lo largo del día en parte para responder a las exigencias del niño en cada momento.

El cuidado del pecho

Durante los meses de lactancia, el pecho se pone duro y pesado, pero recuperará su aspecto normal al terminar la lactancia (a los 12 meses como máximo).

- Debéis lavar las mamas una vez al día. Es preferible hacerlo después de la toma para no desorientar al niño, que reconoce a su madre por el olor. Por ello es tan importante que no os lavéis las mamas antes de alimentar al niño y que no os echéis ni perfumes ni cremas o aceites en general, ni siquiera los que previenen la aparición de grietas.
- No utilicéis jabón porque seca mucho la piel.
- No uséis ácido bórico porque puede ser tóxico para el niño.
- Mantened el pecho bien seco para evitar que se macere o sufra daños como consecuencia del roce con otros tejidos. Secaos muy bien.
- En la medida de lo posible, es bueno tener el pecho al aire.
- Usad sujetadores firmes de fibra natural y discos absorbentes de un solo uso (fijaos en que estén bien secos).
- Podéis tomar el sol tanto como queráis, ya que la exposición al sol enriquece la leche con la vitamina D necesaria para la calcificación.
- Podéis tomar el sol también en *topless*.
- Podéis utilizar lámparas solares.

¿Cómo vaciar el pecho con las manos?

En determinadas ocasiones puede ser necesario que la madre se vacíe el pecho, como por ejemplo cuando el niño no mama, cuando se tienen los pezones hundidos (en los casos más acentuados hay que recurrir a las pezoneras o pezones artificiales), o cuando se sienten dolores en el pecho (véase el apartado "mastitis", página 65).

En el proceso de hacer que fluya la leche a los senos galactóforos se distinguen dos pasos:

▶ *Se comprime toda la mama*
Se agarra el pecho, apretando todo el perímetro de la base con las dos manos, que se juntan en la parte superior y en la inferior.

Se comprime la mama con las dos manos, avanzando desde la base hasta la punta, es decir, hasta la areola.

Esta operación se repite varias veces.

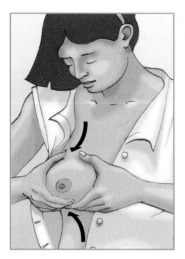

Verdadero y falso sobre qué ocurre al vaciar el pecho con las manos.
Verdadero: al "sacar" leche se favorece su posterior producción, ya que el mejor estímulo para ello es que el pecho se vacíe.
Falso: pensar que el niño comerá más si la madre se "saca" la leche y se la da con el biberón.

▶ *Se comprime la areola*

Se sujeta la mama con la mano contraria o, si os es más cómodo, podéis utilizar siempre la mano izquierda.

Con el índice y el pulgar de la otra mano se agarra la areola (sin tocar el pezón) y se comprime varias veces, haciendo fuerza no tanto hacia el exterior como hacia el centro de la mama (se debe "estrujar" la mama).

Pero, cuidado, para evitar posibles abrasiones en la piel, los dedos no deben moverse, sólo se han de mover los tejidos interiores.

Cuando este procedimiento provoque dolores o molestias, se debe interrumpir y consultar al pediatra.

Para este proceso podéis utilizar también sacaleches. No los eléctricos (son más dolorosos y pueden dañar las mamas). Sí los manuales, que actúan a modo de ventosa.

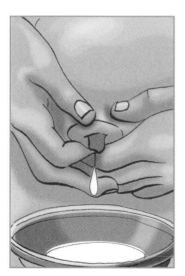

La leche que se extrae se conserva perfectamente en la nevera durante 24 horas. No obstante, recordad que sólo se debe vaciar el pecho en circunstancias excepcionales, ya que la madre puede experimentar microtraumas y para el niño el modo natural de alimentarse es mamar directamente del pecho.

Pezones hundidos

Podéis utilizar una tetina artificial que se coloca sobre la areola al dar de mamar al niño o bien vaciar el pecho con las manos (véase la página 46) y dar al niño la leche con un biberón (acordaos de que se conserva perfectamente en la nevera durante 24 horas).

Oclusión mamaria

► *¿Qué se nota?*
Los pechos (o sólo uno de ellos) aumentan de volumen, se hinchan, se ponen duros y duelen.

► *¿Cuándo suele ocurrir?*
Entre el segundo y el quinto día después del parto.

► *¿Qué hacer?*
■ Debéis seguir dando el pecho al niño.
■ Incluso debéis alimentar al niño con más frecuencia.
■ Aplicaos compresas húmedas calientes en las mamas.

Grietas en el pecho

► *¿Qué se nota?*
Alrededor del pezón, la piel presenta fisuras en forma de estrella o en círculo, más o menos profundas y sangrantes, que pueden llegar a provocar dolores muy intensos.

► *¿Cuándo suele aparecer?*
A los dos o tres días del parto, normalmente durante la primera semana y nunca después de la tercera semana.

► *¿Cómo prevenirlas?*
■ Lavaos bien el pecho.
■ Acordaos de mantenerlo siempre bien seco. Si veis que expulsáis leche entre toma y toma, secaos bien e id cambiando los discos absorbentes de un solo uso.
■ Tened cuidado de que el niño tome el pecho de manera correcta (véase la figura de la página 26), de modo que se introduzca en la boca todo el pezón y gran parte de la areola.
■ No estéis dando el pecho al niño demasiado tiempo, 15 minutos como máximo.
■ Al final de la toma, no separéis al niño del pecho de forma brusca, dejad que sea él quien se separe. Si tenéis dolores y queréis interrumpir la toma, basta con que introduzcáis un dedo en la boca del bebé (véase la figura de la página 26), no lo separéis de repente. Así evitaréis la formación de laceraciones que puedan propiciar la aparición de grietas.

► *¿Qué hacer si tenéis grietas?*
■ Si tenéis grietas en el pecho, evitad que el niño mame más de 5 minutos de cada lado, es decir, 10 minutos en total. Pero, como siempre, procurad que el niño mame de los dos pechos y, si no lo hace, id alternándolos en cada toma.
■ Aplicaos una *pomada cicatrizante*. Lavaos bien el pecho antes de cada toma para que no queden restos.
■ En determinados casos, si es necesario, se puede dejar de dar el pecho al niño durante unos días y extraer la leche a mano o con un sacaleche y dársela con el biberón. Sin embargo, muchas veces este método es más doloroso que seguir dando el pecho al niño.
■ Es bueno tener el pecho al aire porque así se secan mejor las grietas.

¿Cómo se cuida el cordón umbilical?

▶ Se retira la venda sucia. Sobre la base del cordón se echan unas gotas de alcohol de 70° o Mercromina. Posteriormente se coloca una gasa estéril limpia y seca alrededor. Basta con hacerlo una vez al día. Se debe repetir si al cambiar el pañal descubrimos que la gasa está sucia o mojada.

¿La cura del ombligo? ¡Sacudíos el miedo de encima y adelante! Queridos papás, podéis estar tranquilos porque no hay peligro de que el cordón se "caiga" o empiece a sangrar. De hecho, los tejidos que lo forman tienen muy poca sangre porque se están secando. La única precaución que hay que tener es la de evitar posibles infecciones, así que máxima higiene y lavaos las manos a conciencia antes de empezar.

¿Cómo se coge en brazos?

Para coger al niño se le debe colocar una mano detrás de la nuca para sostenerle la cabeza. La otra mano se coloca bajo la parte inferior del cuerpo para sujetarle las nalgas y las piernas. Luego, se le coge en brazos. Se puede tener al niño en brazos en tres posiciones, tumbado boca arriba sobre los brazos, sentado de forma que esté apoyado en uno de los brazos del adulto o apoyado en el hombro.

Para despejarle la nariz

▶ *Limpieza.* La nariz se limpia sin introducir nada en la nariz. Se le puede limpiar desde fuera con un pañuelo normal.

▶ *Lavado.* Se puede lavar por dentro con suero fisiológico. Para ello, se introducen dos o tres gotas, o bien 1-2 ml si se hace con una jeringuilla sin aguja. Hay que mantener al niño boca arriba, con la cabeza levemente inclinada hacia atrás.

Esta operación de lavado se puede repetir siempre que sea necesario, cuando el niño tenga la nariz taponada o muchos mocos. Cuando notéis que la primera aplicación es insuficiente podéis realizar una segunda aplicación al cabo de unos minutos.

▶ También se pueden utilizar *sprays de "agua de mar".* Para ello, acostar al niño de espaldas, girarle la cabeza sobre el lado derecho, introducir el aplicador nasal en la fosa izquierda (superior) y apretar. Girar a continuación la cabeza del niño sobre el lado izquierdo, introducir el aplicador nasal en la fosa derecha y apretar de nuevo.

49

Cuerpo y salud

Los 1000 primeros días de tu bebé

Cuarta etapa:
SEGUNDA SEMANA

DESARROLLO PSICOMOTOR

Movimientos

En este período, los movimientos de las extremidades parecen descoordinados, explosivos, toscos, sin ninguna finalidad concreta y afectan tanto a la parte derecha como a la parte izquierda del cuerpo. El niño responde a los estímulos con movimientos involuntarios, contracciones musculares y temblores.

▶ Tanto dormido como despierto, está boca arriba, con las extremidades superiores flexionadas hacia arriba, los puños cerrados a la altura de la cabeza y el pulgar doblado bajo los demás dedos.

Esta posición, el estar tumbado boca arriba, que de buenas a primeras puede parecernos insignificante, es el primer paso del aprendizaje de la capacidad de caminar.

Así, poco a poco aprenderá a mantener la cabeza en línea con el cuerpo, más tarde aprenderá a darse la vuelta y ponerse boca abajo, después a sostenerse con los brazos y, gradualmente, irá aprendiendo a estar sentado y a ponerse de pie.

▶ Está tumbado con las piernas y las extremidades superiores flexionadas.

▶ Es capaz de mover la cabeza de un lado a otro. Este movimiento es muy importante porque *el bebé puede evitar ahogarse.*

► Cierra los puños cuando se le toca con un dedo la palma de la mano. Precisamente, mediante la observación de este reflejo de "prensión automática" se puede saber el nivel de desarrollo psicomotor que tiene el niño en las primeras semanas. Parece un movimiento involuntario, independiente de los demás componentes del organismo, pero el niño hace toda la fuerza que puede y llega a apretar el dedo del adulto con tanta fuerza que si se tira de él cuando está tumbado boca arriba, se puede incorporar al niño hasta dejarlo sentado.

Relación con el entorno

La alimentación es el principal medio de contacto entre el recién nacido y su entorno.

► Si se le toca la piel de la mejilla con una mano o con la mama, se vuelve hacia el lado en el que ha experimentado el estímulo.

► Si se le tocan los labios o la lengua, empieza a mamar.

► Todavía no es capaz de dominar la cabeza y, al cogerlo en brazos, se le cae hacia los lados sin ningún control.

► Reacciona a los ruidos, como por ejemplo al sonido del timbre o al tintineo de un manojo de llaves.

► Oye los sonidos que duran más de cinco o quince segundos.

► Escucha con más atención los sonidos cuando son rítmicos que cuando se producen de forma aislada; por eso se arrulla a los niños cuando lloran para calmarlos.

► No es capaz de seguir o buscar con la vista una cara o una fuente de luz, pero, si tiene algo delante de sus ojos, consigue fijar la mirada en un punto determinado. Sigue mejor los objetos más próximos.

► Muestra preferencia por los rostros humanos.

Lenguaje

Por ahora se comunica por medio del llanto, que quiere decir, por este orden: tengo hambre, me siento solo, me duele, tengo calor o tengo frío (véase la página 62). Precisamente porque está pidiendo algo, cuando llora hay que cogerlo siempre en brazos sin miedo a malcriarlo.

► Emite solamente sonidos guturales.

Aprendizaje

Presenta sólo reacciones instintivas, asociadas principalmente a la necesidad de alimentarse. Por ejemplo, se vuelve si se le toca la piel de la mejilla o empieza a mamar cuando se le estimulan los labios o la zona de alrededor.

PELO

El pelo que tiene al nacer se suele caer, sea mucho o poco, y se cae casi todo al mismo tiempo. A diferencia de los niños de más de un año y de los adultos, que tienen en la cabeza unos cuantos cabellos "jóvenes" que acaban de "salir", muchos cabellos "adultos" y otros más "viejos" que se caen para dejar sitio a los más "jóvenes", la situación de los recién nacidos es completamente distinta: al nacer tienen cabellos que "han nacido todos a la vez", por lo que crecen y "envejecen" todos al mismo tiempo. Lo normal es que hacia los dos o tres meses se empiecen a caer y vayan dejando calvas, empezando por la parte posterior.

SUEÑO

▶ *¿Cuánto duerme al día?*
■ 16-17 horas (según Estivill).

OÍDO

En la práctica, "oye" como un adulto.

DATOS Y CONSEJOS ÚTILES

Entre el séptimo y el décimo día, el bebé pesará lo mismo que pesaba al nacer. Si veis que a las dos semanas de edad el niño no se ha puesto en ese peso, consultad al pediatra.

ALIMENTACIÓN

Lactancia materna

▶ *El niño debe alimentarse sólo de leche. No le deis nunca leche artificial. Recurrid a ella únicamente si el pediatra os lo indica expresamente.*

La decisión de dar el pecho al niño corresponde a la madre. Si finalmente optáis por este tipo de alimentación, tenéis que actuar como si no existiera la leche artificial. Sobre todo, no os preocupéis si veis que vuestro hijo come poco. No es que os falte leche, es que el niño necesita muy poca cantidad de alimento.

Mis queridas mamás, podéis estar seguras de tener leche suficiente, aunque os dé la sensación de no tener bastante: lo más probable es que vuestro hijo no haya aprendido todavía a mamar con la suficiente energía porque es muy pequeño y todavía no tiene demasiada "práctica". Dadle tiempo.

No cometáis el error de añadir leche artificial. Es preferible dejar que el niño llore un poco y darle el pecho con más frecuencia. De todas maneras, no le deis el pecho durante más de quince minutos de cada lado bajo ningún concepto.

Durante las primeras semanas de vida no intentéis controlar lo que come el niño guiándoos por el peso, ya que en los días siguientes a su nacimiento todos los recién nacidos tienen una pérdida de peso fisiológica, que hace que parezca que crecen menos de lo que en realidad crecen.

La leche todavía no responde a las características de la leche madura porque está en una fase de transición entre el calostro (amarillento) y la leche definitiva (blanca).

Los niños alimentados con leche materna comen con más frecuencia que los que toman leche artificial. Es un fenómeno normal que no se debe a que la madre tenga menos leche, sino a que la composición de ambos alimentos es diferente. Los niños que comen más a menudo, que "tienen hambre antes", crecen mejor porque "digieren" la leche materna más deprisa que los otros niños digieren la leche artificial. Ésa es otra de las ventajas de la lactancia materna.

Si al cabo de por lo menos cuatro minutos el niño se duerme, dejadle dormir y *no lo despertéis aunque sólo haya mamado de un pecho.*

Durante toda esta semana, en el transcurso de cada toma, aseguraos de que el bebé mama de los dos pechos (si no se duerme antes) para que la estimulación sea mayor. Lo mejor es ir alternando el pecho que se le da primero en cada toma (para acordaros de cuál toca, podéis poner un imperdible en el sujetador).

Duración de las tomas

■ Como máximo 15 minutos de cada lado. Es importante recordar que el niño toma el 80% de la leche en los primeros cuatro minutos. Se le puede conceder algún minuto más porque el contacto con la madre desempeña un papel esencial desde el punto de vista psicológico y afectivo.

■ Hacia el octavo o el décimo día de vida, el niño empieza a comer más y, en consecuencia, a estimular más las mamas para que produzcan más leche. De todas formas, la duración de la toma ha de seguir siendo de quince minutos de cada lado (como máximo).

La cantidad de tomas

▶ *Puede comer tanto como quiera y cuando quiera.*

■ Ahora que sabemos que el niño come cuando quiere o, mejor dicho, cuando tiene hambre, debemos dejar que sea él quien nos lo pida con el llanto, que es su forma de hablar.

■ A diferencia de lo que se decía hasta hace unos años, no hay un número exacto y definido de tomas.

■ Normalmente los niños se alimentan a menudo, cada dos o tres horas, y llegan a hacer entre ocho y doce tomas al día. De todas formas, el número de tomas tiende a disminuir a medida que van pasando los días y las semanas.

■ Durante esta primera semana es normal que el bebé tome una cantidad muy pequeña de leche, por lo que no se debe pensar que la madre tiene poca leche.

■ Una cosa más: *¡prohibido despertar al niño!*

Lactancia mixta: leche materna y artificial

▶ Os recomendamos esperar hasta el décimo día de vida para empezar a dar al niño leche artificial.

▶ No empecéis a alimentar al niño con leche artificial por iniciativa propia. Si el niño toma el pecho, llora como un desesperado y no hay quien le consuele, consultad a vuestro pediatra.

▶ A partir del décimo día, se sabe si el niño necesita tomar otro tipo de leche (artificial, con el biberón), cuando después de mamar durante diez minutos de cada pecho no se duerme, llora y está inquieto.

▶ De todas maneras, aunque se le vaya a dar al niño leche artificial como complemento de su alimentación, hay que darle el pecho cinco minutos de cada mama, o bien darle el pecho una toma sí y otra no.

Debéis tener la leche artificial preparada y a la temperatura oportuna para que no transcurra mucho tiempo entre que acabáis de dar el pecho al niño y empezáis a darle la leche artificial. Lo ideal es que no haya ninguna interrupción y que ofrezcáis el biberón al niño como si fuerais a darle el otro pecho.

Podéis comprobar si la leche está a la temperatura adecuada dejando caer unas gotas en el dorso de la mano.

► *Los agujeros de las tetinas tienen el tamaño apropiado para que, al darle la vuelta al biberón, la leche caiga goteando lenta y continuamente.*

Para ver el método de preparación de la leche en polvo, véase el apartado "Lactancia artificial" de la etapa número 3 (página 40).

Lactancia artificial

Para ver las técnicas de preparación, alimentación y conservación de la leche artificial, véase el apartado "Lactancia artificial" de la etapa número 3 (página 40).

DE PASEO

Desde que os dan el alta en el hospital podéis empezar a sacar al bebé de paseo: es bueno para el niño y para la madre.

Evitad las zonas muy concurridas o las que tienen una mayor contaminación atmosférica. Aprovechad los momentos del día en los que haya una temperatura agradable (ni excesivo calor, ni excesivo frío). En el invierno es mejor dar paseos cortos (15-20 minutos) para evitar que el niño se enfríe.

► *¿Cómo vestirlo?*

Con ropa tan abrigada como la que habéis elegido para vosotras, ni más ni menos (seguid esta regla a rajatabla, porque siempre tendemos a abrigar demasiado a los niños). Antes que ponerle una prenda de mucho abrigo, es preferible que le pongáis dos más ligeras. Así, si veis que tiene calor le podéis quitar una.

IRRITACIONES

En la zona de los pañales

Cuando notéis que tiene irritada la zona que normalmente está cubierta por los pañales de plástico, por pequeña o leve que sea la irritación, consultad la etapa número 3 (página 41).

En la nuca

► Véase la etapa número 3 (páginas 41 y 42).

"Puntitos rojos" en la cara o por el cuerpo

Seguid alimentando y lavando al niño como de costumbre, llamad al pediatra y contadle el problema.

BOCA

► Consúltese la etapa número 3 (página 42).

CÓLICOS

También se conocen como "cólicos de gases" y "cólicos de los tres meses".

Si el niño tiene cólicos, no tengáis miedo, estad tranquilos. No son síntomas de ninguna enfermedad y suelen desaparecer por sí solos hacia los tres meses. Si perdéis la calma es peor, porque si os ponéis nerviosos, el niño lo nota y llora más. Es un círculo vicioso. Tampoco os preocupéis si vuestro hijo tiene más cólicos que otros niños: se le pasarán enseguida sin mayores consecuencias, sin dejar secuelas o una especial susceptibilidad a las enfermedades. No dejéis que llore sin cogerlo en brazos, pensad que si llora es porque quiere algo. Complacedle y no penséis que lo estáis malcriando.

► *¿Cuándo aparecen?*
■ A partir de esta semana.
■ A última hora de la tarde o por la noche, aunque pueden aparecer en cualquier momento del día.
■ Una o más veces al día o a la semana.

► *¿Cómo se reconocen?*
■ El llanto es de gran intensidad, desesperado, desconsolado, agudo y continuo. Se distingue del que es por hambre porque no se interrumpe cuando el niño respira.
■ La posición del niño: tiene las extremidades inferiores dobladas, las piernas están flexionadas hacia los muslos y éstos, a su vez, hacia el abdomen.
■ El niño está muy inquieto, mueve las piernas y las contrae hacia el abdomen.
■ El bebé empieza a llorar de repente.
■ Puede seguir llorando durante horas.
■ La cara se le pone roja.
■ El abdomen está duro, parece "hinchado".
■ Tiene los pies fríos.
■ Tiene los puños cerrados.
■ Llora desconsolado.

► *¿Qué hacer?*
Se desconocen las causas de los cólicos.
■ Para arreglar la situación debéis estar tranquilos, no habéis hecho nada mal, no os preocupéis.
■ En dos de cada tres casos no son "cólicos" ni ninguna otra "enfermedad": si el niño tiene estas "crisis" es sólo porque tiende a llorar más que los niños de su edad.
■ En algunos casos, *puede ser que el niño no tolere bien alguno de los componentes de la leche. El pediatra os aconsejará a este respecto.*
► Como no se conocen exactamente las causas de este tipo de cólicos, todos los remedios se basan en la experiencia. De todas formas, merece la pena probarlos.
■ Se le puede dar una infusión de anises estrellados; si se le alimenta con leche artificial se puede disolver en ella la leche en polvo, en vez de en agua solo. Si se alimenta al niño con leche materna o con leche artificial se le pueden dar unos 50 cc de infusión de anises estrellados al día con el biberón, entre toma y toma, o cuando tenga algún cólico.
■ Podéis colocarlo "boca abajo", apoyándolo con delicadeza sobre vuestro antebrazo, o tenerlo en el regazo, o apoyado en un hombro, o sobre las rodillas, siempre "boca abajo".
■ Se le puede poner calor en la barriga.
■ Se le puede acunar.
■ Se le puede sacar de paseo.

■ Se le puede poner una música melodiosa o hacer sonar una caja de música.

FÁRMACOS

▶ El bebé puede tomar *gotas polivitamínicas y comprimidos de flúor* que prevengan la caries dental, conforme a las instrucciones del pediatra del hospital o de vuestro pediatra de cabecera.

▶ Si el niño no acepta las medicinas y las "escupe", dejad de dárselas y consultad al pediatra.

▶ Se recomienda darle las gotas con *una cucharilla de café antes de la toma* y no mezclarlas con la leche porque pueden alterar su sabor.

▶ Si el niño no acepta un tipo de gotas en particular se pueden sustituir por otro producto análogo.

Fármacos que conviene tener en casa
▶ Consúltese la etapa número 3 (página 42).

Pomadas
Las pomadas se han de aplicar siempre sobre la menor superficie de piel posible. Aplicadlas sólo en la irritación o en la zona del trastorno, pero no alrededor porque podrían interferir con la respiración y las demás funciones de la piel.

HECES
¿Cómo deben ser?
Las heces de los lactantes tienen siempre unas características, en cuanto a color, aspecto y consistencia, distintas a las de los niños de más edad, y varían en función de si se alimentan con leche materna o artificial.

Si el niño se alimenta con leche materna
▶ *Las heces serán:*
■ *más blandas* y de consistencia cremosa (por eso se pegan a los pañales),
■ de color *amarillo fuerte*, casi *dorado*,
■ pueden tener *aspecto mucoso* y
■ tienen un *olor ácido*.

Si se alimenta con leche artificial
▶ Las heces serán:
■ *más compactas, secas y duras* (por eso no se pegan a los pañales),
■ de color *amarillo claro*, casi *grisáceas o marrones*, y
■ con un olor *más intenso y putrefacto*.

¿Cuántas veces debe evacuar?
Es normal que el lactante evacue después de cada toma, es decir, unas seis o siete veces en el transcurso del día, pero también que lo haga una vez al día o cada dos o tres días. Incluso hay veces que los intervalos pueden ser más largos.

▶ *¿Qué hacer si el niño no hace "caca"?*
■ No le deis laxantes por iniciativa propia.
■ No estimuléis el ano con un termómetro, con perejil u otra cosa.

- No le echéis nada a la leche (si le dais leche artificial) sin consultar antes con el pediatra.
- Lo que sí podéis hacer es ponerle un supositorio de glicerina para lactantes (se vende en farmacias) si veis que el niño lleva 72 horas (3 días) sin evacuar.

Aunque no se le haya caído todavía el cordón umbilical, cada vez que el niño "se hace caca" y se le cambian los pañales hay que lavarle el culete con agua corriente y no con toallitas detergentes.

Si las heces tienen coágulos blancos

No os preocupéis, son masas de caseína (un componente de la leche) y no denotan ninguna patología.

Si las heces son verdes

En ese caso, no hagáis nada porque es un fenómeno completamente normal. Las heces son verdes porque una de las sustancias que contienen, la bilirrubina, se oxida con el aire y se convierte en biliverdina (así llamada por el color verde que la caracteriza). Que las heces estén verdes sólo demuestra que han estado demasiado tiempo en contacto con el aire, por ejemplo, en los pañales (cuando no se cambia enseguida al niño) o en la ampolla rectal.

Como veis, *no dependen de la alimentación de la madre*, que puede seguir comiendo tranquilamente verduras, que nada tienen que ver con el color verde de las heces del niño.

Si las heces son duras (estreñimiento)

Los hijos de padres con tendencia al estreñimiento lo serán también. No es un factor hereditario, pero la excesiva aprensión de los padres acerca del número y la naturaleza de las evacuaciones de sus hijos crearán en ellos un condicionamiento psicológico de tal magnitud que a sus ojos la defecación adquirirá una importancia exagerada y dejará de ser un proceso normal.

► *Lactancia materna:* el estreñimiento no se da porque este tipo de alimentación garantiza de por sí el perfecto funcionamiento del intestino y la idoneidad del alimento.

► *Lactancia artificial:* los casos de estreñimiento son raros.

NO *No deis laxantes al niño,* a menos que se los haya recetado el pediatra (se corre el riesgo de que el niño se habitúe al fármaco de tal manera que luego sólo pueda evacuar con ayuda externa).

SÍ Por iniciativa propia, podéis recurrir a *los supositorios de glicerina para lactantes* cuando el bebé lleve más de tres días sin hacer "caca".

GENITALES

Las niñas pueden presentar, o seguir teniendo, pérdidas vaginales. Son secreciones mucosas, densas y blanquecinas, y en algunos casos rojizas, como una "pseudomenstruación".

En cuanto a *los varones*, hasta pasado un año no importa que en el escroto tengan un solo testículo, no tengan ninguno o que se desplacen "hacia arriba y hacia abajo". Tampoco os debéis preocupar si el pene está "cerrado" (es la fimosis): se "abre" de forma espontánea antes de los tres años.

MAMAS (del recién nacido)

Tanto las niñas como los varones pueden presentar, o seguir teniendo, las mamas hinchadas. La hinchazón es muy evidente porque se nota como una "canica" bajo la piel de la zona de la areola y del pezón. Los bultitos pueden ser de diverso tamaño, entre el equivalente a un guisante y a una nuez. No estrujéis el bulto bajo ninguna circunstancia porque podríais provocar una infección.

NARIZ

Si vuestro hijo padece uno de los siguientes cinco trastornos relacionados con la nariz y la respiración:
1 hace "ruido" al respirar,
2 estornuda,
3 tiene la nariz taponada,
4 tiene mocos,
5 respira mal.
▶ *Consultad la etapa número 3 (página 43).*

OJOS

El color de ojos

▶ El color de ojos no es todavía el definitivo.
▶ El *"blanco" de los ojos* tiene matices azulados que irán desapareciendo poco a poco (se debe a lo finos que son los tejidos que recubren el ojo).
▶ *El iris*, en cambio, presenta un color gris, azulón o azul que, no obstante, no será el definitivo e irá cambiando de forma progresiva.

Lágrimas

Al nacer, la secreción lagrimal suele ser poco importante o nula. La aparición de las lágrimas en el niño suele hacerse durante las primeras semanas existiendo variaciones importantes de unos niños a otros. En todo caso, a los tres meses la secreción lagrimal está definitivamente establecida.

Si el niño "bizquea"

Por ahora, cada ojo "trabaja" por su cuenta, sin estar coordinados, a diferencia de los de los adultos, que trabajan en sintonía para elaborar una sola imagen (ésa es la razón de que las pupilas miren siempre en la misma dirección). Y, precisamente, como los ojos del niño son todavía independientes entre sí, puede ocurrir que, sobre todo cuando está a punto de dormirse, el niño desvíe los ojos hacia la nariz. No es que el bebé sea estrábico. Como acabamos de decir, es un fenómeno normal a esta edad y desaparecerá cuando el niño desarrolle un poco más las estructuras de la vista.

Si el niño tiene muchas legañas

Si el niño tiene muchas legañas y sus ojos producen una secreción amarillenta y pegajosa, podéis limpiárselos con una bolita de algodón hervida previamente en agua durante cinco minutos (¡esperad a que se enfríe!).

No utilicéis pomadas ni colirios por iniciativa propia ya que podéis ocasionar al bebé graves complicaciones, no sólo en los ojos sino en todo el organismo.

OMBLIGO

■ Se cae hacia el séptimo o el décimo día. Si veis que hacia los 20 días no se le ha caído, consultad al pediatra.

▶ *¡Importante!*

■ Cuando la piel de alrededor del ombligo se le ponga *roja, o la gasa que lo protege esté manchada de rojo o de amarillo, avisad al pediatra enseguida.*

PESO

▶ *Si veis que pierde peso, no os preocupéis, es la pérdida de peso fisiológica.* Prácticamente todos los recién nacidos pierden peso durante los primeros días de vida con respecto a lo que pesaron al nacer. Pueden perder hasta el 10% de su peso. Es un fenómeno completamente normal, tan normal que hasta tiene nombre: pérdida de peso fisiológica. Está comprobado que durante los primeros 8 ó 10 días de vida, el niño come menos porque ha de adaptarse a la vida fuera del útero materno. Durante este período, además de que el organismo va consumiendo las energías que le hacen falta, se produce una pérdida de peso adicional porque:

■ se expulsa el meconio (70-90 g),

■ se seca y se cae el cordón umbilical, y

■ se elimina el vérnix caseoso.

Por tanto, durante este período no debéis controlar el peso del niño porque es inútil: no podréis saber cuánto peso ha ganado el niño en realidad ni cuánto ha perdido como consecuencia de la pérdida de peso fisiológica.

LLANTO

Su significado

Somos conscientes de que cuando oís llorar a vuestro hijo os sentís fatal y pensáis que habéis hecho algo mal y no sabéis qué hacer.

Enseguida os daremos unas cuantas pautas pero, antes de nada, conviene dejar claras tres cosas:

▶ *No es normal que un niño no llore.* Para los niños el llanto es su primer medio de comunicación, su forma de hablar, de pedir lo que necesitan y de llamar la atención de sus padres y de los adultos en general. Un niño que no llora es como un alumno de primaria que está siempre callado.

▶ *El llanto también depende del temperamento.* De la misma manera que existen personas locuaces y personas calladas, hay niños que lloran más y niños que lloran menos.

▶ *Siempre que el niño llore, cogedlo en brazos y no prestéis atención a quienes os dan consejos "autoritarios"*, ya que si el niño llora es porque tiene alguna necesidad (véase más adelante) y debemos averiguar qué quiere y dárselo. Es como si un niño algo más mayorcito nos pide la merienda, o pide a sus padres que lo cojan en brazos, o dice que tiene frío, calor o que tiene algo que le está pinchando y, nosotros, como única respuesta, le mandamos a su habitación. De modo que, ¿qué sentido tiene dejar que el bebé llore sin cogerlo en brazos? No sólo estaremos dejando de satisfacer sus necesidades sino que haremos que sea una persona potencialmente frustrada o un "perdedor", ya que si cuando nos pide algo (con el llanto, que es su forma de hablar), desatendemos sus peticiones por sistema, al final el niño se convencerá de que es incapaz de comunicarse. Además, no se trata de anticiparse a las peticiones del niño, sino de satisfacerlas enseguida. Por tanto, en el caso del llanto, debemos procurar averiguar su significado y dar al niño lo que pide. *Si no logramos saber qué le pasa al niño, cogerlo en brazos y acunarlo es algo que nunca falla.*

Esta semana es normal que llore una media de 1 hora y 45 minutos al día. Llorará más por la tarde.

▶ *¿A qué debéis prestar atención?*

1. La melodía: el ritmo y los cambios de ritmo del tono (la intensidad del llanto).

2. Si deja de llorar cuando respira.

3. Cómo son las puntas de máxima intensidad (se denominan "agudos").

▶ *¿Cómo se interpreta?*

Llora de hambre (la intensidad del llanto tiende a disminuir)

■ *El niño deja de llorar para coger aire:* emite un leve ruido cuando introduce o expulsa aire de la boca, por lo que está en silencio unos dos segundos.

■ Puede que el niño no deje de llorar al empezar a mamar y que sólo lo haga al cabo de unos instantes, cuando tenga el estómago lleno y se haya atenuado el dolor que sentía.

Cuando se encuentra mal (la intensidad del llanto no disminuye e incluso aumenta)

▶ *¿Qué hacer?*

■ Si la intensidad del llanto tiende a *disminuir* de forma gradual con el tiempo, se puede intentar interpretar el motivo del llanto.

■ En cambio, *si la intensidad del llanto se mantiene constante o aumenta con el tiempo, avisad al pediatra,* porque es más raro y puede ser grave.

Con excepción de la situación anterior, ahora que ya sabéis que el tono del llanto tiende a disminuir con el tiempo, dejad a un lado el miedo, que sólo os conducirá a error, y con toda tranquilidad intentad interpretar el llanto de vuestro hijo.

¿Cómo se sabe si el niño llora porque no ha comido lo suficiente?

Si nada más comer, después de unos minutos de tranquilidad, el bebé empieza a llorar, ¿qué puede ser?

▶ *Hay dos posibilidades:*

■ El niño quiere que lo cojáis en brazos porque se siente solo o tiene aire.

■ Puede que haya comido poco y que llore porque tiene hambre.

Lactancia materna

Cuando ha mamado menos de dos minutos de cada lado, ha estado inquieto y ha separado la boca del pezón. En ese caso, antes de volver a darle el pecho o antes de darle leche artificial con el biberón, tenedlo en brazos unos diez minutos para tranquilizarlo, habladle con dulzura y acunadlo.

TRADUCCIÓN DEL LLANTO

☞ Qué quiere decir:
(las posibilidades se indican por orden decreciente de frecuencia)

"Tengo hambre"	Es la causa más común del llanto hasta los seis meses y es lo primero que debéis pensar si ha pasado más de una hora desde el final de la toma anterior.
"Me siento solo"	Puede significar: "Mamá, ven", "¡Hacedme caso! Estoy aquí", "Quiero que me cojáis en brazos".
"Tengo calor"	Es una situación bastante frecuente que se debe a que el niño va demasiado abrigado, sobre todo en los primeros meses de vida, cuando suda menos y pierde menos calor.
"Tengo frío"	Cuando se le desnuda o se le baña.
"Estoy incómodo"	Principalmente porque tiene sucio el pañal. Cambiádselo.
"Me duele algo"	El tono del llanto es constante o aumenta.

Lactancia artificial

La cantidad de leche que ha tomado el niño se sabe claramente por el biberón. *Puede que esté llorando de hambre si ha tomado menos de la mitad de la cantidad que suele tomar cada día.*

▶ *Sólo si ha comido poco, lo habéis acunado durante diez minutos y sigue estando inquieto, podéis intentar darle más leche.*

Llora cuando lo desnudáis

Puede ponerse a llorar aunque la temperatura de la habitación no sea ni excesivamente alta ni excesivamente baja. El niño deja de llorar en cuanto lo volvéis a vestir. No tiene ninguna importancia: para acabar con el problema basta con tenerlo desnudo el menor tiempo posible.

REGURGITACIÓN Y VÓMITO

▶ *Regurgitación:* es la expulsión pasiva de alimentos por la boca, como por ejemplo la leche, sin escupirlos, de forma que van cayendo lentamente por la comisura de los labios y por la mejilla.

▶ *Vómito:* se diferencia de la regurgitación en que el alimento no se expulsa de forma pasiva, como en el caso anterior, sino que se arroja de modo enérgico.

► *¿Qué hacer?*

■ *Regurgitación: nada.* Se trata de un fenómeno frecuente a esta edad. Para limitar la regurgitación y favorecer la digestión, podéis:

■ coger en brazos al niño durante unos diez minutos después de cada toma, para que expulse el aire,

■ no modificar la alimentación del niño por iniciativa propia,

■ usar siempre un cojín,

■ no os mostréis preocupados por la regurgitación porque, en caso contrario, corréis el riesgo de transmitir vuestra ansiedad al niño.

■ El vómito es un síntoma muy presente en los primeros años de vida de los niños. Un solo episodio no significa nada, pero si tiende a repetirse, debéis hablar con el pediatra que os atiende.

Cuando el niño vomite, debéis controlar su peso, ya que si pierde peso debéis informar de inmediato al pediatra.

► *En todo caso, recordad que no debéis darle ningún fármaco sin consultarlo previamente con el pediatra.*

HIPO

Para que se le pase, dadle unas cucharaditas de agua sin gas. Sin embargo, no le deis unas gotas de zumo de limón porque puede provocarle alergia y tiene un sabor demasiado ácido. De todas maneras, no os preocupéis porque es muy habitual que los bebés tengan hipo durante los primeros meses de vida y es menos molesto que cuando se tiene de adulto.

VACUNAS

La segunda dosis de vacuna no hay que ponerla hasta el 2.º mes (véase la etapa número 7).

RECOMENDACIONES PARA LAS MADRES DURANTE LA LACTANCIA

Durante la lactancia, las madres deben descansar lo máximo posible

Aunque el ajetreo que provoca la llegada de un nuevo miembro a la familia es siempre considerable, las madres debéis intentar descansar lo máximo posible y estar tranquilas. Una forma estupenda de relajarse es pasear tanto como se pueda con la excusa de sacar al niño de paseo.

El cuidado del pecho

■ Debéis lavar las mamas una vez al día. Si es necesario, es preferible hacerlo después de la toma para no desorientar al niño, que reconoce a su madre por el olor. Por ello es tan importante que no os lavéis las mamas antes de alimentar al niño y que no os echéis ni perfumes ni cremas o aceites en general, ni siquiera los que previenen la aparición de grietas.

■ No utilicéis jabón porque seca mucho la piel.

■ No uséis ácido bórico porque puede ser tóxico para el niño.

■ Mantened el pecho bien seco para evitar que se macere o sufra daños como consecuencia del roce con otros tejidos. Secaos muy bien.

- En la medida de lo posible, es bueno tener el pecho al aire.
- Usad sujetadores firmes de fibra natural y discos absorbentes de un solo uso (fijaos en que estén bien secos).
- Podéis tomar el sol tanto como queráis, ya que la exposición al sol enriquece la leche con la vitamina D necesaria para la calcificación.
- Podéis tomar el sol también en *topless*.
- Podéis utilizar lámparas solares.

¿Cómo vaciar el pecho con las manos?

En determinadas ocasiones puede ser necesario que la madre se vacíe el pecho, como por ejemplo cuando el niño no mama, cuando se tienen los pezones hundidos (en los casos más acentuados hay que recurrir a las pezoneras o pezones artificiales), o cuando se sienten dolores en el pecho (véase el apartado "mastitis", página 65). En el proceso de hacer que fluya la leche a los senos galactóforos se distinguen dos pasos:

► *Se comprime toda la mama*
Se agarra el pecho, apretando todo el perímetro de la base con las dos manos, que se juntan en la parte superior y en la inferior.
Se comprime la mama con las dos manos, avanzando desde la base hasta la punta, es decir, hasta la areola. Esta operación se repite varias veces.

► *Se comprime la areola*
Se sujeta la mama con la mano contraria o, si os es más cómodo, podéis utilizar siempre la mano izquierda.

Con el índice y el pulgar de la otra mano se agarra la areola (sin tocar el pezón) y se comprime varias veces, haciendo fuerza no tanto hacia el exterior como hacia el centro de la mama (se debe "estrujar" la mama).

Pero, cuidado, para evitar posibles abrasiones en la piel, los dedos no deben moverse, sólo se han de mover los tejidos interiores.

Cuando este procedimiento provoque dolores o molestias, se debe interrumpir y consultar al pediatra.

Para este proceso podéis utilizar también sacaleches. No los eléctricos (son más dolorosos y pueden dañar las mamas), sí los manuales (que actúan a modo de ventosa).

Pezones hundidos

Podéis utilizar una tetina artificial o pezonera que se coloca sobre la areola al dar de mamar al niño o bien vaciar el pecho con las manos o con un sacaleches (véase la página 46) y dar al niño la leche con un biberón (acordaos de que se conserva perfectamente en la nevera durante 24 horas).

Oclusión mamaria

► *¿Qué se nota?*
Los pechos (o sólo uno de ellos) aumentan de volumen, se hinchan, se ponen duros y duelen.

► *¿Cuándo suele ocurrir?*
Entre el segundo y el quinto día después del parto.

► *¿Qué hacer?*
- Debéis seguir dando el pecho al niño.
- Incluso debéis alimentar al niño con más frecuencia.
- Aplicaos compresas húmedas calientes en las mamas.

Mastitis

Es la infección del pecho.

▶ *¿Qué se nota?*
Se siente dolor en la mama, que está enrojecida e hinchada.

En cuanto notéis que el pecho está enrojecido, pensad enseguida en que se trata de mastitis. Tened en cuenta que, en el caso de la oclusión mamaria (el trastorno anterior), el seno está hinchado y se siente dolor pero no está enrojecido, que es un síntoma propio de las infecciones y, por tanto, de la mastitis.

▶ *¿Cuándo suele ocurrir?*
Normalmente, después de la primera semana, sobre todo en las mujeres que han padecido oclusiones mamarias o que han tenido grietas en el pecho.

▶ *¿Qué hacer?*
■ Debéis seguir dando el pecho al niño, incluso alimentarlo con más frecuencia o, si no, extraer la leche con un sacaleche.
■ Aplicaos compresas húmedas calientes en las mamas.
■ Tomad antibióticos.

Grietas en el pecho

▶ *¿Qué se nota?*
Alrededor del pezón, la piel presenta fisuras en forma de estrella o en círculo, más o menos profundas y sangrantes, que pueden llegar a provocar dolores muy intensos.

▶ *¿Cuándo suelen aparecer?*
A los dos o tres días del parto, normalmente durante la primera semana y nunca después de la tercera semana.

▶ *¿Cómo prevenirlas?*
■ Lavaos bien el pecho.
■ Mantenedlo siempre bien seco. (Si veis que expulsáis leche entre toma y toma, secaos bien e id cambiando los discos absorbentes de un solo uso).
■ Tened cuidado de que el niño tome el pecho de manera correcta (véase la figura de la página 26), de modo que se introduzca en la boca todo el pezón y gran parte de la areola.
■ No estéis dando el pecho al niño demasiado tiempo, 15 minutos máximo.
■ Al final de la toma, no separéis al niño del pecho de forma brusca, dejad que sea él quien se separe. Si tenéis dolores y queréis interrumpir la toma, basta con que introduzcáis un dedo en la boca del bebé (véase la figura de la página 26), no lo separéis de repente. Así evitaréis la formación de laceraciones que puedan propiciar la aparición de grietas.

▶ *¿Qué hacer si tenéis grietas?*
■ Si tenéis grietas en el pecho, evitad que el niño mame más de 5 minutos de cada lado. Pero, como siempre, procurad que el niño mame de los dos pechos y, si no lo hace, id alternándolos en cada toma.
■ Aplicaos una pomada cicatrizante. Lavaos bien el pecho antes de cada toma para que no queden restos.
■ En determinados casos, si es necesario, se puede dejar de dar el pecho al niño durante unos días y extraer la leche a mano o con un sacaleche y dársela con el biberón. Sin embargo, muchas veces este método es más doloroso que seguir dando el pecho al niño.
■ Es bueno tener el pecho al aire porque así se secan mejor las grietas.

65

Cuerpo y salud

Los 1000 primeros días de tu bebé

Baño

No se empieza a bañar al niño hasta que no se le caiga el cordón umbilical.

Se debe bañar al niño una vez al día.

Se le puede bañar en cualquier momento del día pero, a poder ser, es preferible bañarlo antes de la última toma de la tarde.

La temperatura del agua debe ser de 36 ó 37 ºC (las primeras veces, sobre todo, es conveniente comprobarla con un termómetro).

La duración del baño ha de ser de unos cuatro o cinco minutos.

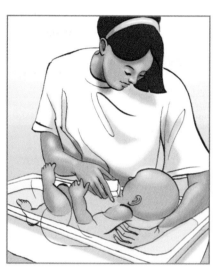

Bien pensado, es natural que el niño llore y chille al bañarlo, ya que se enfrenta a una nueva dimensión: se ve sumergido en agua demasiado caliente (simplemente porque tenemos miedo de que coja frío) y en un entorno muy distinto al que ha aprendido a conocer. Para intentar que venza sus miedos, los padres deben dedicar al baño el tiempo suficiente, sobre todo las primeras veces, para que todo transcurra con la debida tranquilidad. El ambiente debe ser tranquilo y relajado y conviene meter en el agua algún juguete desde el primer momento.

En invierno, la temperatura de la habitación debe estar en torno a los 24-25 ºC.

No debe haber corrientes de aire.

Usad siempre un jabón ácido o neutro.

Es recomendable que "aclaréis" la piel del niño con agua limpia, sumergiéndolo en otra bañera o aclarándolo con agua corriente, por ejemplo con la ducha, después de haber comprobado la temperatura del agua.

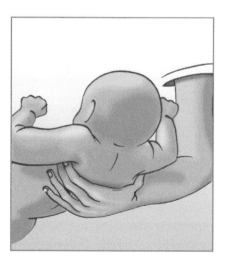

Con el pulgar bajo la axila derecha y los demás dedos bajo la izquierda (los zurdos lo cogeréis al contrario) el niño está bien agarrado y tiene la cabeza sujeta. Es difícil que se os resbale aunque esté mojado o enjabonado y, si se os escurre, podréis agarrarlo con facilidad porque tenéis la otra mano libre.

La cara, la cabeza y el pelo se lavan por separado.

No le limpiéis el interior de las orejas.

Debéis recortarle las uñas de las manos y de los pies con regularidad dos veces a la semana para evitar que se le encarnen. Cortárselas bien rectas, sin redondearlas por las esquinas y sin cortarlas demasiado. El mejor momento para cortarle las uñas es precisamente después del baño.

Al lado del lugar donde se baña al niño es conveniente tener una superficie en la que poder apoyarlo. Una superficie con un par de toallas de felpa encima es perfecta.

► No olvidéis que...

Cuando el niño llora significa que os necesita, así que si ha comido hace menos de una hora:

■ cogedlo en brazos y haced oídos sordos a los consejos autoritarios,

■ ponedle el chupete,

■ habladle con dulzura o cantadle alguna melodía, y

■ acunadlo.

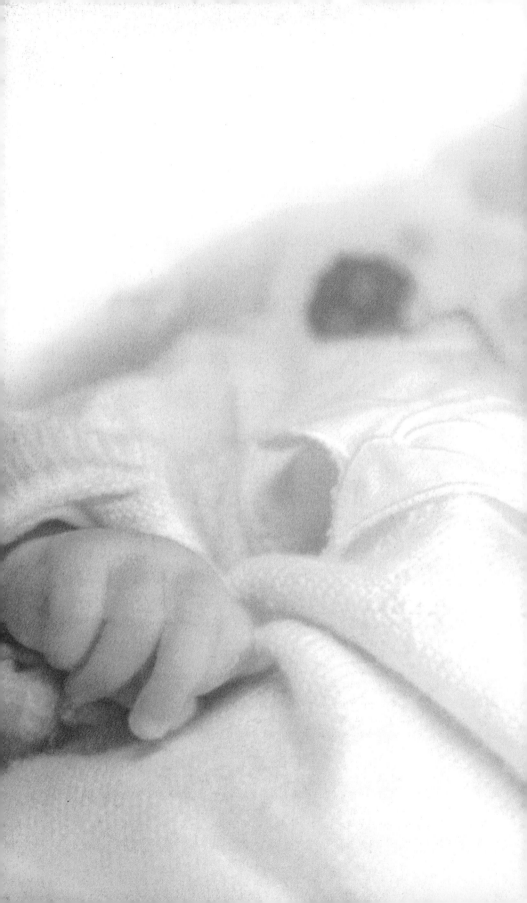

Quinta etapa:
SEMANAS TERCERA Y CUARTA

QUÉ PASA

DESARROLLO PSICOMOTOR

Movimientos

En este período, los movimientos de las extremidades parecen descoordinados, explosivos, toscos, sin ninguna finalidad concreta y afectan tanto a la parte derecha como a la parte izquierda del cuerpo.

El niño responde a los estímulos con movimientos involuntarios, contracciones musculares y temblores.

▶ Tanto dormido como despierto, está boca arriba, con las extremidades superiores flexionadas hacia arriba, los puños cerrados a la altura de la cabeza y el pulgar doblado bajo los demás dedos.

▶ Cierra los puños cuando se le toca con un dedo la palma de la mano. Precisamente, mediante la observación de este reflejo de "prensión automática" se puede saber el nivel de desarrollo psicomotor que tiene el niño en las primeras semanas. Parece un movimiento involuntario, independiente de los demás componentes del organismo, pero el niño hace toda la fuerza que puede y llega a apretar el dedo del adulto con tanta fuerza que si se tira de él cuando está tumbado boca arriba, se puede incorporar al niño hasta dejarlo sentado.

▶ A medida que vayan pasando los días, tendrá las extremidades menos retraídas (flexionadas) y empezará a permanecer con la cabeza hacia un lado cuando se le coloque boca arriba. En esa posición, las extremidades del lado hacia el que tenga girada la cabeza estarán extendidas, es decir "estiradas", y las del otro lado flexionadas, "retraídas".

▶ Todavía no es capaz de dominar la cabeza, que se le cae hacia los lados sin ningún control.

▶ Consigue seguir con la cabeza las fuentes de luz, sobre todo si el entorno está poco iluminado.

▶ Fija la vista en la persona que tiene delante.

Relación con el entorno

Desde el mismo momento de su nacimiento, el bebé está atento al entorno que le rodea, y en especial a la madre, con la que intenta entrar en contacto para comunicarle sus emociones y sus necesidades. Las madres debéis saber interpretar y dar respuesta a los mensajes de vuestro hijo. Para "aprender a ser buenos padres", tenéis que asimilar bien el funcionamiento de este mecanismo. El niño emite un mensaje, en general, por medio del llanto. Si la madre entiende lo que pide y satisface su necesidad, el niño tendrá la sensación de estar haciendo las cosas bien, de saber hacerse entender, y adquirirá una cierta autoestima. En cambio, en caso contrario, dejará de tener confianza en sí mismo.

Es muy importante que los padres no intentéis anticiparos a las peticiones del niño y os esforcéis en interpretarlas bien y satisfacerlas enseguida.

Lenguaje

Por ahora se comunica por medio del llanto, que quiere decir, por este orden: tengo hambre, me siento solo, me duele, tengo calor o tengo frío. Los sonidos que indicamos a continuación son sólo ejercicios (para saber más acerca del llanto, véase la página 78).

▶ Sigue emitiendo solamente sonidos guturales.

Aprendizaje

Siguen predominando las reacciones ligadas al instinto, que irá canalizándose progresivamente en la fase siguiente (véase la etapa número 6). Así, por ejemplo, se vuelve si se le toca la piel de la mejilla o empieza a mamar cuando se le estimulan los labios o la zona de alrededor.

AUMENTO DE PESO

Para saber cómo pesar al niño cuando no se está quieto en la báscula, véase el apartado "Cosas que debéis aprender a hacer" de la página 81.

▶ *A los veinte días, es "normal" que vuestro hijo pese:*
■ varones: entre 3,4 y 5,4 kg
■ niñas: entre 3,2 y 5,2 kg

Estos valores no son aplicables a los niños que al nacer hayan pesado menos de 2,5 kg, si son varones, y menos de 2,3 kg, si son niñas.

Mi hijo pesa .... kg.

¿Está dentro de lo normal? Sí ❑ No ❑

SUEÑO

▶ *¿Cuánto duerme al día?*
■ 16-17 horas (según Estivill).

OÍDO

En la práctica, "oye" como un adulto.

DATOS Y CONSEJOS ÚTILES

A la hora de tomar cualquier decisión, guiaos siempre por el sentido común (es suficiente y funciona de maravilla), sin dejar que nadie, y en especial los abuelos, interfiera entre vosotros con el pretexto de su supuesta experiencia. Además, los niños, por muy pequeños que sean, no son finas copas de cristal y no se "rompen".

Tampoco tratéis de protegerlo demasiado por miedo a que coja alguna enfermedad: más que evitar que caiga enfermo, haréis de él un infeliz.

▶ Hacia el séptimo o décimo día debe pesar lo mismo que pesaba al nacer.

▶ No le deis el chupete mojado en azúcar o miel, ni lo acostumbréis a dormirse mientras toma líquidos dulces con el biberón (cuidado con la caries dental).

ALIMENTACIÓN

Tanto si se alimenta de leche materna como de leche artificial, el niño debe tomar sólo leche.

Lactancia materna

Mis queridas mamás, podéis estar seguras de tener leche suficiente, aunque os dé la sensación de no tener bastante: lo más probable es que vuestro hijo no haya aprendido todavía a mamar con la suficiente energía porque es muy pequeño y todavía no tiene demasiada "práctica".

No cometáis el error de añadir leche artificial. Es preferible dejar que el niño llore un poco y darle el pecho con más frecuencia. De todas maneras, no le deis el pecho durante más de quince minutos de cada lado bajo ningún concepto.

Durante las primeras semanas de vida no intentéis controlar lo que come el niño guiándoos por el peso, ya que en los días siguientes a su nacimiento todos los recién nacidos tienen una pérdida de peso fisiológica, que hace que parezca que crecen menos de lo que en realidad crecen.

La leche todavía no responde a las características de la leche madura porque está en una fase de transición entre el calostro (amarillento) y la leche definitiva (blanca).

Los niños alimentados con leche materna comen con más frecuencia que los que toman leche artificial. Es un fenómeno normal que no se debe a que la madre tenga menos leche, sino a que la composición de ambos alimentos es diferente. Los niños que comen más a menudo, que "tienen hambre antes", crecen mejor porque "digieren" la leche materna más deprisa que los otros niños digieren la leche artificial. Ésa es otra de las ventajas de la lactancia materna.

Si al cabo de por lo menos cuatro minutos el niño se duerme, dejadle dormir y no lo despertéis aunque sólo haya mamado de un pecho.

Durante estas semanas, en el transcurso de cada toma, aseguraos de que el bebé mama de los dos pechos (si no se duerme antes) para que la estimulación sea mayor.

Duración y cantidad de tomas

Ahora que el niño ha "aprendido" a "comer" mejor, basta con darle el pecho diez minutos de cada lado.

▶ *Puede comer tanto como quiera y cuando quiera.*

■ Ahora que sabemos que el niño come cuando quiere o, mejor dicho, cuando tiene hambre, debemos dejar que sea él quien nos lo pida con el llanto, que es su forma de hablar.

■ No hay un número exacto y definido de tomas.

■ Normalmente los niños se alimentan a menudo, cada dos o tres horas, y llegan a hacer entre ocho y doce tomas al día. De todas formas, el número de tomas tiende a disminuir a medida que van pasando los días y las semanas.

■ Durante este período, es normal que el bebé haga seis o siete tomas al día. De todas formas, no nos cansaremos de repetir que si el número de tomas es mayor o menor, sigue siendo perfectamente normal.

Lactancia mixta: leche materna y artificial

Debéis tener la leche artificial preparada y a la temperatura oportuna para que no transcurra mucho tiempo entre que acabáis de dar el pecho al niño y empezáis a darle la leche artificial. Lo ideal es que no haya ninguna interrupción y que ofrezcáis el biberón al niño como si fuerais a darle el otro pecho.

Podéis comprobar si la leche está a la temperatura adecuada dejando caer unas gotas en el dorso de la mano.

▶ *Los agujeros de las tetinas tienen el tamaño apropiado para que, al darle la vuelta al biberón, la leche gotee lenta y continuamente.*

Para ver el método de preparación de la leche en polvo, véase el apartado "Lactancia artificial" de la etapa número 3 (página 40).

Lactancia artificial

Para ver las técnicas de preparación y alimentación con leche artificial, véase el apartado "Lactancia artificial" de la etapa número 3 (página 40).

IRRITACIONES

En la zona de los pañales

Cuando notéis que tiene irritada la zona que normalmente está cubierta por los pañales de plástico, por pequeña o leve que sea la irritación, consultad la etapa número 3 (página 41).

En la nuca

▶ Véase la etapa número 3 (página 41).

"Puntitos rojos" en la cara o por el cuerpo

Seguid alimentando y lavando al niño como de costumbre, llamad al pediatra y contadle el problema.

BOCA

Muguet

▶ *¿Qué se ve?*
- Filamentos parecidos a los coágulos de leche.

▶ *¿Cómo se diferencian?*
- Los *coágulos de leche* se separan con facilidad y la mucosa que reviste el interior de la boca es normal.
- Las *membranas del muguet*, en cambio, están adheridas a la boca y, al separarlas, la mucosa de debajo se queda irritada.

▶ *¿Dónde se localizan las membranas del muguet?*
- En la lengua y en las encías.
- En el interior de la boca, distribuidas de forma irregular.

▶ *¿Qué hacer?*
- *Coágulos de leche*: no hagáis nada.
- *Muguet*: consultad al pediatra. *Habrá que aplicar al niño en la boca nistatina o miconazol cuatro veces al día.*

CÓLICOS

También se conocen como *"cólicos de gases"* y *"cólicos de los tres meses"*.

▶ *¿Cuándo aparecen?*
- A partir de estas semanas.
- A última hora de la tarde o por la noche, aunque pueden aparecer en cualquier momento del día.
- Una o más veces al día o a la semana.

▶ *¿Cómo se reconocen?*
- El llanto es de gran intensidad, desesperado, desconsolado, agudo y continuo. Se distingue del que es por hambre porque no se interrumpe cuando el niño respira.
- La posición del niño: tiene las extremidades inferiores dobladas, las piernas están flexionadas hacia los muslos y éstos, a su vez, hacia el abdomen.
- El niño está muy inquieto, mueve las piernas y las contrae hacia el abdomen.
- El bebé empieza a llorar *de repente*.
- Puede seguir llorando durante horas.
- La cara se le pone roja.
- El abdomen está duro, parece "hinchado".
- Tiene los pies fríos.
- Tiene los puños cerrados.
- Llora desconsolado.

▶ *¿Qué hacer?*
Se desconocen las causas de los cólicos.
- Para arreglar la situación debéis estar tranquilos, no habéis hecho nada mal.
- En dos de cada tres casos no son "cólicos" ni ninguna otra "enfermedad": si el niño tiene estas "crisis" es sólo porque tiende a llorar más que los niños de su edad.
- En algunos casos, puede ser que el niño no tolere bien alguno de los componentes de la leche. El pediatra os aconsejará a este respecto.

▶ *Si se alimenta al niño con leche artificial*, acudid inmediatamente al pediatra.

Como no se conocen exactamente las causas de este tipo de cólicos, todos los remedios se basan en la experiencia y merece la pena probarlos.

■ Se le puede dar una infusión de anises estrellados; si se le alimenta con leche artificial se puede disolver en ella la leche en polvo, en vez de en agua sola. Si se alimenta al niño con leche materna o con leche artificial se le pueden dar unos 50 cc de infusión de anises estrellados al día con el biberón, entre toma y toma, o cuando tenga algún cólico.

■ Podéis colocarlo "boca abajo", apoyándolo con delicadeza sobre vuestro antebrazo, o

■ tenerlo en el regazo, o apoyado en un hombro, o sobre las rodillas, siempre "boca abajo".

■ Se le puede poner calor en la barriga.

■ Se le puede acunar.

■ Se le puede sacar de paseo.

■ Se le puede poner una música melodiosa, dulce y relajante, o hacer sonar una caja de música.

FÁRMACOS

▶ El bebé puede tomar *gotas polivitamínicas y comprimidos de flúor* que prevengan la caries dental, conforme a las instrucciones del pediatra del hospital o de vuestro pediatra de cabecera.

▶ Si el niño no acepta las medicinas y las escupe, dejad de dárselas y consultad al pediatra.

▶ Se recomienda darle las gotas *con una cucharilla de café antes de la toma* y no mezclarlas con la leche porque pueden alterar su sabor.

▶ Si el niño no acepta un tipo de gotas en particular se puede sustituir por otro producto análogo.

FIEBRE Y PIEL CALIENTE

Vuestro hijo todavía no suda "bien", así que es probable que notéis que tiene la piel más caliente de lo normal, pero no húmeda, a diferencia de los niños que son un poco mayores y tienen calor.

▶ *Si notáis que tiene la piel caliente:*

■ reflexionad sobre si habéis abrigado demasiado al bebé. Un método infalible es preguntaros si saldríais a la calle vestidos como vuestro hijo. Si la respuesta es negativa, haced caso a ese amigo que os dice que habéis abrigado demasiado al niño,

■ antes de alarmaros, mirad si el ambiente en el que está el niño tiene una temperatura excesivamente elevada (sea verano o invierno).

Si habéis descartado las dos posibilidades anteriores, mirad si tiene fiebre.

▶ *Cuando notéis que el niño tiene la piel caliente y queráis tomarle la temperatura, recordad tres cosas:*

■ En los niños, la temperatura normal es de hasta 37,5 °C si se toma en la ingle y de 38 °C si se toma en el recto.

■ Se recomienda tomar siempre la temperatura al niño en la ingle después de quitarle los pañales y de haberlo tenido desnudo durante 4-5 minutos.

■ Para saber cómo se toma la temperatura corporal a un bebé, consultad la figura de la página 154, etapa número 11.

▶ *Si, finalmente, la temperatura del niño es superior a 37,5 ºC, avisad al pediatra.*

HECES

¿Cómo deben ser?

Las heces de los lactantes tienen siempre unas características, en cuanto a color, aspecto y consistencia, distintas a las de los niños de más edad, y varían en función de si se alimentan con leche materna o artificial.

Si el niño se alimenta con leche materna

▶ *Las heces serán:*
■ más *blandas,*
■ de consistencia cremosa (por eso se pegan a los pañales),
■ de color *amarillo fuerte,* casi *dorado,*
■ pueden tener *aspecto mucoso,* y
■ tienen un *olor ácido.*

Si se alimenta con leche artificial

▶ *Las heces serán:*
■ más *compactas, secas* y *duras* (por eso no se pegan a los pañales),
■ de color *amarillo claro,* casi *grisáceas o marrones,* y
■ con un olor más *intenso* y *putrefacto.*

¿Cuántas veces debe evacuar?

Es normal que el lactante evacue después de cada toma, es decir, unas seis o siete veces en el transcurso del día, pero también que lo haga una vez al día o cada dos o tres días. Incluso hay veces que los intervalos pueden ser más largos.

▶ *¿Qué hacer si el niño no hace "caca"?*
■ No le deis laxantes por iniciativa propia.
■ No estiméis el ano con un termómetro, con perejil u otra cosa.
■ No le echéis nada a la leche (si le dais leche artificial) sin consultar antes con el pediatra.
■ Lo que sí podéis hacer es ponerle un *supositorio de glicerina para lactantes* (se vende en farmacias) si veis que el niño lleva 72 horas (3 días) sin evacuar.

Si las heces tienen coágulos blancos

No os preocupéis, son masas de caseína (un componente de la leche) y no denotan ninguna patología.

Si las heces son verdes

En ese caso, no hagáis nada porque es un fenómeno completamente normal. Las heces son verdes porque una de las sustancias que contienen, la bilirrubina, se oxida con el aire y se convierte en biliverdina (así llamada por el color verde que la caracteriza). Que las heces estén verdes sólo demuestra que han estado demasiado tiempo en contacto con el aire, por ejemplo, en los pañales (cuando no se cambia enseguida al niño) o en la ampolla rectal.

Como veis, *no dependen de la alimentación de la madre*, que puede seguir comiendo tranquilamente verduras, que nada tienen que ver con el color verde de las heces del niño.

Si las heces son duras (estreñimiento)

▶ *Lactancia materna:* el estreñimiento no se da porque este tipo de alimentación garantiza de por sí el perfecto funcionamiento del intestino y la idoneidad del alimento.

▶ *Lactancia artificial:* los casos de estreñimiento son raros.

NO *No deis laxantes al niño,* a menos que se los haya recetado el pediatra (se corre el riesgo de que el niño se habitúe al fármaco de tal manera que luego sólo pueda evacuar con ayuda externa).

SÍ Por iniciativa propia, podéis recurrir a *los supositorios de glicerina para lactantes* cuando el bebé lleve más de tres días sin hacer "caca".

GENITALES

Las niñas pueden presentar, o seguir teniendo, pérdidas vaginales. Son secreciones mucosas, densas y blanquecinas que, en algunos casos, pueden ser rojizas, como una "pseudomenstruación".

En cuanto a *los varones*, hasta pasado un año no tiene importancia que en el escroto tengan un solo testículo, no tengan ninguno o que se desplacen "hacia arriba y hacia abajo". Tampoco os debéis preocupar si el pene está "cerrado" (es la fimosis): normalmente se "abre" de forma espontánea antes de los tres años.

MAMAS (del recién nacido)

Tanto las niñas como los varones pueden presentar, o seguir teniendo, las mamas hinchadas. La hinchazón es muy evidente porque se nota como una "canica" bajo la piel de la zona de la areola y del pezón. Los bultitos pueden ser de diverso tamaño, entre el equivalente a un guisante y a una nuez.

No estrujéis el bulto bajo ninguna circunstancia porque podríais provocar una infección.

NARIZ

Problemas

Si vuestro hijo padece uno de los siguientes cinco trastornos relacionados con la nariz y la respiración:

1 hace "ruido" al respirar,

2 estornuda,

3 tiene la nariz taponada,

4 tiene mocos o

5 respira mal.

▶ Consultad la etapa número 3 (página 43).

OJOS

El color de ojos

▶ El color de ojos no es todavía el definitivo.

▶ El *"blanco" de los ojos* tiene matices azulados que irán desapareciendo poco a poco (se debe a lo finos que son los tejidos que recubren el ojo).

▶ *El iris*, en cambio, presenta un color gris, azulón o azul que, no obstante, no será el definitivo e irá cambiando de forma progresiva.

Lágrimas

Al nacer, la secreción lagrimal suele ser poco importante o nula. La aparición de las lágrimas en el niño suele hacerse durante las primeras semanas, existiendo variaciones importantes de unos niños a otros. En todo caso, a los tres meses la secreción lagrimal está definitivamente establecida.

Si el niño "bizquea"

Por ahora, cada ojo "trabaja" por su cuenta, sin estar coordinados, a diferencia de los de los adultos, que trabajan en sintonía para elaborar una sola imagen (ésa es la razón de que las pupilas miren siempre en la misma dirección). Y, precisamente, como los ojos del niño son todavía independientes entre sí, puede ocurrir que, sobre todo cuando está a punto de dormirse, el niño desvíe los ojos hacia la nariz. No es que el bebé sea estrábico. Como acabamos de decir, es un fenómeno normal a esta edad y desaparecerá cuando el niño desarrolle un poco más las estructuras de la vista.

Si el niño tiene muchas legañas

Si el niño tiene muchas legañas y sus ojos producen una secreción amarillenta o blanquecina, podéis limpiárselas con una bolita de algodón hervida previamente en agua durante cinco minutos (¡esperad a que se enfríe!).

No utilicéis pomadas ni colirios por iniciativa propia ya que podéis ocasionar al bebé graves complicaciones, no sólo en los ojos sino en todo el organismo.

OMBLIGO

Se cae hacia el séptimo o el décimo día. Si veis que hacia los 20 días no se le ha caído, consultad al pediatra.

▶ *¡Importante!*

■ Cuando la piel de alrededor del cordón del ombligo se le ponga *roja, o la gasa que lo protege esté manchada de rojo o de amarillo, avisad al pediatra enseguida.*

PIEL CALIENTE

Si notáis que tiene la piel caliente, consultad el apartado "Fiebre y piel caliente", bajo el epígrafe "Datos y consejos útiles".

PESO

Aumento de peso

A partir del vigésimo día de vida, podéis empezar a controlar el aumento semanal de peso, ya que a partir de ese momento, dejará de notarse la influencia de los factores específicos de la pérdida de peso fisiológica de los primeros días y de los problemas de alimentación.

Podéis pesar al niño una vez a la semana, antes del baño, y cotejar su peso con los valores que figuran en el apartado "Aumento de peso" que encontraréis en cada etapa bajo el epígrafe "Qué pasa".

LLANTO

Su significado

Somos conscientes de que cuando oís llorar a vuestro hijo os sentís fatal y pensáis que habéis hecho algo mal y no sabéis qué hacer.

Enseguida os daremos unas cuantas pautas pero, antes de nada, conviene dejar claras tres cosas:

▶ *No es normal que un niño no llore.* Para los niños el llanto es su primer medio de comunicación, su forma de hablar, de pedir lo que necesitan y de llamar la atención de sus padres y de los adultos en general. Un niño que no llora es como un alumno de primaria que está siempre callado.

▶ *El llanto también depende del temperamento.* De la misma manera que existen personas locuaces y personas calladas, hay niños que lloran más y niños que lloran menos.

▶ *Siempre que el niño llore, cogedlo en brazos y no prestéis atención a quienes os dan consejos "autoritarios",* ya que si el niño llora es porque tiene alguna necesidad (véase más adelante) y debemos averiguar qué quiere y dárselo. Es como si un niño algo más mayorcito nos pide la merienda, o pide a sus padres que lo cojan en brazos, o dice que tiene frío, calor o que tiene algo que le está pinchando y, nosotros, como única respuesta, le mandamos a su habitación. De modo que, ¿qué sentido tiene dejar que el bebé llore sin cogerlo en brazos? No sólo estaremos dejando de satisfacer sus necesidades sino que haremos que sea una persona potencialmente frustrada o un "perdedor", ya que si cuando nos pide algo (con el llanto, que es su forma de hablar), desatendemos sus peticiones por sistema, al final el niño se convencerá de que es incapaz de comunicarse. Además, no se trata de anticiparse a las peticiones del niño, sino de satisfacerlas enseguida. Por tanto, en el caso del llanto, debemos procurar averiguar su significado y dar al niño lo que pide. *Si no logramos saber qué le pasa al niño, cogerlo en brazos y acunarlo es algo que nunca falla.*

Esta semana es normal que llore una media de 2 horas y media al día. Llorará más por la tarde.

■ Para saber más sobre la "traducción" del llanto, véase la tabla de la página 62.

▶ *A qué debéis prestar atención*

1 *La melodía:* el ritmo y los cambios de ritmo del tono (la intensidad del llanto).

2 *Si deja de llorar cuando respira.*

3 Cómo son las puntas de máxima intensidad (se denominan "agudos").

▶ *Cómo se interpreta*

Llora de hambre (la intensidad del llanto tiende a disminuir)

■ *El niño deja de llorar para coger aire*: emite un leve ruido cuando intro-duce o expulsa aire de la boca, por lo que está en silencio unos dos segundos.

■ Puede que el niño no deje de llorar al empezar a mamar y que sólo lo haga al cabo de unos instantes, cuando tenga el estómago lleno y se haya atenuado el dolor que sentía.

Cuando se encuentra mal (la intensidad del llanto no disminuye e incluso aumenta)

▶ *¿Qué hacer?*

■ Si la intensidad del llanto tiende a disminuir con el tiempo, se puede intentar interpretar el motivo del llanto:

■ En cambio, si la intensidad del llanto *se mantiene constante o aumen-ta con el tiempo, avisad al pediatra, porque es más raro y puede ser grave.*

Con excepción de la situación anterior, ahora que ya sabéis que el tono del llanto tiende a disminuir con el tiempo, dejad a un lado el miedo, que sólo os conducirá a error, y con toda tranquilidad intentad interpretar el llanto de vuestro hijo.

Cómo se sabe si el niño llora porque no ha comido lo suficiente

Si, nada más comer, después de unos minutos de tranquilidad, el bebé empieza a llorar, ¿qué puede ser?

▶ *Hay dos posibilidades:*

■ El niño quiere que lo cojáis en brazos porque se siente solo o tiene aire.

■ Puede que haya comido poco y que llore porque tiene hambre.

Lactancia materna

Cuando ha mamado menos de dos minutos de cada lado, ha estado inquieto durante la toma y ha separado la boca del pezón. En ese caso, antes de volver a darle el pecho o, peor, antes de darle leche artificial con el biberón, tenedlo en brazos unos diez minutos para tranquilizarlo, habladle con dulzura y acunadlo.

Lactancia artificial

La cantidad de leche que ha tomado el niño se sabe claramente por el biberón. *Puede que esté llorando de hambre si ha tomado menos de la mitad de la cantidad que suele tomar cada día.*

▶ *Sólo si ha comido poco, lo habéis acunado durante diez minutos y sigue estando inquieto, podéis intentar darle más leche.*

Llora cuando lo desnudáis

Puede ponerse a llorar aunque la temperatura de la habitación no sea ni excesivamente alta ni excesivamente baja. El niño deja de llorar en cuan-to lo volvéis a vestir. No tiene ninguna importancia: para acabar con el problema basta con tenerlo desnudo el menor tiempo posible.

Llora desconsolado

Véase el apartado "Cólicos" de esta misma etapa.

REGURGITACIÓN Y VÓMITO

Veamos cuál es la diferencia

▶ *Regurgitación:* es la expulsión pasiva de alimentos por la boca, como por ejemplo la leche, sin escupirlos, de forma que van cayendo lentamente por la comisura de los labios y por la mejilla.

▶ *Vómito:* se diferencia de la regurgitación en que el alimento no se expulsa de forma pasiva, como en el caso anterior, sino que se arroja de modo enérgico.

▶ *¿Qué hacer?*

■ *Regurgitación: nada.* Se trata de un fenómeno frecuente a esta edad.

Para limitar la regurgitación y favorecer la digestión en general, podéis:

■ coger en brazos al niño durante unos diez minutos después de cada toma, para que expulse el aire,

■ no modificar la alimentación del niño por iniciativa propia,

■ usar siempre un cojín,

■ no mostraros preocupados por la regurgitación porque, en caso contrario, corréis el riesgo de transmitir vuestra ansiedad al niño.

■ *El vómito es un síntoma muy presente en los primeros años de vida de los niños.* Un solo episodio no significa nada, pero si tiende a repetirse, debéis hablar con el pediatra que os atiende.

Cuando el niño vomite, debéis controlar su peso, ya que si pierde peso debéis informar de inmediato al pediatra.

▶ *En todo caso, recordad que no debéis darle ningún fármaco sin consultarlo previamente con el pediatra.*

HIPO

Para que se le pase, dadle unas cucharaditas de agua sin gas.

VACUNAS

La segunda vacuna no hay que ponérsela hasta el segundo mes (véase la etapa número 7).

RECOMENDACIONES PARA LAS MADRES DURANTE LA LACTANCIA

■ En este período, es conveniente que las madres hagáis algo de ejercicio y, por ahora, el mejor ejercicio que podéis hacer es caminar. Los niños tienen que salir de paseo, así que ocasiones no os faltarán.

■ No os preocupéis si todavía notáis el abdomen hinchado y los muslos y los glúteos más voluminosos porque todo irá volviendo poco a poco a su estado original.

■ Aunque estéis cansadas y durmáis poco, no descuidéis vuestro aspecto.

Grietas en el pecho

▶ *¿Qué se nota?*

Alrededor del pezón, la piel presenta fisuras en forma de estrella o en círculo, más o menos profundas y sangrantes, que pueden llegar a provocar dolores muy intensos.

► *¿Cuándo suelen aparecer?*
A los dos o tres días del parto, normalmente durante la primera semana y nunca después de la tercera semana.

► *¿Cómo prevenirlas?*
■ Lavaos bien el pecho.
■ Acordaos de mantenerlo siempre bien seco. Si veis que expulsáis leche entre toma y toma, secaos bien e id cambiando los discos absorbentes de un solo uso.
■ Tened cuidado de que el niño tome el pecho de manera correcta (véase la figura de la página 26), de modo que se introduzca en la boca todo el pezón y gran parte de la areola.
■ No estéis dando el pecho al niño demasiado tiempo, 15 minutos como máximo.
■ Al final de la toma, no separéis al niño del pecho de forma brusca, dejad que sea él quien se separe. Si tenéis dolores y queréis interrumpir la toma, basta con que introduzcáis un dedo en la boca del bebé (véase la figura de la página 26), no lo separes de repente. Así evitaréis la formación de laceraciones que puedan propiciar la aparición de grietas.

► *¿Qué hacer si tenéis grietas?*
■ Si tenéis grietas en el pecho, evitad que el niño mame más de 5 minutos de cada lado, es decir, 10 minutos en total. Pero, como siempre, procurad que el niño mame de los dos pechos y, si no lo hace, id alternándolos en cada toma.
■ Aplicaos una pomada cicatrizante. Lavaos bien el pecho antes de cada toma para que no queden restos.
■ En determinados casos, si es necesario, se puede dejar de dar el pecho al niño durante unos días y extraer la leche a mano o con un sacaleche y dársela con el biberón. Sin embargo, muchas veces este método es más doloroso que seguir dando el pecho al niño.
■ Es bueno tener el pecho al aire porque así se secan mejor las grietas.

QUÉ DEBÉIS APRENDER A HACER

Aprender a pesar al niño

Debéis pesar al niño desnudo y antes del baño.

Acordaos de restar al total el peso de la toalla y de la tela colocadas encima de la báscula.

Si tenéis problemas para pesar al bebé porque no se está quieto encima de la báscula, haced lo siguiente:
■ pesadlo en el momento del día en el que suela estar más tranquilo,
■ si la báscula se mueve sin parar, el peso real será aquél en el que la barra de la báscula (la que se detiene en el peso exacto) se mueve con oscilaciones más o menos iguales (hacia arriba y hacia abajo) con respecto al punto en el que se detendría para indicar el peso exacto.

En todo caso, recordad que las básculas son buenas y malas al mismo tiempo (para una explicación más completa, véase el pie de la siguiente ilustración).

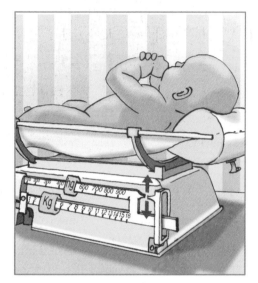

Son buenas porque sirven para controlar el aumento de peso semanal, que indica si el bebé está sano. Pero son malas porque crean inseguridad en la madre, que no sabe si está pesando bien al niño. Usar una báscula es muy fácil, y los padres han de tener la certeza de que la están usando como es debido. Además, al pesar al niño una vez a la semana, este tipo de errores es irrelevante. Poco importa si la báscula "pesa mal", ya que lo que interesa es el aumento de peso semanal, de modo que es indiferente si el aparato lleva pesando de más o de menos desde el principio.

Baño

No se empieza a bañar al niño hasta que no se le caiga el cordón umbilical.

Se debe bañar al niño una vez al día.

Se le puede bañar en cualquier momento del día pero, a poder ser, es preferible bañarlo antes de la última toma de la tarde.

La temperatura del agua debe ser de 36 ó 37 ºC (las primeras veces, sobre todo, es conveniente comprobarla con un termómetro).

La duración del baño ha de ser de unos cuatro o cinco minutos.

En invierno, la temperatura de la habitación debe estar en torno a los 24-25 ºC.

No debe haber corrientes de aire.

Usad siempre un jabón ácido o neutro.

Es recomendable que "aclaréis" la piel del niño con agua limpia, sumergiéndolo en otra bañera o aclarándolo con agua corriente, por ejemplo con la ducha, después de haber comprobado la temperatura del agua.

La cara, la cabeza y el pelo se lavan por separado.

No le limpiéis el interior de las orejas.

Debéis recortarle las uñas de las manos y de los pies con regularidad dos veces a la semana para evitar que se le encarnen. Cortádselas bien rectas, sin redondearlas por las esquinas y sin cortarlas demasiado. El mejor momento para cortarle las uñas es precisamente después del baño.

Al lado del lugar en el que se baña al niño es conveniente tener una superficie donde poder apoyarlo. Una superficie con un par de toallas de felpa encima es perfecta.

▶ No olvidéis que...

Cuando el niño llora significa que os necesita, así que si ha comido hace menos de una hora:

■ cogedlo en brazos y haced oídos sordos a los consejos autoritarios,

■ ponedle el chupete,

■ habladle con dulzura o cantadle alguna melodía, y

■ acunadlo.

PRIMER A SEGUNDO MES
Una vez que ha cumplido 1 mes

DESARROLLO PSICOMOTOR

Movimientos

► Se coloca en posición prona, es decir, boca abajo. Levanta la cabeza unos instantes y la pone en el mismo plano que el tronco.

► Levanta la barbilla.

► Gira la cabeza.

► Tiene las piernas más estiradas.

► Si está boca arriba y se le sienta, la cabeza cae masivamente hacia atrás.

► Si está en posición prona, mantiene la cabeza en el centro y la levanta durante unos minutos.

► En posición erguida, consigue levantar la cabeza sólo durante unos segundos, pero sin control, ya que sigue cayéndosele hacia los lados.

► Mientras duerme, tiene siempre los puños cerrados a la altura de la cabeza, pero empieza a dejar el pulgar al lado del índice.

► Cierra los puños cuando se le toca con un dedo la palma de la mano. Precisamente, mediante la observación de este reflejo de "prensión automática" se puede saber el nivel de desarrollo psicomotor que tiene el niño en las primeras semanas. Parece un movimiento involuntario, independiente de los demás componentes del organismo, pero el niño hace toda la fuerza que puede y llega a apretar el dedo del adulto con tanta fuerza que si se tira de él cuando está tumbado boca arriba, se puede incorporar al niño hasta dejarlo sentado.

Relación con el entorno

Empiezan a desarrollarse especialmente los movimientos y las funciones de los ojos.

► Mira a su alrededor.

► Mantiene la vista fija en los objetos que tiene delante.

► Mira a las personas que están a su alrededor.

► Se fija especialmente en las caras.

► Sigue con la vista las fuentes de luz y los objetos grandes colocados cerca de él a unos 90º.

► Prefiere los objetos de colores.

► Si se le da un objeto, lo deja caer.

► En algunos casos, consigue tocar objetos situados al alcance de su mano.

► Sonríe, pero no de forma intencional ni en respuesta a estímulos externos.

► Sonríe cuando oye una voz humana.

► Escucha los sonidos.

► Puede hacer movimientos con el cuerpo adaptándolos al ritmo de la voz de alguien que esté hablando.

► Hace movimientos de reptación.

Lenguaje

Por ahora se comunica por medio del llanto, que quiere decir, por este orden: tengo hambre, me siento solo, me duele, tengo calor o tengo frío. Los sonidos que indicamos a continuación son sólo ejercicios (para saber más acerca del llanto, véase la página 62).

► Emite sonidos guturales, es decir, leves ruidos que salen de la garganta. Son más intensos que los de las semanas anteriores, pero todavía no guardan relación con estímulos externos ni con el entorno.

Aprendizaje

► *Se chupa el pulgar.*

Las reacciones dejan de ser fruto de un mero instinto y empiezan a responder a estímulos y asociaciones. Así se van creando nuevos hábitos. Por ejemplo, ya no empieza a chupar sólo cuando se le toca la piel, sino que actúa por iniciativa propia:

■ se lleva la mano a la boca y

■ empieza a chupársela.

La coordinación de estas dos acciones es una de sus primeras "conquistas".

AUMENTO DE PESO

Para saber cómo conseguir pesar al niño cuando no se está quieto en la báscula, véase la etapa número 5, apartado "Cosas que debéis aprender a hacer".

► *Al cabo de un mes, es "normal" que vuestro hijo pese:*
■ varones: entre 3,6 y 5,6 kg
■ niñas: entre 3,4 y 5,4 kg
Mi hijo pesa .... kg.
¿Está dentro de lo normal? Sí ❏ No ❏
Para que la valoración sea más precisa, tened en cuenta el peso del niño al nacer y consultad los gráficos de los percentiles y las instrucciones que encontraréis en la página 269.
■ Debe ganar alrededor de 25-30 gramos al día, 160-200 gramos a la semana, 800-900 gramos al mes.
■ Si en dos semanas el bebé no gana más de 100 gramos de peso, comunicádselo al pediatra.
► *Por ahora, el aumento de peso refleja mejor que la talla el crecimiento del niño.*

TALLA

► *Al cabo de un mes, es "normal" que vuestro hijo mida:*
■ varones: entre 50 y 58 cm
■ niñas: entre 48 y 56,8 cm
Importante: si "no os salen las cuentas", volved a medir al bebé con cuidado de que no tenga las piernas flexionadas o encogidas.
► Debería haber crecido unos 8 cm, por lo que:
Si al nacer media .... cm + 8 cm =
ahora debería medir .... cm
Y mi hijo mide .... cm.
¿Está dentro de lo normal? Sí ❏ No ❏

PELO

El pelo que tiene al nacer se suele caer, sea mucho o poco, y se cae casi todo al mismo tiempo. A diferencia de los niños de más de un año y de los adultos, que tienen en la cabeza unos cuantos cabellos "jóvenes" que acaban de "salir", muchos cabellos "adultos" y otros más "viejos" que se caen para dejar sitio a los más "jóvenes", la situación de los recién nacidos es completamente distinta: al nacer tienen cabellos que "han nacido todos a la vez", por lo que crecen y "envejecen" todos al mismo tiempo. Lo normal es que hacia los dos o tres meses se empiecen a caer y vayan dejando calvas, empezando por la parte posterior.

PERÍMETRO CRANEAL

► *El perímetro craneal medio es de:*
■ varones: 37,2 cm, pero es "normal" si está entre 34,9 cm y 39,6 cm
■ niñas: 36,4 cm, pero es "normal" si está entre 34,2 cm y 38,3 cm
Para medir el perímetro del cráneo se puede utilizar un metro de costura.
► La fontanela posterior debe estar "cerrada".

Cuerpo y salud

Los 1000 primeros días de tu bebé

SUEÑO

▶ *¿Cuánto duerme al día?*
■ 16-17 horas (según Estivill).

DATOS Y CONSEJOS ÚTILES

▶ *Si no tenéis en casa* los medicamentos que hemos indicado con anterioridad -pomadas para las irritaciones y suero fisiológico para lavar la nariz-, pedid a vuestro pediatra que os diga los nombres comerciales de estos productos.

▶ *Si no tenéis en casa* un chupete o un biberón de reserva (si los usa), compradlos.

▶ No le deis el chupete mojado en azúcar o miel, ni lo acostumbréis a dormirse mientras toma agua o líquidos dulces con el biberón, ya que favorece la formación de la caries dental.

ALIMENTACIÓN

Tanto si se alimenta de leche materna como de leche artificial, el niño debe tomar sólo leche.

Ya come más deprisa (ha aprendido y a estas alturas tiene bastante práctica), de modo que puede que las tomas sean más breves. No os sorprendáis si es así y, sobre todo, no penséis que no tenéis leche suficiente, que ha dejado de gustarle o que el niño está inapetente.

Lactancia materna
Duración de las tomas
Puede que el niño mame de un solo lado y le baste con la cantidad de leche de un pecho. Se sabe si ha comido suficiente si deja de mamar y no quiere volver a tomar el pecho, o si mama sin ganas y se queda dormido.
Cantidad de tomas
Puede hacer cinco tomas, pero que haga más o menos entra también dentro de lo normal.

Lactancia mixta: leche materna y artificial
Se sabe si el niño necesita tomar más leche (artificial, con el biberón), cuando después de mamar durante diez minutos de cada pecho *no se duerme, llora y está inquieto.*
■ No empecéis a alimentar al niño con leche artificial por iniciativa propia. Si el niño toma el pecho, llora como un desesperado y no hay quien le consuele, consultad a vuestro pediatra.
■ De todas maneras, aunque se le vaya a dar al niño leche artificial como complemento de su alimentación, hay que darle el pecho cinco minutos de cada mama, o bien darle el pecho una toma sí y otra no.
Debéis tener la leche artificial preparada y a la temperatura oportuna para que no transcurra mucho tiempo entre que acabáis de dar el pecho al niño y empezáis a darle la leche artificial. Lo ideal es que no haya ninguna interrupción y que ofrezcáis el biberón al niño como si fuerais a darle el otro pecho.

Podéis comprobar si la leche está a la temperatura adecuada dejando caer unas gotas en el dorso de la mano.

► *Los agujeros de las tetinas tienen el tamaño apropiado para que, al darle la vuelta al biberón, la leche gotee lenta y continuamente.*

Para ver el método de preparación de la leche en polvo, véase el apartado "Lactancia artificial" de la etapa número 3 (página 40).

Lactancia artificial

Para ver las técnicas de preparación y alimentación con leche artificial (líquida o en polvo), véase el apartado "Lactancia artificial" de la etapa número 3 (página 40).

IRRITACIONES

En la zona de los pañales

Cuando notéis que tiene irritada la zona que normalmente está cubierta por los pañales de plástico, por pequeña o leve que sea la irritación, consultad la etapa número 3 (página 41).

En la nuca

Si notáis que le han aparecido manchitas anaranjadas, color salmón o rojas, no os alarméis porque es una manifestación muy frecuente en los niños. Son angiomas. Suelen desaparecer por sí solos y no ocasionan complicaciones.

"Puntitos rojos" en la cara o por el cuerpo

Seguid alimentando y lavando al niño como de costumbre, llamad al pediatra y contadle el problema.

BOCA

► *Consúltese la etapa número 5 (página 73).*

CÓLICOS

También se conocen como "cólicos de gases" y "cólicos de los tres meses".

Lo primero y más importante es que estéis tranquilos. Si perdéis la calma es peor, porque si os ponéis nerviosos, el niño lo nota y llora más. No dejéis que llore sin cogerlo en brazos, pensad que si llora es porque quiere algo. Complacedle y no penséis que lo estáis malcriando.

► *¿Cuándo aparecen?*
■ Durante este mes.
■ A última hora de la tarde o por la noche, aunque pueden aparecer en cualquier momento del día.
■ Una o más veces al día o a la semana.
► *¿Cómo se reconocen?*
■ El llanto es de gran intensidad, desesperado, desconsolado, agudo y continuo. Se distingue del que es por hambre porque no se interrumpe cuando el niño respira.
■ La *posición* del niño: tiene las extremidades inferiores dobladas, las piernas están flexionadas hacia los muslos y éstos, a su vez, hacia el abdomen.

- El niño está muy inquieto, mueve las piernas y las contrae hacia el abdomen.
- El bebé empieza a llorar *de repente*.
- Puede seguir llorando durante horas.
- La cara se le pone roja.
- El abdomen está duro, parece "hinchado".
- Tiene los pies fríos.
- Tiene los puños cerrados.
- Llora desconsolado.

▶ *¿Qué hacer?*

Se desconocen las causas de los cólicos.

- Para arreglar la situación debéis estar tranquilos, no habéis hecho nada mal, no os preocupéis.
- En dos de cada tres casos no son "cólicos" ni ninguna otra "enfermedad": si el niño tiene estas "crisis" es sólo porque tiende a llorar más que los niños de su edad.
- En algunos casos, puede ser que el niño no tolere bien alguno de los componentes de la leche. El pediatra os aconsejará a este respecto.

▶ *Si se alimenta al niño con leche artificial, acudid inmediatamente al pediatra.*

Como no se conocen exactamente las causas de este tipo de cólicos, todos los remedios se basan en la experiencia. De todas formas, merece la pena probarlos.

- Se le puede dar una infusión de anises estrellados; si se le alimenta con leche artificial se puede disolver en ella la leche en polvo, en vez de en agua sola. Si se alimenta al niño con leche materna o con leche artificial se le pueden dar unos 50 cc de infusión de anises estrellados al día con el biberón, entre toma y toma, o cuando tenga algún cólico.
- Podéis colocarlo "boca abajo", apoyándolo con delicadeza sobre vuestro antebrazo, o
- tenerlo en el regazo, o apoyado en un hombro, o sobre las rodillas, siempre "boca abajo".
- Se le puede poner una bolsa de agua caliente en la barriga.
- Se le puede acunar.
- Se le puede sacar de paseo.
- Se le puede poner una música melodiosa o hacer sonar una caja de música.

COSTRA LÁCTEA

¿Tiene pústulas blanquecinas en la cabeza? Se trata de la costra láctea, una dermatitis que desaparece por sí sola a los seis meses.

▶ *¿Qué se nota?*

Pequeñas pústulas pegadas con firmeza al cuero cabelludo, untuosas, de color blanquecino-amarillento tirando a marrón. Pueden aparecer también en la frente, en las cejas y alrededor de la nariz.

▶ *¿Qué hacer?*

Se puede aplicar aceite (de almendra o de bebés) en la cabecita del niño. Pasadas unas horas, lavaremos el pelo de nuestro hijo con un champú suave y pasaremos un cepillo o un peine de púas redondas.

FÁRMACOS

▶ El bebé puede tomar *gotas polivitamínicas y comprimidos de flúor* que prevengan la caries dental, conforme a las instrucciones de vuestro pediatra.

▶ Si, a partir de la sexta semana de vida, el pediatra os receta *fármacos con hierro*, debéis dárselos también.

▶ Si el niño no acepta las medicinas y las escupe, dejad de dárselas y consultad al pediatra.

▶ Se recomienda darle las gotas con *una cucharilla de café antes de la toma* y no mezclarlas con la leche porque pueden alterar su sabor.

▶ Si el niño no acepta un tipo de gotas en particular, se pueden sustituir por otro producto análogo.

FIEBRE Y PIEL CALIENTE

Vuestro hijo todavía no suda "bien", así que es probable que notéis que tiene la piel más caliente de lo normal, pero no húmeda, a diferencia de los niños que son un poco mayores y tienen calor.

▶ *Si notáis que tiene la piel caliente:*

■ reflexionad sobre si habéis abrigado demasiado al bebé. Un método infalible es preguntaros si saldríais a la calle vestidos como vuestro hijo. Si la respuesta es negativa, haced caso a ese amigo que os dice que habéis abrigado demasiado al niño,

■ antes de alarmaros, mirad si el ambiente en el que está el niño está a una temperatura excesivamente elevada (sea verano o invierno).

Si habéis descartado las dos posibilidades anteriores, mirad si tiene fiebre.

▶ *Cuando notéis que el niño tiene la piel caliente y queráis tomarle la temperatura, recordad tres cosas:*

■ En los niños, la temperatura normal es de hasta 37,5 ºC si se toma en la ingle y de 38 ºC si se toma en el recto.

■ Se recomienda tomar siempre la temperatura al niño en la ingle después de quitarle los pañales y de haberlo tenido desnudo durante 4-5 minutos.

■ Para saber cómo se toma la temperatura corporal a un bebé, consultad la figura de la página 154, etapa número 11.

▶ *Si, finalmente, la temperatura del niño es superior a 37,5 ºC, avisad al pediatra.*

HECES

Cómo deben ser

Las heces de los lactantes tienen siempre unas características, en cuanto a color, aspecto y consistencia, *distintas a las de los niños de más edad,* y varían en función de si se alimentan con leche materna o artificial.

Si el niño se alimenta con leche materna

▶ *Las heces serán:*

■ más *blandas* y

■ de consistencia cremosa (por eso se pegan a los pañales),

■ de color *amarillo fuerte*, casi *dorado*,

■ pueden tener *aspecto mucoso*, y

■ tienen un *olor ácido*.

Si se alimenta con leche artificial

▶ *Las heces serán:*

■ más *compactas, secas* y *duras* (por eso no se pegan a los pañales),

■ de color *amarillo claro*, casi *grisáceas o marrones*, y

■ con un olor *más intenso* y *putrefacto.*

Cuántas veces debe evacuar

Es normal que el lactante evacue *después de cada toma*, es decir, unas seis o siete veces en el transcurso del día, pero también que lo haga *una vez al día o cada dos o tres días*. Incluso hay veces que los intervalos pueden ser más largos.

▶ *¿Qué hacer si el niño no hace "caca"?*

■ No le deis laxantes por iniciativa propia.

■ No estimuléis el ano con un termómetro, con perejil ni con ninguna otra cosa.

■ No le echéis nada a la leche (si le dais leche artificial) sin consultar antes con el pediatra.

■ Lo que sí podéis hacer es ponerle un *supositorio de glicerina para lactantes* (se vende en farmacias) si veis que el niño lleva 72 horas (3 días) sin evacuar.

Si las heces tienen coágulos blancos

No os preocupéis, son masas de caseína (un componente de la leche) y no denotan ninguna patología.

Si las heces son verdes

En ese caso, no hagáis nada porque es un fenómeno completamente normal. Las heces son verdes porque una de las sustancias que contienen, la bilirrubina, se oxida con el aire y se convierte en biliverdina (así llamada por el color verde que la caracteriza). Que las heces estén verdes sólo demuestra que han estado demasiado tiempo en contacto con el aire, por ejemplo, en los pañales (cuando no se cambia enseguida al niño) o en la ampolla rectal.

Como veis, *no dependen de la alimentación de la madre*, que puede seguir comiendo tranquilamente verduras, que nada tienen que ver con el color verde de las heces del niño.

Si las heces son duras (estreñimiento)

▶ *Lactancia materna*: el estreñimiento no se da porque este tipo de alimentación garantiza de por sí el perfecto funcionamiento del intestino y la idoneidad del alimento.

▶ *Lactancia artificial*: los casos de estreñimiento son raros.

NO *No deis laxantes al niño*, a menos que se los haya recetado el pediatra (se corre el riesgo de que el niño se habitúe al fármaco de tal manera que luego sólo pueda evacuar con ayuda externa).

SÍ Por iniciativa propia, podéis recurrir a *los supositorios de glicerina para lactantes* cuando el bebé lleve más de tres días sin hacer "caca".

Si las heces son negras

Cuando el niño está tomando *fármacos que tienen hierro*, las heces pueden adquirir un color negruzco. No os preocupéis, es normal.

MAMAS (del recién nacido)

Tanto las niñas como los varones pueden presentar, o seguir teniendo, las mamas hinchadas. La hinchazón es muy evidente porque se nota como una "canica" bajo la piel de la zona de la areola y del pezón. Los bultitos pueden ser de diverso tamaño, entre el equivalente a un guisante y a una nuez.

No estrujéis el bulto bajo ninguna circunstancia porque podríais provocar una infección.

NARIZ

Problemas

Si vuestro hijo padece uno de los siguientes cinco trastornos relacionados con la nariz y la respiración:
1 hace "ruido" al respirar,
2 estornuda,
3 tiene la nariz taponada,
4 tiene mocos o
5 respira mal.
▶ *Consultad la etapa número 3 (página 43).*

OJOS

El color de ojos

▶ El color de ojos no es todavía el definitivo.
▶ *El "blanco" de los ojos* tiene matices azulados que irán desapareciendo poco a poco (se debe a lo finos que son los tejidos que recubren el ojo).
▶ *El iris*, en cambio, presenta un color gris, azulón o azul que, no obstante, no será el definitivo e irá cambiando de forma progresiva.

Lágrimas

Al nacer, la secreción lagrimal suele ser poco importante o nula. La aparición de las lágrimas en el niño suele hacerse durante las primeras semanas, existiendo variaciones importantes de unos niños a otros. En todo caso, a los tres meses la secreción lagrimal está definitivamente establecida.

Si el niño "bizquea"

Por ahora, cada ojo "trabaja" por su cuenta, sin estar coordinados, a diferencia de los de los adultos, que trabajan en sintonía para elaborar una sola imagen (ésa es la razón de que las pupilas miren siempre en la misma dirección). Y, precisamente, como los ojos del niño son todavía independientes entre sí, puede ocurrir que, sobre todo cuando está a punto de dormirse, el niño desvíe los ojos hacia la nariz. No es que el bebé sea estrábico. Como acabamos de decir, es un fenómeno normal a esta edad y desaparecerá cuando el niño desarrolle un poco más las estructuras de la vista.

Si el niño tiene muchas legañas

Si el niño tiene muchas legañas y sus ojos producen una secreción amarillenta o blanquecina, podéis limpiárselas con una bolita de algodón hervida previamente en agua durante cinco minutos (¡esperad a que se enfríe!).

No utilicéis pomadas ni colirios por iniciativa propia ya que podéis ocasionar al bebé graves complicaciones, no sólo en los ojos sino en todo el organismo.

▶ *Si el bebé tiene legañas muy a menudo:* además de limpiárselas con una bolita de algodón, como acabamos de explicar, se le pueden dar ligeros masajes, tal y como se indica en la figura que aparece a continuación.

Se le da un masaje presionando levemente con un dedo de abajo arriba y del exterior al interior. Así se logra que las lágrimas fluyan con más facilidad por el "conducto" que comunica el ojo con la nariz (por eso tenemos mocos cuando lloramos). Lo que ocurre es que, si bien el conducto es "diminuto" ya de por sí, durante los primeros meses de vida es todavía más pequeño, lo que hace que desaloje una cantidad insuficiente de lágrimas.

PIEL CALIENTE

Si notáis que tiene la piel caliente, consultad el apartado "Fiebre y piel caliente", bajo el epígrafe "Datos y consejos útiles" de la página 89.

PESO

No es necesario pesar a los niños cada semana salvo que tengan algún problema. Los padres pueden llegar a obsesionarse. Puedes cotejar el peso de tu hijo con los valores que figuran en el apartado "Aumento de peso" que encontraréis en cada etapa bajo el epígrafe "Qué pasa".

LLANTO

A estas alturas, deberíais haber aprendido a distinguir y a entender el llanto de vuestro hijo.

Dejad que os recordemos tres cosas:

■ El llanto es su modo de comunicarse.

■ Si oís que llora, no penséis que se encuentra mal, sólo está hablando.

■ Lo más probable es que os esté diciendo: *"tengo hambre"*, *"quiero que alguien me haga caso"* o *"quiero que me cojáis en brazos"*.

▶ *No quiere separarse de su madre.*

Tened presente que puede empezar a llorar al ver que su madre se va, o incluso al darse cuenta de que tiene intención de alejarse. Desde muy pequeños, los niños identifican y reconocen los gestos que hace su madre justo antes de marcharse.

Al cabo de un rato, lo normal es que el niño se calme, aunque no vea a su madre durante un período de tiempo más o menos largo.

Dado que el llanto es el "idioma" del niño y que es inconcebible pensar que alguien pueda estar siempre callado, en este mes es normal que el bebé llore entre dos horas y dos horas y media al día (algo más que en las semanas anteriores).

Cómo se sabe si el niño llora porque no ha comido lo suficiente

Si, nada más comer, después de unos minutos de tranquilidad, el bebé empieza a llorar, ¿qué puede ser?

▶ *Hay dos posibilidades:*

■ El niño quiere que lo cojáis en brazos porque se siente solo o tiene aire.

■ Puede que haya comido poco y que llore porque tiene hambre.

Lactancia materna

Cuando ha mamado menos de dos minutos de cada lado, ha estado inquieto durante la toma y ha separado la boca del pezón. En ese caso, antes de volver a darle el pecho o, peor, antes de darle leche artificial con el biberón, tenedlo en brazos unos diez minutos para tranquilizarlo, habladle con dulzura y acunadlo.

Lactancia artificial

La cantidad de leche que ha tomado el niño se sabe claramente por el biberón. *Puede que esté llorando de hambre si ha tomado menos de la mitad de la cantidad que suele tomar cada día.*

▶ Si ha pasado *menos de una hora* desde el final de la toma anterior: sólo si ha comido poco, lo habéis acunado durante diez minutos y sigue estando inquieto, podéis intentar darle más leche (si ha pasado más de una hora, podéis alimentarlo otra vez inmediatamente).

Llora desconsolado

Véase el apartado "Cólicos" de esta misma etapa.

REGURGITACIÓN Y VÓMITO

▶ *Regurgitación*: es la expulsión pasiva de alimentos por la boca, como por ejemplo la leche, sin escupirlos, de forma que van cayendo lentamente por la comisura de los labios y por la mejilla.

▶ *Vómito*: se diferencia de la regurgitación en que el alimento no se expulsa de forma pasiva, como en el caso anterior, sino que se arroja de modo enérgico.

▶ *Qué hacer*

Regurgitación: nada. Se trata de un fenómeno frecuente a esta edad.

Para limitar la regurgitación y favorecer la digestión en general, podéis:

■ coger en brazos al niño durante unos diez minutos después de cada toma, para que expulse el aire,

■ no modificar la alimentación del niño por iniciativa propia,

■ usar siempre un cojín,

■ no mostraros preocupados por la regurgitación porque, en caso contrario, corréis el riesgo de transmitir vuestra ansiedad al niño.

▶ *El vómito* es un síntoma muy presente en los primeros años de vida de los niños. Un solo episodio no significa nada, pero si tiende a repetirse, debéis hablar con el pediatra que os atiende.

Cuando el niño vomite, debéis controlar su peso, ya que si pierde peso debéis informar de inmediato al pediatra.

▶ *En todo caso, recordad que no debéis darle ningún fármaco sin consultarlo previamente con el pediatra.*

SANGRE: CÓMO INTERPRETAR LOS ANÁLISIS

El niño es todavía un "renacuajo" y sus órganos y aparatos están en proceso de formación, por lo que las diversas sustancias presentes en la sangre no tienen la misma concentración que en los adultos. Algunos valores son superiores y otros inferiores. En la tabla que aparece en la página siguiente figuran los valores normales a esta edad.

HIPO

Para que se le pase, dadle unas cucharaditas de agua sin gas.

DESPLAZAMIENTOS Y VIAJES

Aunque el niño sea pequeño, podéis llevarlo con vosotros cuando vais a casa de unos amigos, a ver a vuestros padres, a hacer la compra o a donde sea. Podéis llevarlo a donde queráis, aunque haga frío. No creáis que cuando lo lleváis a algún sitio el niño sufre o que es un sacrificio para él. Los ruidos, las imágenes y los olores que va descubriendo son estímulos que favorecerán su desarrollo.

TOS

Cuando el niño tenga un ataque de tos, no os preocupéis.

Si "respira mal", contad el número de aspiraciones y mirad si tiene depresiones entre costilla y costilla, tal y como se indica en el apartado "Respira mal" de la página 44. Si tiene depresiones entre las costillas y presenta más de 40 aspiraciones por minuto, avisad enseguida al pediatra o llevad al niño a Urgencias.

Si el bebé tiene tos a menudo, llevadlo al pediatra.

VACUNAS

La primera vacuna hay que ponérsela a los 2 meses (véase la etapa número 7).

ANÁLISIS	A LOS 3 MESES
HEMOCITOMETRÍA	
Eritrocitos (millones/mm^3)	3,9
Hemoglobina (Hb) (g/dl)	11,5
V. Hematocrito (Ht) (%)	32
Volumen corpuscular medio (MCV)	80
Hemoglobina corpuscular media (Hb-MCH) (pg)	29
Concentración media de Hb globular (MCHC) (%)	34
Leucocitos (millares/mm^3)	12
FÓRMULA LEUCOCITARIA	
Neutrófilos (%)	35
Eosinófilos (%)	0-3
Basófilos (%)	0-2
Linfocitos (%)	55
Monocitos (%)	5-10
OTROS ELEMENTOS FORMES	
Reticulocitos (%)	10
Plaquetas (millares/mm^3)	150-300
BIOQUÍMICA SANGUÍNEA	
Bilirrubina total (mg/100 ml)	0,2-1
Calcio (mg/dl)	8,8-10,9
Ferritina (mg/ml)	50-200
Hierro (mcg %)	58-172
Glucosa (glucemia) (mg/dl)	60-100
PROTEÍNAS: Totales (g 100 ml)	6,2-8
Albúmina (%)	4-5
alfa 1 (%)	0,2-0,4
alfa 2 (%)	0,4-0,7
beta (%)	0,7-0,9
gamma (%)	0,9-1,5
Cociente albúmino-globulina (A/G)	1,5-3,1
SGOT- AST (U/1)	8-20
SGPT- ALT (U/1)	5-25
Sodio (mEq/l)	130-150
Transferrina (mg/dl)	200-400
Cociente de saturación de transferrina (%)	30-40%
Urea (Azoemia) (mg/dl) (mmol/l)	20-40 2,5-6,5
V.S. (mm/1.ª hora)	<10

Durante la lactancia, las madres deben descansar lo máximo posible

Aunque el ajetreo que provoca la llegada de un nuevo miembro a la familia es siempre considerable, las madres debéis intentar descansar lo máximo posible y estar tranquilas. Una forma estupenda de relajarse es pasear tanto como se pueda. Además, tenéis la excusa perfecta para hacerlo: sacar de paseo al niño. No tengáis miedo de sacarlo a la calle.

Fármacos que no debe tomar la madre durante la lactancia

Mientras le estés dando el pecho a tu hijo no tomes ningún fármaco sin consultar antes con tu médico de cabecera.

Anticoncepción

Durante la lactancia, las madres no pueden utilizar la píldora, ya que este fármaco interfiere con la lactancia.

Menstruación

Las madres podéis seguir dando el pecho al niño una vez reaparezca la menstruación. No obstante, cuando sobreviene, los niños presentan a veces vómitos, náuseas o hiperexcitabilidad. Se piensa que es por alguna sustancia que se elimina por la leche durante esos días. Es frecuente que a partir de la menstruación disminuya la secreción láctea.

Grietas en el pecho

Cuando, además de las grietas, notéis que el pezón y la areola están irritados y sintáis una sensación de ardor, probablemente se deba a que en la piel afectada por las grietas se ha formado un hongo, el *Candida albicans*. En tal caso, debéis aplicar en la piel un preparado contra los hongos. Pero, antes de hacer nada, consultad al médico.

► No olvidéis que...

■ *Si el niño se pone a llorar antes de que haya pasado una hora desde el final de la última toma*, es muy probable que no tenga hambre y que lo que quiera es que lo cojáis en brazos y lo "miméis" un poco, o que tenga aire. Así que, cogedlo en brazos, ponedle el chupete y acunadlo.

■ No dejéis que llore sin hacerle caso.

■ Dadle más leche sólo si, a vuestro juicio, en la toma anterior ha comido muy poco, bien porque ha mamado solamente unos minutos, porque habéis notado por el biberón que ha tomado muy poca cantidad de leche, o porque, durante la toma, ha habido algo que lo incomodaba, como por ejemplo demasiado ruido o personas agobiantes a su alrededor.

■ No intentéis adelantaros a los deseos de vuestro hijo. Como ya hemos apuntado, no tenéis que adelantaros, sino actuar en el momento justo y ser rápidos e intuitivos a la hora de satisfacer sus peticiones. Así, al darse cuenta de que consigue comunicarse con vosotros y obtener lo que quiere, el niño ganará seguridad y confianza en sí mismo, cualidades que a buen seguro le serán de gran ayuda en la vida.

Visita al pediatra

Se debe llevar al niño al pediatra al mes y a los dos meses.
Tenemos cita para el día ....
y tiene lugar el día ....

Cuerpo y salud

Los mil primeros días de tu bebé

2 A 3 MESES
Una vez que ha cumplido 2 meses

DESARROLLO PSICOMOTOR

Movimientos

► El niño muestra un mayor dominio de la cabeza: la levanta más y, cuando está boca abajo y se apoya sobre los brazos, la mantiene derecha sin que se le caiga hacia los lados, de forma que la cabeza está en línea con el tronco, a diferencia de lo que ocurría en semanas anteriores.

► Mueve las extremidades superiores por separado.

► Cuando está tumbado boca abajo en una superficie rígida, hace fuerza con los codos y con las rodillas y consigue levantar el pecho, aunque sólo durante unos segundos.

Relación con el entorno

► Cuando está boca arriba, el niño es capaz de seguir con el movimiento de los ojos y de la cabeza un objeto a lo largo de un arco de 180º; en la práctica, todo el arco visual que se puede cubrir estando tumbado.

► Sonríe a quienes le hablan o se interesan por él.

► Sonríe en mayor medida a su madre.

► Empieza a reconocer a las personas que ve más, como por ejemplo a los miembros de la familia.

► Escucha las voces y los ruidos y al cabo de un rato se desinteresa de ellos si son siempre iguales.

► El reflejo de prensión palmar es más discreto, las manos están frecuentemente abiertas.

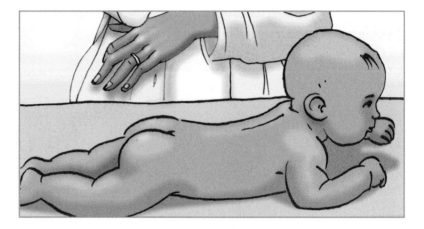

Hay veces que consigue levantarse un poco, y no es fruto del azar. Comienza a controlar los movimientos del cuerpo de modo voluntario y no por instinto. Levanta el pecho y mantiene la cabeza erguida para poder observar el entorno que le rodea. Su actitud ha dejado de ser pasiva, como en las semanas anteriores, y ahora quiere comprender cómo funciona todo y quién vive a su alrededor.

Lenguaje

Por ahora se comunica por medio del llanto, que quiere decir, por este orden: tengo hambre, me siento solo, me duele, tengo calor o tengo frío.

AUMENTO DE PESO

Para saber cómo conseguir pesar al niño cuando no se está quieto en la báscula, véase la etapa número 5, apartado "Cosas que debéis aprender a hacer".

► *A los dos meses, es "normal" que vuestro hijo pese:*
■ varones: entre 4,4 y 6,6 kg
■ niñas: entre 4 y 6,2 kg

Estos valores no son aplicables a los niños que al nacer hayan pesado menos de 2,5 kg, si son varones, y menos de 2,3 kg, si son niñas.

Mi hijo pesa .... kg.

¿Está dentro de lo normal? Sí ❏   No ❏

Para que la valoración sea más precisa, tened en cuenta el peso del niño al nacer y consultad los gráficos de los percentiles y las instrucciones que encontraréis en la página 269.

■ Debe ganar alrededor de 25-30 gramos al día, 160-200 gramos a la semana, 700-800 gramos al mes.

Si el niño ha ganado menos de 100 gramos de peso, no os preocupéis. Sólo si ha perdido peso debéis pensar que puede estar "enfermo".

■ Si en dos semanas el bebé no gana más de 100 gramos de peso, comunicádselo al pediatra.

► *Por ahora, el aumento de peso refleja mejor que la talla el crecimiento del niño.*

TALLA

► *A los dos meses, es "normal" que vuestro hijo mida:*
■ varones: entre 53 y 61 cm
■ niñas: entre 52,5 y 60 cm
Importante: si "no os salen las cuentas", volved a medir al bebé con cuidado de que no tenga las piernas flexionadas o encogidas.
► Debería haber crecido unos 8-10 cm, por lo que:
Si al nacer medía .... cm + 8-10 cm =
ahora debería medir .... cm
Y mi hijo mide .... cm.
¿Está dentro de lo normal? Sí ❑ No ❑

PELO

Puede que por detrás de la cabeza no tenga pelo. No se debe ni a la almohada ni a la posición en la que duerme el niño. A esta edad es normal que se le caiga el pelo que tenía al nacer. Hacia los seis meses y medio le empezará a salir un pelo con una "vida" similar al de los adultos. Por ahora, no hagáis nada ni os preocupéis.

PERÍMETRO CRANEAL

► *El perímetro craneal medio es de:*
■ varones: 39,3 cm, pero es "normal" si está entre 37 cm y 42 cm
■ niñas: 38 cm, pero es "normal" si está entre 36 cm y 40,5 cm.

GUSTO

En comparación con su desarrollo al nacer, que era escaso, ahora se hace más fino, si bien su desarrollo no será completo hasta los seis años.

SUEÑO

► *¿Cuánto duerme al día?*
■ 16-17 horas.

DATOS Y CONSEJOS ÚTILES

A la hora de tomar cualquier decisión, guiaos siempre por el sentido común (es suficiente y funciona de maravilla), sin dejar que nadie, y en especial los abuelos del niño, interfiera entre vosotros.

A estas alturas, ya habréis tenido que resolver, si no todos, muchos problemas. Seguramente sabéis darle bien de mamar y alimentarlo perfectamente, habéis aprendido a vestirlo, a cambiarlo, a limpiarlo, a bañarlo... Todas esas cosas que hace sólo tres meses os sonaban a chino y no sabíais hacer. Lo habéis hecho todo muy bien y los resultados saltan a la vista. No hay más que ver a vuestro hijo: ha ganado peso, ha crecido en altura y ya no extraña el entorno como cuando lo trajisteis a casa por primera vez.

Es hora de sacar la primera conclusión: sois unos padres excelentes, así que no os quepa duda de que estáis a la altura y de que sois perfectamente capaces de criar a vuestro hijo.

Como veis, vuestro hijo está creciendo perfectamente. Sois unos buenos padres y sabéis responder a sus peticiones y a sus necesidades. No tengáis miedo de que se vaya a poner enfermo porque no tenéis motivos para pensarlo, ni siquiera para sospecharlo.

Cuando tengáis puesta la calefacción, mantened siempre húmedo el ambiente. Para ello, colocad dos toallas de felpa mojadas encima del radiador o utilizad un vaporizador eléctrico.

ALIMENTACIÓN

Tanto si se alimenta de leche materna como de leche artificial, el niño debe tomar sólo leche.

Ya come más deprisa (ha aprendido y a estas alturas tiene bastante práctica), de modo que puede que las tomas sean más breves. No os sorprendáis si es así y, sobre todo, no penséis que no tenéis leche suficiente, que ha dejado de gustarle o que el niño está inapetente.

Lactancia materna

▶ *Si está ganando poco peso*
Aunque vuestro hijo esté ganando solamente el mínimo de peso que hemos indicado con anterioridad, la leche materna sigue siendo el mejor alimento para él. Aunque al cumplir un año pese algunos cientos de gramos menos, las ventajas de este tipo de alimentación lo compensan con creces, así que seguid alimentándolo con leche materna y no os preocupéis.

No tengáis prisa por introducir en su dieta alimentos distintos a la leche porque correréis riesgos inútiles, como un mayor riesgo de alergia o una elevada probabilidad de que el niño rechace la comida.

Duración de las tomas

Puede que el niño mame de un solo lado y le baste con la cantidad de leche de un pecho. Se sabe si ha comido suficiente si deja de mamar y no quiere volver a tomar el pecho, o si mama sin ganas y se queda dormido.

Cantidad de tomas

Puede hacer cinco tomas, pero que haga más o menos entra también dentro de lo normal.

▶ *Si es necesario, se le puede dar una toma de leche artificial.*
Cuando un niño se alimenta con leche materna, no se le debe dar ningún otro alimento para que no sepa que existen otras alternativas de alimentación ni que se puede comer con más comodidad, ya que la leche fluye siempre más rápido y en más cantidad de la tetina que del pezón.

No obstante, si es imprescindible, se pueden sustituir las tomas del pecho por tomas artificiales durante el tiempo que sea necesario. Utilizad una leche que, al lado del nombre comercial, tenga el número uno (para su preparación, véase el apartado "Lactancia artificial" de la etapa número 3, página 40).

Cuando, al volver a dar el pecho al niño, se note que le gusta menos que antes (porque ha "saboreado" otro alimento), no le deis otra vez leche artificial aunque llore o tengáis que saltaros una toma porque no quiera comer. Es cuestión de constancia, o mejor dicho, de valor, y no hay peligro, ya que tarde o temprano el niño volverá a acostumbrarse a la leche materna.

Es cierto que no se corre riesgo alguno al sustituir la leche materna por leche artificial en alguna toma, pero debéis reservar esa opción a casos de extrema necesidad y no recurrir a ella por temor a que el niño no tenga suficiente con la leche materna. Tampoco seáis demasiado drásticos al estimar qué casos son de extrema necesidad y cuáles no. Pueden ser motivos de salud, de trabajo o, simplemente, de diversión: una invitación a cenar, una tarde con las amigas... Todas esas cosas indispensables y tan importantes para las madres, ya que un buen equilibrio psicológico garantiza una perfecta alimentación.

Lactancia mixta: leche materna y artificial

▶ Consúltese la etapa número 3 (página 40).

Lactancia artificial

Para ver las técnicas de preparación y alimentación con leche artificial (líquida o en polvo), véase el apartado "Lactancia artificial" de la etapa número 3 (página 40).

IRRITACIONES

En la zona de los pañales

Cuando notéis que tiene irritada la zona que normalmente está cubierta por los pañales de plástico, por pequeña o leve que sea la irritación, consultad la etapa número 3 (página 41).

En la nuca

Si notáis que le han aparecido manchitas anaranjadas, color salmón o rojas, no os alarméis porque es una manifestación muy frecuente en los niños. Son angiomas. Suelen desaparecer por sí solos y no ocasionan complicaciones.

"Puntitos rojos" en la cara o por el cuerpo

Seguid alimentando y lavando al niño como de costumbre, llamad al pediatra y contadle el problema.

BOCA

▶ Consúltese la etapa número 5 (página 73).

CÓLICOS

También se conocen como *"cólicos de gases"* y *"cólicos de los tres meses"*.
  Lo primero y más importante es que estéis tranquilos.
  Si perdéis la calma es peor, porque el niño lo nota y llora más.

No dejéis que llore sin cogerlo en brazos, pensad que si llora es porque quiere algo. Complacedle y no penséis que lo estáis malcriando.

► *¿Cuándo aparecen?*

■ Durante este mes (¡ánimo, que es el último!).

■ A última hora de la tarde o por la noche, aunque pueden aparecer en cualquier momento del día.

■ Una o más veces al día o a la semana.

► *¿Cómo se reconocen?*

■ *El llanto* es de gran intensidad, desesperado, desconsolado, agudo y continuo. Se distingue del que es por hambre porque no se interrumpe cuando el niño respira.

■ *La posición* del niño: tiene las extremidades inferiores dobladas, las piernas están flexionadas hacia los muslos y éstos, a su vez, hacia el abdomen.

■ El niño está muy inquieto, mueve las piernas y las contrae hacia el abdomen.

■ El bebé empieza a llorar *de repente*.

■ Puede seguir llorando durante horas.

■ La cara se le pone roja.

■ El abdomen está duro, parece "hinchado".

■ Tiene los pies fríos.

■ Tiene los puños cerrados.

■ Llora desconsolado.

► *¿Qué hacer?*

Se desconocen las causas de los cólicos.

■ Para arreglar la situación debéis estar tranquilos, no habéis hecho nada mal, no os preocupéis.

■ En dos de cada tres casos no son "cólicos" ni ninguna otra "enfermedad": si el niño tiene estas "crisis" es sólo porque tiende a llorar más que los niños de su edad.

■ En algunos casos, puede ser que el niño no tolere bien alguno de los componentes de la leche. El pediatra os aconsejará a este respecto.

Como no se conocen exactamente las causas de este tipo de cólicos, todos los remedios se basan en la experiencia. De todas formas, merece la pena probarlos.

■ Se le puede dar una infusión de anises estrellados; si se le alimenta con leche artificial se puede disolver en ella la leche en polvo, en vez de en agua sola. Si se alimenta al niño con leche materna o con leche artificial se le pueden dar unos 50 cc de infusión de anises estrellados al día con el biberón, entre toma y toma, o cuando tenga algún cólico.

■ Podéis colocarlo "boca abajo", apoyándolo con delicadeza sobre vuestro antebrazo, o

■ tenerlo en el regazo, o apoyado en un hombro, o sobre las rodillas, siempre "boca abajo".

■ Se le puede poner calor en la barriga.

■ Se le puede acunar.

■ Se le puede sacar de paseo.

■ Se le puede poner una música melodiosa o hacer sonar una caja de música.

COSTRA LÁCTEA

¿Tiene pústulas blanquecinas en la cabeza? Se trata de la costra láctea, una dermatitis que desaparece por sí sola a los seis meses.

▶ *¿Qué se nota?*

Pequeñas pústulas pegadas con firmeza al cuero cabelludo, untuosas, de color blanquecino-amarillento tirando a marrón. Pueden aparecer también en la frente, en las cejas y alrededor de la nariz.

▶ *¿Qué hacer?*

Se puede aplicar aceite (de almendras o de bebés) en la cabecita del niño. Pasadas unas horas, lavaremos el pelo de nuestro hijo con un champú suave y pasaremos un cepillo o un peine de púas redondas.

FÁRMACOS

▶ El bebé puede tomar *gotas polivitamínicas y comprimidos de flúor* que prevengan la caries dental, conforme a las instrucciones de vuestro pediatra.

▶ Si el pediatra os receta *fármacos con hierro*, debéis dárselos también, sin dejar de darle los demás.

▶ Si el niño no acepta las medicinas y las escupe, dejad de dárselas y consultad al pediatra.

▶ Se recomienda darle las gotas *con una cucharilla de café antes de la toma* y no mezclarlas con la leche porque pueden alterar su sabor.

▶ Si el niño no acepta un tipo de gotas en particular, se pueden sustituir por otro producto análogo.

FIEBRE Y PIEL CALIENTE

Vuestro hijo todavía no suda "bien", así que es probable que notéis que tiene la piel más caliente de lo normal, pero no húmeda, a diferencia de los niños que son un poco mayores y tienen calor.

▶ *Si notáis que tiene la piel caliente:*

■ reflexionad sobre si habéis abrigado demasiado al bebé. Un método infalible es preguntaros si saldríais a la calle vestidos como vuestro hijo,

■ antes de alarmaros, mirad si el ambiente en el que está el niño está a una temperatura excesivamente elevada (sea verano o invierno).

Si habéis descartado las dos posibilidades anteriores, mirad si tiene fiebre.

▶ *Cuando notéis que el niño tiene la piel caliente y queráis tomarle la temperatura, recordad tres cosas:*

■ En los niños, la temperatura normal es de hasta 37,5 °C si se toma en la ingle y de 38 °C si se toma en el recto.

■ Os recomendamos tomar siempre la temperatura al niño en la ingle después de quitarle los pañales y de haberlo tenido desnudo durante 4-5 minutos.

■ Para saber cómo se toma la temperatura corporal a un bebé, consultad la figura de la página 154, etapa número 11.

▶ *Si, finalmente, la temperatura del niño es superior a 37,5 °C, avisad al pediatra.*

HECES

Cómo deben ser

Si hasta ahora habéis alimentado al niño con leche materna y empieza a tomar leche artificial como complemento o como alimento sustitutivo, es probable que cambie el aspecto de las heces, que serán más duras y de un color tirando a amarillo claro.

▶ *¿Qué hacer si el niño no hace "caca"?*
■ No le deis laxantes por iniciativa propia.
■ No estimuléis el ano con un termómetro, con perejil ni con ninguna otra cosa.
■ No le echéis nada a la leche (si le dais leche artificial) sin consultar antes con el pediatra.
■ Lo que sí podéis hacer es ponerle *un supositorio de glicerina para lactantes* (se vende en farmacias) si veis que el niño lleva 72 horas (3 días) sin evacuar.

Si las heces son verdes

En ese caso, no hagáis nada porque es un fenómeno completamente normal. Las heces son verdes porque una de las sustancias que contienen, la bilirrubina, se oxida con el aire y se convierte en biliverdina (así llamada por el color verde que la caracteriza). Que las heces estén verdes sólo demuestra que han estado demasiado tiempo en contacto con el aire, por ejemplo, en los pañales (cuando no se cambia enseguida al niño) o en la ampolla rectal.

Como veis, *no dependen de la alimentación de la madre*, que puede seguir comiendo tranquilamente verduras, que nada tienen que ver con el color verde de las heces del niño.

Si las heces son duras (estreñimiento)

▶ *Lactancia materna*: el estreñimiento no se da porque este tipo de alimentación garantiza de por sí el perfecto funcionamiento del intestino y la idoneidad del alimento.
▶ *Lactancia artificial*: los casos de estreñimiento son raros.
NO *No deis laxantes al niño*, a menos que se los haya recetado el pediatra (se corre el riesgo de que el niño se habitúe al fármaco de tal manera que luego sólo pueda evacuar con ayuda externa).
SÍ Por iniciativa propia, podéis recurrir a *los supositorios de glicerina para lactantes* cuando el bebé lleve más de tres días sin hacer "caca".

Si las heces son negras

Cuando el niño está tomando *fármacos que tienen hierro*, las heces pueden adquirir un color negruzco. Es un fenómeno normal y no debéis preocuparos.

NARIZ

Problemas

Si vuestro hijo padece uno de los siguientes cinco trastornos relacionados con la nariz y la respiración:
1 hace "ruido" al respirar,
2 estornuda,

3 tiene la nariz taponada,
4 tiene mocos o
5 respira mal.

▶ *Consultad la etapa número 3 (página 43).*

Cuando el niño tiene la nariz taponada o muchos mocos, es normal que coma algo menos, bien porque tiene que respirar con la boca y le es más difícil comer, o bien porque cuando se está resfriado se suele tener dolor de garganta y eso contribuye a que se esté inapetente.

OJOS

El color de ojos

▶ El color de ojos no es todavía el definitivo.

▶ *El "blanco" de los ojos* tiene matices azulados que irán desapareciendo poco a poco (se debe a lo finos que son los tejidos que recubren el ojo).

▶ *El iris*, en cambio, presenta un color gris, azulón o azul que, no obstante, no será el definitivo e irá cambiando de forma progresiva.

Lágrimas

Al nacer, la secreción lagrimal suele ser poco importante o nula. La aparición de las lágrimas en el niño suele hacerse durante las primeras semanas, existiendo variaciones importantes de unos niños a otros. En todo caso, a los tres meses la secreción lagrimal está definitivamente establecida.

Si el niño "bizquea"

Por ahora, cada ojo "trabaja" por su cuenta, sin estar coordinados, a diferencia de los de los adultos, que trabajan en sintonía para elaborar una sola imagen (ésa es la razón de que las pupilas miren siempre en la misma dirección). Y, precisamente, como los ojos del niño son todavía independientes entre sí, puede ocurrir que, sobre todo cuando está a punto de dormirse, el niño desvíe los ojos hacia la nariz. No es que el bebé sea estrábico. Como acabamos de decir, es un fenómeno normal a esta edad y desaparecerá cuando el niño desarrolle un poco más las estructuras de la vista.

Si el niño tiene muchas legañas

Si el niño tiene muchas legañas y sus ojos producen una secreción amarillenta o blanquecina, podéis limpiárselas con una bolita de algodón hervida previamente en agua durante cinco minutos (¡pero esperad a que se enfríe!).

No utilicéis pomadas ni colirios por iniciativa propia ya que podéis ocasionar al bebé graves complicaciones, no sólo en los ojos sino en todo el organismo.

▶ *Si el bebé tiene legañas muy a menudo:* además de limpiárselas con una bolita de algodón, como acabamos de explicar, se le pueden dar ligeros masajes, tal y como se indica en la figura de la página 92.

PIEL

Piel caliente

Si notáis que tiene la piel caliente, consultad el apartado "Fiebre y piel caliente", bajo el epígrafe "Datos y consejos útiles".

Piel roja y áspera

▶ *Si está localizada*:

■ en la cara, en especial *en los pómulos, en la frente y en la barbilla*, mientras, en cambio, la piel de la nariz y del contorno de la boca (es decir, de la parte central de la cara) está bien, o

■ en la parte lateral de las extremidades superiores e inferiores, se trata de *dermatitis atópica*, también llamada *eccema*, y debéis avisar al pediatra.

LLANTO

A estas alturas, deberíais haber aprendido a distinguir y a entender el llanto de vuestro hijo.

Dejad que os recordemos tres cosas:

■ El llanto es su modo de comunicarse.

■ Si oís que llora, no penséis que se encuentra mal, sólo está hablando.

■ Lo más probable es que os esté diciendo: *"tengo hambre", "quiero que alguien me haga caso"* o *"quiero que me cojáis en brazos"*.

▶ *No quiere separarse de su madre*.

Tened presente que puede empezar a llorar al ver que su madre se va, o incluso al darse cuenta de que tiene intención de alejarse. Desde muy pequeños, los niños identifican y reconocen los gestos que hace su madre justo antes de marcharse.

Al cabo de un rato, lo normal es que el niño se calme y se quede tranquilo, aunque no vea a su madre durante un período de tiempo más o menos largo.

Dado que el llanto es el "idioma" del niño y que es inconcebible pensar que alguien pueda estar siempre callado, en este mes es normal que el bebé llore entre una hora y media y dos horas al día (menos que en el mes anterior).

Llorará más por la tarde.

Cómo se sabe si el niño llora porque no ha comido lo suficiente

Si, nada más comer, después de unos minutos de tranquilidad, el bebé empieza a llorar, ¿qué puede ser?

▶ *Hay dos posibilidades*:

■ El niño quiere que lo cojáis en brazos porque se siente solo o tiene aire.

■ Puede que haya comido poco y que llore porque tiene hambre.

Lactancia materna

Cuando ha mamado menos de dos minutos de cada lado, ha estado inquieto durante la toma y ha separado la boca del pezón. En ese caso, antes de volver a darle el pecho o, peor, antes de darle leche artificial con el biberón, tenedlo en brazos unos diez minutos para tranquilizarlo, habladle con dulzura y acunadlo.

Lactancia artificial

La cantidad de leche que ha tomado el niño se sabe claramente por el biberón. *Puede que esté llorando de hambre si ha tomado menos de la mitad de la cantidad que suele tomar cada día.*

▶ Si ha pasado menos de una hora desde el final de la toma anterior: sólo si ha comido poco, lo habéis acunado durante diez minutos y sigue estando inquieto, podéis intentar darle más leche (si ha pasado más de una hora, podéis alimentarlo otra vez inmediatamente).

Llora desconsolado

Véase el apartado "Cólicos" de esta misma etapa, en la página 103.

REGURGITACIÓN Y VÓMITO

▶ *Regurgitación:* es la expulsión pasiva de alimentos por la boca, como por ejemplo la leche, sin escupirlos, de forma que van cayendo lentamente por la comisura de los labios y por la mejilla.

▶ *Vómito:* se diferencia de la regurgitación en que el alimento no se expulsa de forma pasiva, como en el caso anterior, sino que se arroja de modo enérgico.

▶ *¿Qué hacer?*

▶ *Regurgitación: nada.* Se trata de un fenómeno frecuente a esta edad.
Para limitar la regurgitación y favorecer la digestión en general, podéis:

■ coger en brazos al niño durante unos diez minutos después de cada toma, para que expulse el aire,

■ no modificar la alimentación del niño por iniciativa propia,

■ usar siempre un cojín,

■ no mostraros preocupados por la regurgitación porque, en caso contrario, corréis el riesgo de transmitir vuestra ansiedad al niño.

▶ *El vómito* es un síntoma muy presente en los primeros años de vida de los niños. Un solo episodio no significa nada, pero si tiende a repetirse, debéis hablar con el pediatra que os atiende.
Cuando el niño vomite, debéis controlar su peso, ya que si pierde peso debéis informar de inmediato al pediatra.

▶ *En todo caso, recordad que no debéis darle ningún fármaco sin consultarlo previamente con el pediatra.*

HIPO

Para que se le pase, dadle unas cucharaditas de agua sin gas.

TOS

Cuando el niño tenga un ataque de tos, no os preocupéis.
Si "respira mal", contad el número de aspiraciones y mirad si tiene depresiones entre costilla y costilla, tal y como se indica en el apartado "Respira mal" de la página 44. Si tiene depresiones entre las costillas y presenta más de 40 aspiraciones por minuto, avisad enseguida al pediatra o llevad al niño a Urgencias.
Si el bebé tiene tos a menudo, llevadlo a que lo vea el pediatra.

UÑAS

Como ahora crecen menos, basta con cortárselas dos veces al mes.

VACUNAS

Las vacunas son el descubrimiento más importante de la medicina, por eso es de vital importancia que se las pongáis a vuestro hijo. No tengáis miedo de que le puedan dar reacciones perjudiciales, ya que los productos que se utilizan hoy en día están tan perfeccionados que apenas provocan molestias. Las vacunas son todas muy importantes, no penséis que las que son opcionales son de menor utilidad. La obligatoriedad es sólo una formalidad administrativa.

En el segundo mes de vida, se ponen

■ *Anti-polio oral.*

■ La segunda dosis de la vacuna *anti-Hepatitis B.*

■ La primera vacuna contra la *difteria, tétanos, tos ferina* y *un tipo de meningitis (Haemophilus influenzae tipo B).*

Después de ponerle la vacuna, el bebé puede hacer vida normal. Se le puede dar de comer, llevarlo de paseo... como de costumbre.

▶ *Cuándo no se pueden poner las vacunas*

■ Si tiene fiebre, o

■ diarrea (pero sólo si tiene muchas descargas),

■ determinadas enfermedades del sistema nervioso o que afecten a las funciones del sistema inmunitario.

Cuando se pone la vacuna antipolio, no se pueden poner al mismo tiempo las vacunas necesarias para viajar a determinados países, como la vacuna contra la fiebre amarilla (que no se puede poner antes de los nueve meses de edad) o contra el cólera (que no se puede poner antes de los seis meses). Si pedís que le pongan al niño vacunas de este tipo, lo harán con un intervalo de al menos tres semanas entre una y otra.

▶ *Se pueden poner aunque:*

■ tenga *tos,*

■ esté *resfriado,*

■ tenga *conjuntivitis,*

■ esté sano, pero a su alrededor haya *muchos niños enfermos* y se tenga miedo de que pueda haberse contagiado,

■ tenga la *piel irritada,*

■ tenga un poco de *diarrea,*

■ se alimente con *leche materna,*

■ esté pasando una temporada en la que *come menos* de lo normal,

■ esté *"más inquieto de lo habitual"*,

■ esté tomando *antibióticos* o acabe de dejar de tomar uno hace poco,

■ sea *alérgico a los antibióticos,*

■ se le estén poniendo *pomadas con cortisona,*

■ haya estado en contacto con alguien que tenía o que haya desarrollado después una *enfermedad infecciosa,*

■ su madre u otras personas que viven con él estén *embarazadas,*

■ sea verano y haga mucho *calor,* o sea invierno y haga *frío,* o aunque

■ se les estén poniendo *más vacunas* al mismo tiempo.

► *Posibles reacciones que pueden provocar*
La zona de la inyección puede ponerse roja y doler. No le pongáis ni pomadas ni compresas, ya que la irritación desaparecerá por sí sola.

La vacuna contra la gripe

► *No se ha de poner*
Está indicada únicamente para niños con enfermedades graves o de larga duración (en todo caso, no antes de los 6 meses).
  Las siguientes vacunas se ponen al cuarto mes de vida.

* **Esquema de las vacunas que se ponen a lo largo de la vida**

VACUNAS	2 MESES	4 MESES	6 MESES	15 MESES	18 MESES	6 AÑOS	11 AÑOS	12 AÑOS	14 AÑOS
POLIOMIELITIS	OPV	OPV	OPV	-	OPV 2.ª (Refuerzo)	-	-	-	-
DIFTERIA, TÉTANOS, TOS FERINA	DTP	DTP 1.ª	DTP 2.ª	-	DTP 2.ª (Refuerzo)	DTP	-	-	DT (1 dosis cada 10 años durante toda la vida)
HEPATITIS B	Hep.-B. 1.ª	-	Hep.-B 2.ª	-	-	-	-	Hep.-B. u	-
H. INFLUENZAE TIPO B	Hib.	Hib.	Hib.	-	Hib. (Refuerzo)	-	-	-	-
SARAMPIÓN, PAROTIDITIS, RUBEOLA	-	-	-	MPR (1.ª dosis)	-	-	MPR	-	-

* *El calendario de vacunación puede variar según la comunidad en la que viva. El pediatra le informará del calendario vacunal en su lugar de residencia.*

OPV = vacuna antipolio oral (Sabin).
D = vacuna contra la difteria.
T = vacuna antitetánica.
P = vacuna contra la tos ferina.
HB = vacuna contra la hepatitis de tipo B.
Hib = vacuna contra la *Haemophilus influenzae* (meningitis).
MPR = triple vírica; vacuna contra el sarampión, la parotiditis y la rubeola.
1.ª = al cabo de al menos 6 semanas de la dosis anterior.
2.ª = al cabo de al menos 6 meses de la dosis anterior.
u = tres dosis (inicial, al mes y a los 6 meses de la primera).
uu = ha de repetirse cada 10 años.

Mientras le estés dando el pecho a tu hijo no tomes ningún fármaco sin consultar antes con el médico de cabecera.

Anticoncepción

Si, durante la lactancia, las madres desean tomar la píldora, han de saber que este fármaco interfiere con la lactancia.

Menstruación

Las madres podéis seguir dando el pecho al niño una vez reaparezca la menstruación. No obstante, cuando sobreviene, los niños presentan a veces vómitos, náuseas o hiperexcitabilidad. Se piensa que es por alguna sustancia que se elimina por la leche durante esos días. Es frecuente que a partir de la menstruación disminuya la secreción láctea.

Embarazo

Aunque se quede embarazada de nuevo, la madre puede seguir amamantando al bebé, si bien deberá controlar su dieta para evitar tener carencias de alguna sustancia fundamental.

Grietas en el pecho

▶ *Véase la etapa número 6 (página 96).*

▶ No olvidéis que...

- Si el niño se pone a llorar antes de que haya pasado una hora desde el final de la última toma, es muy probable que no tenga hambre y que lo que quiera es que lo cojáis en brazos y lo "miméis" un poco, o que tenga aire. Así que, cogedlo en brazos, ponedle el chupete y acunadlo.
- No dejéis que llore sin hacerle caso.
- Dadle más leche sólo si, a vuestro juicio, en la toma anterior ha comido muy poco, bien porque ha mamado solamente unos minutos, porque habéis notado por el biberón que ha tomado muy poca cantidad de leche, o porque, durante la toma, ha habido algo que lo incomodaba, como por ejemplo demasiado ruido o personas especialmente agobiantes a su alrededor.

CITAS IMPORTANTES

Visita al pediatra

A los cuatro meses, se debe llevar al niño al pediatra.
Tenemos cita para el día ....
y tiene lugar el día ....

Vacunas

Tenemos pensado ponerle las vacunas el día ....
Y se las hemos puesto el día ....

3 A 4 MESES
Una vez que ha cumplido 3 meses

DESARROLLO PSICOMOTOR

Movimientos

► Mantiene la cabeza erguida, aunque todavía le oscila un poco en cualquier posición. Así aumenta su campo visual.

► Cuando se le coloca boca abajo, se apoya en los brazos y mantiene la cabeza levantada por encima del plano horizontal del tronco. Además, las piernas dejan de írsele hacia los lados y las tiene extendidas y rectas.

► Si se le sienta, se queda con la espalda encorvada.

► A menudo tiene las manos abiertas, aunque sólo parcialmente.

► Intenta tocar los objetos que tiene a su alrededor (tanto los que le da la gente como los que tiene a su alcance), pero no consigue agarrarlos.

► Si los toca con la palma "de la forma adecuada", conseguirá tenerlos brevemente en la mano.

Relación con el entorno

► Llora menos.

► Empieza a interesarse por lo que sucede a su alrededor. El niño gira completamente la cabeza para seguir con la mirada un objeto.

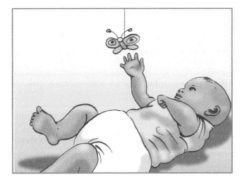

Se estira a coger los objetos, pero no llega a agarrarlos. Está desarrollando los movimientos de las manos y es ahora cuando empieza a explorar el entorno exterior con algo más que la vista, ya que además puede tocar las cosas.

▶ Es evidente que le gusta estar cerca de otras personas y que observa con mayor interés la cara de quienes sonríen.

▶ Sonríe cuando un adulto le habla o le sonríe.

▶ Escucha la música.

▶ Cuando llora porque tiene hambre, basta con que vea que se acerca una persona para que deje de llorar, ya que asocia la figura humana (por lo general, la madre), el alimento y la posterior sensación de saciedad.

▶ Lenguaje: arrulla (emite ruidos vocales largos de sonido musical).

▶ Aprendizaje: el bebé se interesa por su cuerpo, es la edad de "mirarse las manos".

Cómo interpretar el comportamiento del niño

Aunque no hablen, el comportamiento de los niños es simple y repetitivo, de modo que es fácil aprender a interpretar su significado.

Sin duda, os será de gran ayuda este esquema. En la primera columna se indican los diversos estados de ánimo. Localizad en la tabla los comportamientos del niño y, si veis que coinciden al menos cinco, podéis estar seguros de estar interpretando bien el estado de ánimo de vuestro hijo. Para no equivocaros, podéis anotar vuestras observaciones en las últimas líneas, que hemos dejado en blanco para que podáis comparar con mayor facilidad los resultados.

	MOVIMIENTOS DEL CUERPO Y/O DE LAS EXTREMIDADES	PULSO	CIERRA LOS OJOS	LLORA	SONRÍE	EMITE SONIDOS (VOCALIZA)
ALEGRÍA	AUMENTAN	AUMENTA	NO	NO	SÍ	SÍ
SORPRESA	AUSENTES (SE QUEDA QUIETO)	DISMINUYE	NO	NO	NO	NO
DISGUSTO (TIENE HAMBRE, FRÍO, DOLOR)	AUMENTAN	AUMENTA	SÍ	SÍ	NO	NO

Lenguaje

A estas alturas, el niño llora menos y empieza a balbucear. Es en este momento cuando empieza a utilizar el lenguaje, si bien de forma rudimentaria.

► Intenta repetir sonidos muy sencillos, combinándolos con ruidos o consonantes.

► Dice cosas como *"aab", "apbu", "ngab", "aw"* o *"awa".*

► Repite, como por diversión, las vocales y las consonantes que ha aprendido a emitir.

► Escucha su propia voz.

Aprendizaje

Está todavía en una fase en la que está adquiriendo sus primeros hábitos, que, por ahora, guardan relación con su cuerpo. Así, por ejemplo, aprende a seguir un objeto con la vista o estudia el aspecto de sus manos, como cuando se las está mirando.

Como ya consigue mantener la cabeza erguida y ve mejor, empieza a desarrollar la coordinación óculo-motora, en otras palabras, a relacionar lo que ve con los movimientos que tiene que realizar.

AUMENTO DE PESO

Para saber cómo conseguir pesar al niño cuando no se está quieto en la báscula, véase la etapa número 5, apartado "Cosas que debéis aprender a hacer".

► *A los tres meses, es "normal" que vuestro hijo pese:*
■ varones: entre 5 y 7,6 kg
■ niñas: entre 4,6 y 7 kg

Estos valores no son aplicables a los niños que al nacer hayan pesado menos de 2,5 kg, si son varones, y menos de 2,3 kg, si son niñas.
Mi hijo pesa .... kg.
¿Está dentro de lo normal? Sí ❏ No ❏

Para que la valoración sea más precisa, tened en cuenta el peso del niño al nacer y consultad los gráficos de los percentiles y las instrucciones que encontraréis en la página 269.

■ Debe ganar alrededor de 25-30 gramos al día, 160-200 gramos a la semana, 600-900 gramos al mes.

Si el niño ha ganado menos de la cantidad arriba indicada, no os preocupéis. Sólo si ha perdido peso debéis pensar que puede estar "enfermo".

■ Si en dos semanas el bebé no gana más de 100 gramos de peso, comunicádselo al pediatra.

► *Por ahora, el aumento de peso refleja mejor que la talla el crecimiento del niño.*

TALLA

► *A los tres meses, es "normal" que vuestro hijo mida:*
■ varones: entre 56 y 64 cm
■ niñas: entre 55,5 y 63 cm

▶ *Importante: si "no os salen las cuentas", volved a medir al bebé con cuidado de que no tenga las piernas flexionadas o encogidas.*

▶ Debería haber crecido de 10 a 12 cm, por lo que:

Si al nacer medía .... cm + 10-12 cm =

ahora debería medir .... cm

Y mi hijo mide .... cm.

¿Está dentro de lo normal? Sí ❑ No ❑

PERÍMETRO CRANEAL

▶ *El perímetro craneal medio es de:*

■ varones: 41 cm, pero es "normal" si está entre 38,4 cm y 43,1 cm

■ niñas: 40 cm, pero es "normal" si está entre 37,5 cm y 42 cm

A partir de este momento y hasta que cumpla un año, el perímetro craneal aumenta 1 cm al mes.

El perímetro craneal de vuestro hijo es de .... cm.

¿Está dentro de lo normal? Sí ❑ No ❑

PERÍMETRO TORÁCICO

▶ El perímetro torácico medio es de 38 cm, pero puede oscilar entre los 36 y los 40 cm.

El perímetro torácico de vuestro hijo es de .... cm.

¿Está dentro de lo normal? Sí ❑ No ❑

El perímetro del tórax se mide a la altura de los pezones con un metro de costura.

SUEÑO

▶ *¿Cuánto duerme al día?*

■ 15 horas (según Estivill).

DATOS Y CONSEJOS ÚTILES

No le deis el chupete mojado en azúcar o miel, ni lo acostumbréis a dormirse mientras toma agua o líquidos dulces con el biberón, ya que favorece la formación de la caries dental.

ALIMENTACIÓN

Tanto si se alimenta de leche materna como de leche artificial, el niño debe tomar sólo leche.

No tengáis prisa por destetar al niño y empezar a darle papillas, cremas o fruta. Normalmente, la precipitación por introducir otros alimentos (muchas veces a instancias de las abuelas) se debe a la "prisa" por ver crecer a los niños, pero, en lo que respecta a los alimentos, lo mejor es esperar y tener paciencia, porque en los primeros meses de vida, el intestino no sabe "reconocer bien" las sustancias "beneficiosas" de las que son potencialmente dañinas y no debe absorber. Ésa es otra de las razones por las que se debe dar a los niños sólo leche: porque los demás alimentos, si no se digieren de la manera apropiada, pueden provocar distintas alergias.

■ Puede hacer cinco tomas, pero también es normal que haga más o menos.

■ Come más deprisa que en las semanas anteriores, por lo que las tomas son más breves.

Lactancia materna

Puede que coma más a menudo y que se despierte varias veces durante la noche. Es normal, porque mientras que el niño va aumentando de peso, la cantidad de leche sigue siendo la misma, por lo que come con mayor frecuencia.

▶ *Si está ganando poco peso.*

Aunque vuestro hijo esté ganando solamente el mínimo de peso que hemos indicado con anterioridad, la leche materna sigue siendo el mejor alimento para él. Aunque al cumplir un año pese algunos cientos de gramos menos, las ventajas de este tipo de alimentación lo compensan con creces, así que seguid alimentándolo con leche materna y no os preocupéis.

Puede que el niño mame de un solo lado y le baste con la cantidad de leche de un pecho. Se sabe si ha comido suficiente si deja de mamar y no quiere volver a tomar el pecho, o si mama sin ganas y se queda dormido.

▶ *Si es necesario, se le puede dar una toma de leche artificial.*

Cuando un niño se alimenta con leche materna, no se le debe dar ningún otro alimento para que no sepa que existen otras alternativas de alimentación ni que se puede comer con más comodidad, ya que la leche fluye siempre más rápido y en más cantidad de la tetina que del pezón.

No obstante, si es imprescindible, se pueden sustituir las tomas del pecho por tomas artificiales durante el tiempo que sea necesario. Utilizad una leche que, al lado del nombre comercial, tenga el número uno (para su preparación, véase el apartado "Lactancia artificial" de la etapa número 3, página 40).

Es cierto que no se corre riesgo alguno al sustituir la leche materna por leche artificial en alguna toma, pero debéis reservar esa opción a casos de extrema necesidad y no recurrir a ella por temor a que el niño no tenga suficiente con la leche materna. Tampoco seáis demasiado drásticos al estimar qué casos son de extrema necesidad y cuáles no. Pueden ser motivos de salud, de trabajo o, simplemente, de diversión: una invitación a cenar, una tarde con las amigas... Todas esas cosas indispensables y tan importantes para las madres, ya que un buen equilibrio psicológico garantiza una perfecta alimentación.

Si la madre ha vuelto a trabajar, se puede alimentar al niño con leche artificial, pero el fin de semana debe alimentarse exclusivamente de leche materna, ya que la estimulación de las mamas provocada por la succión del niño no sólo garantiza el aporte suficiente de leche para ese día, sino que mantiene la producción de leche de la madre.

Cuando, al volver a dar el pecho al niño, se note que le gusta menos que antes, no le deis otra vez leche artificial aunque llore o tengáis que saltaros una toma porque no quiera comer. Es cuestión de constancia, o mejor dicho, de valor, y no hay peligro, ya que tarde o temprano el niño volverá a querer mamar.

▶ Se puede seguir dando el pecho al niño aunque reaparezca la menstruación o la madre esté embarazada de nuevo.

Lactancia mixta: leche materna y artificial

Se sabe si el niño necesita tomar más leche (artificial, con el biberón), cuando después de mamar durante diez minutos de cada pecho *no se duerme, llora y está inquieto.*

■ No empecéis a alimentar al niño con leche artificial por iniciativa propia. Si el niño toma el pecho, llora como un desesperado y no hay quien le consuele, consultad a vuestro pediatra.

■ De todas maneras, aunque se le vaya a dar al niño leche artificial como complemento de su alimentación, hay que darle el pecho cinco minutos de cada mama, o bien darle el pecho una toma sí y otra no.

Debéis tener la leche artificial preparada y a la temperatura oportuna para que no transcurra mucho tiempo entre que acabáis de dar el pecho al niño y empezáis a darle la leche artificial. Lo ideal es que no haya ninguna interrupción y que ofrezcáis el biberón al niño como si fuerais a darle el otro pecho.

Podéis comprobar si la leche está a la temperatura adecuada dejando caer unas gotas en el dorso de la mano.

▶ *Los agujeros de las tetinas tienen el tamaño apropiado para que, al darle la vuelta al biberón, la leche caiga goteando lenta y continuamente.*

Para ver el método de preparación de la leche en polvo, véase el apartado "Lactancia artificial" de la etapa número 3.

Lactancia artificial

Para ver las técnicas de preparación y alimentación con leche artificial (líquida o en polvo), véase la etapa número 3 (página 40).

IRRITACIONES

En la zona de los pañales

Cuando notéis que tiene irritada la zona que normalmente está cubierta por los pañales de plástico, por pequeña o leve que sea la irritación, consultad la etapa número 3 (página 41).

BOCA

▶ *Consúltese la etapa número 5 (página 73).*

BAÑO

De ahora en adelante, cuando bañéis al niño, basta con que la temperatura del agua sea de 34-35 ºC y la de la habitación, de 21-22 ºC.

COSTRA LÁCTEA

Si notáis que el niño tiene *pústulas blanquecinas y grasientas* pegadas con firmeza al cuero cabelludo, consultad la etapa número 7 (página 105).

FÁRMACOS

▶ El bebé puede tomar *gotas polivitamínicas y comprimidos de flúor* que prevengan la caries dental, conforme a las instrucciones de vuestro pediatra.

▶ Si el pediatra os receta *fármacos con hierro*, debéis dárselos también, sin dejar de darle los demás.

▶ Si el niño no acepta las medicinas y las escupe, dejad de dárselas y consultad al pediatra.

▶ Se recomienda darle las gotas con *una cucharilla de café antes de la toma* y no mezclarlas con la leche porque pueden alterar su sabor.

▶ Si el niño no acepta un tipo de gotas en particular, se pueden sustituir por otro producto análogo.

FIEBRE Y PIEL CALIENTE

Vuestro hijo todavía no suda "bien", así que es probable que notéis que tiene la piel más caliente de lo normal, pero no húmeda, a diferencia de los niños que son un poco mayores y tienen calor.

▶ *Si notáis que tiene la piel caliente:*
■ reflexionad sobre si habéis abrigado demasiado al bebé. Un método infalible es preguntaros si saldríais a la calle vestidos como vuestro hijo. Si la respuesta es negativa, haced caso a ese amigo que os dice que habéis abrigado demasiado al niño;
■ antes de alarmaros, mirad si el ambiente en el que está el niño está a una temperatura excesivamente elevada (sea verano o invierno).
Si habéis descartado las dos posibilidades anteriores, mirad si tiene fiebre.

▶ *Cuando notéis que el niño tiene la piel caliente y queráis tomarle la temperatura, recordad tres cosas:*
■ En los niños, la temperatura normal es de hasta 37,5 ºC si se toma en la ingle y de 38 ºC si se toma en el recto.
■ Os recomendamos tomar siempre la temperatura al niño en la ingle después de quitarle los pañales y de haberlo tenido desnudo durante 4-5 minutos.
■ Para saber cómo se toma la temperatura corporal a un bebé, consultad la figura de la página 154, etapa número 11.

▶ *Si, finalmente, la temperatura del niño es superior a 37,5 ºC, avisad al pediatra.*

HECES

Cómo deben ser
Si hasta ahora habéis alimentado al niño con leche materna y empieza a tomar leche artificial como complemento o como alimento sustitutivo, es probable que cambie el aspecto de las heces, que serán más duras y de un color tirando a amarillo claro.

▶ *¿Qué hacer si el niño no hace "caca"?*
■ No le deis laxantes por iniciativa propia.
■ No estiméis el ano con un termómetro, con perejil ni con otra cosa.
■ No le echéis nada a la leche (si le dais leche artificial) sin consultar antes con el pediatra.

■ Lo que sí podéis hacer es ponerle *un supositorio de glicerina para lactantes* (se vende en farmacias) si veis que el niño lleva 72 horas (3 días) sin evacuar.

Si las heces son verdes

En ese caso, no hagáis nada porque es un fenómeno completamente normal.

Las heces son verdes porque una de las sustancias que contienen, la bilirrubina, se oxida con el aire y se convierte en biliverdina (así llamada por el color verde que la caracteriza). Que las heces estén verdes sólo demuestra que han estado demasiado tiempo en contacto con el aire, por ejemplo, en los pañales (cuando no se cambia enseguida al niño) o en la ampolla rectal.

Como veis, *no dependen de la alimentación de la madre*, que puede seguir comiendo tranquilamente verduras, que nada tienen que ver con el color verde de las heces del niño.

Si las heces son duras (estreñimiento)

▶ *Lactancia materna:* el estreñimiento no se da porque este tipo de alimentación garantiza de por sí el perfecto funcionamiento del intestino y la idoneidad del alimento.

▶ *Lactancia artificial:* los casos de estreñimiento son raros.

NO *No deis laxantes al niño,* a menos que se los haya recetado el pediatra.

SÍ Por iniciativa propia, podéis recurrir a *los supositorios de glicerina para lactantes* cuando el bebé lleve más de tres días sin hacer "caca".

Si las heces son negras

Cuando el niño está tomando *fármacos que tienen hierro,* las heces pueden adquirir un color negruzco. Es un fenómeno normal y no debéis preocuparos.

NARIZ

Problemas

Si vuestro hijo padece uno de los siguientes cinco trastornos relacionados con la nariz y la respiración:

1 hace "ruido" al respirar,

2 estornuda,

3 tiene la nariz taponada,

4 tiene mocos o

5 respira mal.

▶ *Consultad la etapa número 3 (página 43).*

OJOS

El color de ojos

▶ El color de ojos no es todavía el definitivo.

▶ *El "blanco" de los ojos* tiene matices azulados que irán desapareciendo poco a poco (se debe a lo finos que son los tejidos que recubren el ojo).

▶ *El iris*, en cambio, presenta un color gris, azulón o azul que, no obstante, no será el definitivo e irá cambiando de forma progresiva.

Lágrimas

Al nacer, la secreción lagrimal suele ser poco importante o nula. La aparición de las lágrimas en el niño suele hacerse durante las primeras semanas existiendo variaciones importantes de unos niños a otros. En todo caso, a los tres meses la secreción lagrimal está definitivamente establecida.

Si el niño "bizquea"

Por ahora, cada ojo "trabaja" por su cuenta, sin estar coordinados, a diferencia de los de los adultos, que trabajan en sintonía para elaborar una sola imagen (ésa es la razón de que las pupilas miren siempre en la misma dirección). Y, precisamente, como los ojos del niño son todavía independientes entre sí, puede ocurrir que, sobre todo cuando está a punto de dormirse, el niño desvíe los ojos hacia la nariz. No es que el bebé sea estrábico. Como acabamos de decir, es un fenómeno normal a esta edad y desaparecerá cuando el niño desarrolle un poco más las estructuras de la vista.

Si el niño tiene muchas legañas

▶ *Consúltese la etapa número 7 (página 107).*

PIEL

Piel caliente

Si notáis que tiene la piel caliente, consultad el apartado "Fiebre y piel caliente", bajo el epígrafe "Datos y consejos útiles".

Piel roja y áspera

▶ *Si está localizada:*
■ en la cara, en especial *en los pómulos, en la frente y en la barbilla,* mientras, en cambio, la piel de la nariz y del contorno de la boca (es decir, de la parte central de la cara) está bien, o en la parte lateral de las extremidades superiores e inferiores, se trata de *dermatitis atópica,* también llamada *eccema,* y debéis avisar al pediatra.

LLANTO

A estas alturas, deberíais haber aprendido a distinguir y a entender el llanto de vuestro hijo.
Dejad que os recordemos tres cosas:
■ El llanto es su modo de comunicarse.
■ Si oís que llora, no penséis que se encuentra mal, sólo está hablando.
■ Lo más probable es que os esté diciendo: *"tengo hambre", "quiero que alguien me haga caso"* o *"quiero que me cojáis en brazos".*
▶ *No quiere separarse de su madre.*
Tened presente que puede empezar a llorar al ver que su madre se va, o incluso al darse cuenta de que tiene intención de alejarse. Desde muy

pequeños, los niños identifican y reconocen los gestos que hace su madre justo antes de marcharse.

Al cabo de un rato, lo normal es que el niño se calme y se quede tranquilo, aunque no vea a su madre durante un período de tiempo más o menos largo.

El niño puede llorar de "rabia".

Cómo se sabe si el niño llora porque no ha comido lo suficiente

Si, nada más comer, después de unos minutos de tranquilidad, el bebé empieza a llorar, ¿qué puede ser?

▶ *Hay dos posibilidades:*

■ El niño quiere que lo cojáis en brazos porque se siente solo o tiene aire.

■ Puede que haya comido poco y que llore porque tiene hambre.

Lactancia materna

Cuando ha mamado *menos de dos minutos de cada lado, ha estado inquieto durante la toma y ha separado la boca del pezón.* En ese caso, antes de volver a darle el pecho o, peor, antes de darle leche artificial con el biberón, tenedlo en brazos unos diez minutos para tranquilizarlo, habladle con dulzura y acunadlo.

Lactancia artificial

La cantidad de leche que ha tomado el niño se sabe claramente por el biberón. *Puede que esté llorando de hambre si ha tomado menos de la mitad de la cantidad que suele tomar cada día.*

▶ Si ha pasado menos de una hora desde el final de la toma anterior: sólo si ha comido poco, lo habéis acunado durante diez minutos y sigue estando inquieto, podéis intentar darle más leche (si ha pasado más de una hora, podéis alimentarlo otra vez inmediatamente).

REGURGITACIÓN Y VÓMITO

▶ *Regurgitación:* es la expulsión pasiva de alimentos por la boca, como por ejemplo la leche, sin escupirlos, de forma que van cayendo lentamente por la comisura de los labios y por la mejilla.

▶ *Vómito:* se diferencia de la regurgitación en que el alimento no se expulsa de forma pasiva, como en el caso anterior, sino que se arroja de modo enérgico.

▶ *Qué hacer*

▶ *Regurgitación: nada.* Se trata de un fenómeno frecuente a esta edad.

Para limitar la regurgitación y favorecer la digestión en general, podéis:

■ coger en brazos al niño durante unos diez minutos después de cada toma, para que expulse el aire,

■ no modificar la alimentación del niño por iniciativa propia,

■ usar siempre un cojín,

■ no mostraros preocupados por la regurgitación porque, en caso contrario, corréis el riesgo de transmitir vuestra ansiedad al niño.

▶ *El vómito* es un síntoma muy presente en los primeros años de vida de los niños. Un solo episodio no significa nada, pero si tiende a repetirse, debéis hablar con el pediatra que os atiende.

Cuando el niño vomite, debéis controlar su peso, ya que si pierde peso debéis informar de inmediato al pediatra.

▶ *En todo caso, recordad que no debéis darle ningún fármaco sin consultarlo previamente con el pediatra.*

HIPO

Para que se le pase, dadle unas cucharaditas de agua sin gas.

TOS

Cuando el niño tenga un ataque de tos, no os preocupéis.

Si "respira mal", contad el número de aspiraciones y mirad si tiene depresiones entre costilla y costilla, tal y como se indica en el apartado "Respira mal" de la página 44. Si tiene depresiones entre las costillas y presenta más de 40 aspiraciones por minuto, avisad enseguida al pediatra o llevad al niño a Urgencias.

Si el bebé tiene tos a menudo, llevadlo a que lo vea el pediatra.

VACUNAS

Las próximas vacunas no hay que ponérselas hasta los 4 meses.

ROPA

No abriguéis demasiado al niño y no le pongáis camisetas de lana en contacto con la piel. Usad camisetas de algodón.

RECOMENDACIONES PARA LAS MADRES DURANTE LA LACTANCIA

Mientras le estés dando el pecho a tu hijo no tomes ningún fármaco sin consultar antes con el médico de cabecera.

Anticoncepción

Si, durante la lactancia, las madres desean tomar la píldora, han de saber que este fármaco interfiere con la lactancia.

Menstruación

Las madres podéis seguir dando el pecho al niño una vez reaparezca la menstruación. No obstante, cuando sobreviene, los niños presentan a veces vómitos, náuseas o hiperexcitabilidad. Se piensa que es por alguna sustancia que se elimina por la leche durante esos días. Es frecuente que a partir de la menstruación disminuya la secreción láctea.

Embarazo

▶ *Véase la etapa número 7 (página 112).*

Trabajo

Si tenéis que volver a trabajar y tenéis que dejar al niño en la guardería, lo mejor es que lo hagáis cuanto antes, entre el cuarto y el sexto mes, ya que luego aparece el temor por la separación.

Cuerpo y salud

Los 1000 primeros días de tu bebé

Si volvéis a trabajar, no os sintáis culpables ante vuestros hijos, estáis en vuestro derecho. No obstante, es importante que durante el tiempo que paséis con vuestro hijo os comportéis con normalidad, sin complejos ni sentimientos de culpabilidad. Tampoco toméis actitudes demasiado protectoras o afectuosas.

Grietas en el pecho

▶ *Véase la etapa número 6 (página 96).*

▶ No olvidéis que...

■ Podéis seguir alimentando al niño con leche materna hasta el sexto mes.

CITAS IMPORTANTES

Visita al pediatra

A los cuatro meses, se debe llevar al niño al pediatra.
Tenemos cita para el día ....
y tiene lugar el día ....

4 A 5 MESES
Una vez que ha cumplido 4 meses

DESARROLLO PSICOMOTOR

Movimientos

▶ En posición ventral eleva la parte anterior del tronco apoyándose en los codos. Levanta la cabeza 90º.

▶ Cuando está sentado o de pie, mantiene la cabeza erguida, ligeramente inclinada hacia delante, pero sin oscilaciones.

▶ Cuando se le sujeta de las manos, hace fuerza con los antebrazos.

▶ El bebé nada: movimientos de flexión y extensión de todos sus miembros.

▶ Consigue levantar la cabeza y girarla hacia los lados, sobre todo cuando ve cómo un objeto va desapareciendo lentamente.

▶ Si está tumbado y, de las manos, lo vamos levantando hasta dejarlo sentado, levanta la cabeza de inmediato manteniéndola siempre en línea con el tronco.

▶ Cuando está tumbado boca arriba, adopta una postura más simétrica y "compuesta": tiene el cuello "vertical" con respecto al tronco (perpendicular a él), las piernas y los brazos en posición análoga, ya sea hacia la derecha o hacia la izquierda (al igual que los niños de más edad) y en ocasiones tienen juntas las manos en la parte central del tronco o cerca de la boca.

▶ Mueve la mano hacia los objetos que tiene a su alrededor.

▶ Gira sobre sí mismo.

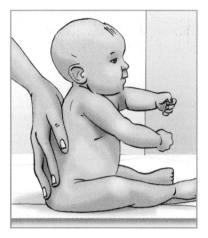

Se mantiene sentado si tiene un apoyo, por ejemplo si "se sostiene en la trona". Una de las ventajas de esta posición es que tiene las manos libres y así logra pasarse los objetos de una mano a otra y agarrarlos.

Relación con el entorno

▶ Sonríe de forma sonora, es decir, emite sonidos al reír.

▶ Responde con una sonrisa a quien le sonríe.

▶ Ríe cuando está "contento", esto es, como respuesta a contactos agradables con el entorno.

▶ Se agita al ver el biberón o al darse cuenta de que le han preparado la comida.

▶ Intenta coger los objetos que hacen ruido o que le ofrecen desde una distancia adecuada o que están en superficies planas. No consigue agarrarlos bien, pero se los lleva a la boca para conocerlos por medio de la vista, o bien por medio de la "exploración oral".

▶ Muestra disgusto cuando se aleja una persona que le estaba prestando atención.

▶ Su humor se ve influenciado por el de las personas que están a su alrededor.

Cómo interpretar el comportamiento del niño

Aunque no hablen, el comportamiento de los niños es simple y repetitivo, de modo que es fácil aprender a interpretar su significado.

Sin duda, os será de gran ayuda el esquema que figura en la página siguiente. En la primera columna se indican los diversos estados de ánimo. Localizad en la tabla de la página siguiente los comportamientos del niño y, si veis que coinciden al menos cinco, podéis estar seguros de estar interpretando bien el estado de ánimo de vuestro hijo. Para no equivocaros, podéis anotar vuestras observaciones en las últimas líneas, que hemos dejado en blanco para que podáis comparar con mayor facilidad los resultados obtenidos.

Lenguaje

Sigue expresándose por medio del llanto.

▶ Emite *más sonidos.*

▶ Emite consonantes guturales: "g", "ch".

	MOVIMIENTOS DEL CUERPO Y/O DE LAS EXTREMIDADES	PULSO	CIERRA LOS OJOS	LLORA	SONRÍE	EMITE SONIDOS (VOCALIZA)
ALEGRÍA	AUMENTAN	AUMENTA	NO	NO	SÍ	SÍ
SORPRESA	AUSENTES (SE QUEDA QUIETO)	DISMINUYE	NO	NO	NO	NO
DISGUSTO (TIENE HAMBRE, FRÍO, DOLOR)	AUMENTAN	AUMENTA	SÍ	SÍ	NO	NO

Aprendizaje

▶ Deja de interesarse únicamente por su propio cuerpo, empieza a "estudiar" los objetos que tiene a su alrededor e intenta obtener respuestas del entorno.

Por ejemplo, descubre cómo se consigue mover un objeto e intenta volver a repetir la misma operación de todas las formas posibles para lograrlo otra vez.

De un niño a otro, se dan grandes variaciones en cuanto al desarrollo psicomotor, de modo que no os preocupéis si vuestro hijo va algo "atrasado" con respecto a los logros que hemos enumerado hasta ahora y sigue comportándose como indicábamos en la etapa anterior. Si el retraso es superior, lo mejor es hablar con el pediatra.

AUMENTO DE PESO

Para saber cómo conseguir pesar al niño cuando no se está quieto en la báscula, véase la etapa número 5, apartado "Cosas que debéis aprender a hacer".

▶ *A los cuatro meses, es "normal" que vuestro hijo pese:*
■ varones: entre 5,6 y 8,4 kg
■ niñas: entre 5,2 y 7,8 kg

Estos valores no son aplicables a los niños que al nacer hayan pesado menos de 2,5 kg, si son varones, y menos de 2,3 kg, si son niñas.
Mi hijo pesa .... kg.
¿Está dentro de lo normal? Sí ❏ No ❏

Para que la valoración sea más precisa, tened en cuenta el peso del niño al nacer y consultad los gráficos de los percentiles y las instrucciones que encontraréis en la página 269.

▶ Debe ganar alrededor de 20-25 gramos al día, 150-170 gramos a la semana, 600-700 gramos al mes.

Si el niño ha ganado menos de la cantidad arriba indicada, no os preocupéis. Sólo si ha perdido peso debéis pensar que puede estar "enfermo". Para entenderlo mejor, veamos un ejemplo. Pensad en una empresa. Las empresas que van mal y se hunden no son las que ganan poco, sino las que pierden, es decir, las que gastan más de lo que ingresan.

■ Si en dos semanas el bebé no gana más de 100 gramos de peso, comunicádselo al pediatra.

▶ *Por ahora, el aumento de peso refleja mejor que la talla el crecimiento del niño.*

TALLA

▶ *A los cuatro meses, es "normal" que vuestro hijo mida:*
■ varones: entre 58,5 y 66,5 cm
■ niñas: entre 58 y 65 cm

Importante: si "no os salen las cuentas", volved a medir al bebé con cuidado de que no tenga las piernas flexionadas o encogidas.

▶ Debería haber crecido unos 13-14 cm, por lo que:
Si al nacer medía .... cm + 13-14 cm =
ahora debería medir .... cm
Y mi hijo mide .... cm.
¿Está dentro de lo normal? Sí ❑   No ❑

PELO

Puede que por detrás de la cabeza no tenga pelo. No se debe ni a la almohada ni a la posición en la que duerme el niño. A esta edad es normal que se le caiga el pelo que tenía al nacer. Hacia los seis meses y medio le empezará a salir un pelo con una "vida" similar al de los adultos.

Por ahora, no hagáis nada ni os preocupéis.

PERÍMETRO CRANEAL

El perímetro craneal medio es de:
■ varones: 42 cm, pero es "normal" si está entre 40 cm y 44,5 cm
■ niñas: 41 cm, pero es "normal" si está entre 39 cm y 43 cm
Para medir el perímetro del cráneo se puede utilizar un metro de costura.

DENTICIÓN

El niño todavía no tiene erupción dentaria alguna, que, al salir, puede causar dolor y hacer que llore más.

FONTANELA

La fontanela posterior debe estar "cerrada". De no ser así, consultad al pediatra.

SUEÑO

▶ *¿Cuánto duerme al día?*
■ 15 horas.

ALIMENTACIÓN

Lactancia materna

Puede que el niño mame de un solo lado y le baste con la cantidad de leche de un pecho, pero también es normal que coma más a menudo y que se despierte varias veces durante la noche, porque ha crecido y necesita más leche.

▶ *Si es necesario, se le puede dar una toma de leche artificial.*
Cuando un niño se alimenta con leche materna, no se le debe dar ningún otro alimento para que no sepa que existen otras alternativas de alimentación ni que se puede comer con más comodidad, ya que la leche fluye siempre más rápido y en más cantidad de la tetina que del pezón.

No obstante, si es imprescindible, se pueden sustituir las tomas del pecho por tomas artificiales durante el tiempo que sea necesario. Utilizad una leche que, al lado del nombre comercial, tenga el número uno u otra sigla equivalente (para su preparación, véase el apartado "Lactancia artificial" de la etapa número 3, página 40).

Es cierto que no se corre riesgo alguno al sustituir la leche materna por leche artificial en alguna toma, pero debéis reservar esa opción a casos de extrema necesidad y no recurrir a ella por temor a que el niño no tenga suficiente con la leche materna. Tampoco seáis demasiado drásticos al estimar qué casos son de extrema necesidad y cuáles no. Pueden ser motivos de salud, de trabajo o, simplemente, de diversión: una invitación a cenar, una tarde con las amigas... Todas esas cosas indispensables y tan importantes para las madres, ya que un buen equilibrio psicológico garantiza una perfecta alimentación.

Si la madre ha vuelto a trabajar, se puede alimentar al niño con leche artificial, pero el fin de semana debe alimentarse exclusivamente de leche materna, ya que la estimulación de las mamas provocada por la succión del niño no sólo garantiza el aporte suficiente de leche para ese día, sino que mantiene la producción de leche de la madre y permite que la madre pueda seguir dando de mamar a su hijo.

No es normal que ocurra, pero, cuando, al volver a dar el pecho al niño, se note que le gusta menos que antes (porque ha "saboreado" otro alimento), no le deis otra vez leche artificial aunque llore o tengáis que saltaros una toma porque no quiera comer. Es cuestión de constancia, o mejor dicho, de valor, y no hay peligro, ya que tarde o temprano el niño volverá a querer mamar.

▶ Se puede seguir dando el pecho al niño aunque reaparezca la menstruación o la madre esté embarazada de nuevo.

Lactancia mixta: leche materna y artificial

Se sabe si el niño necesita tomar más leche (artificial, con el biberón), cuando después de mamar durante diez minutos de cada pecho *no se duerme, llora y está inquieto.*

129

Cuerpo y salud

Los 1000 primeros días de tu bebé

■ No empecéis a alimentar al niño con leche artificial por iniciativa propia. Si el niño toma el pecho, llora como un desesperado y no hay quien le consuele, consultad a vuestro pediatra.

■ De todas maneras, aunque se le vaya a dar al niño leche artificial como complemento de su alimentación, hay que darle el pecho cinco minutos de cada mama, o bien darle el pecho una toma sí y otra no.

Debéis tener la leche artificial preparada y a la temperatura oportuna para que no transcurra mucho tiempo entre que acabáis de dar el pecho al niño y empezáis a darle la leche artificial. Lo ideal es que no haya ninguna interrupción y que ofrezcáis el biberón al niño como si fuerais a darle el otro pecho.

Podéis comprobar si la leche está a la temperatura adecuada dejando caer unas gotas en el dorso de la mano.

► *Los agujeros de las tetinas tienen el tamaño apropiado para que, al darle la vuelta al biberón, la leche caiga goteando lenta y continuamente.*

Para ver el método de preparación de la leche en polvo, véase el apartado "Lactancia artificial" de la etapa número 3.

Lactancia artificial

A los 4 meses podemos introducir los cereales sin gluten. La forma de hacerlo es añadir 1 ó 2 cucharaditas de dichos cereales a la leche preparada como habitualmente. Los cereales se pueden añadir en todas las tomas o solo en algunas, según el peso del niño y sus pautas de alimentación. El pediatra os aconsejará a este respecto.

Destete

Se empieza por una sola toma. Iremos sustituyendo el resto de forma paulatina, sin insistir demasiado. A veces, rechazan el biberón reiteradamente porque extrañan la tetina. En estas ocasiones, quizás acepten mejor la cuchara, por lo que podemos preparar papilla de cereales con la leche tipo I (disuelta en la misma proporción: 1 medida por cada 30 cc de agua) a la que iremos echando cucharadas de cereales hasta que espese.

IRRITACIONES
En la zona de los pañales

Cuando notéis que tiene irritada la zona que normalmente está cubierta por los pañales de plástico, por pequeña o leve que sea la irritación, consultad la etapa número 3 (página 41).

BOCA

► *Consúltese la etapa número 5 (página 73).*

COSTRA LÁCTEA

Si notáis que el niño tiene *pústulas blanquecinas y grasientas* pegadas con firmeza al cuero cabelludo, consultad la etapa número 7 (página 105).

FÁRMACOS

▶ El bebé puede tomar *gotas polivitamínicas y comprimidos de flúor* que prevengan la caries dental, conforme a las instrucciones de vuestro pediatra.

▶ Si el pediatra os receta *fármacos con hierro*, debéis dárselos también, sin dejar de darle los demás.

▶ Si el niño no acepta las medicinas y las "escupe", dejad de dárselas y consultad al pediatra.

▶ Se recomienda darle las gotas con *una cucharilla de café antes de la toma* y no mezclarlas con la leche porque pueden alterar su sabor.

▶ Si el niño no acepta un tipo de gotas en particular, se pueden sustituir por otro producto análogo.

FIEBRE Y PIEL CALIENTE

Vuestro hijo todavía no suda "bien", así que es probable que notéis que tiene la piel más caliente de lo normal, pero no húmeda, a diferencia de los niños que son un poco mayores y tienen calor.

▶ *Si notáis que tiene la piel caliente,*
■ reflexionad sobre si habéis abrigado demasiado al bebé. Un método infalible es preguntaros si saldríais a la calle vestidos como vuestro hijo. Si la respuesta es negativa, haced caso a ese amigo que os dice que habéis abrigado demasiado al niño;
■ antes de alarmaros, mirad si el ambiente en el que está el niño está a una temperatura excesivamente elevada (sea verano o invierno).
Si habéis descartado las dos posibilidades anteriores, mirad si tiene fiebre.
▶ *Cuando notéis que el niño tiene la piel caliente y queráis tomarle la temperatura, recordad tres cosas:*
■ En los niños, la temperatura normal es de hasta 37,5 ºC si se toma en la ingle y de 38 ºC si se toma en el recto.
■ Os recomendamos tomar siempre la temperatura al niño en la ingle después de quitarle los pañales y de haberlo tenido desnudo durante 4-5 minutos.
■ Para saber cómo se toma la temperatura corporal a un bebé, consultad la figura de la página 154, etapa número 11.
▶ *Si, finalmente, la temperatura del niño es superior a 37,5 ºC, avisad al pediatra.*

HECES

Al cambiar el tipo de alimentación, las heces del niño cambian también de color y de aspecto.
■ Al pasar de la leche materna a la leche artificial, las heces son más claras y duras, y adquieren un olor putrefacto.
▶ *¿Qué hacer si el niño no hace "caca"?*
■ No le deis laxantes por iniciativa propia.
■ No estimuléis el ano con un termómetro, con perejil ni con ninguna otra cosa.
■ No le echéis nada a la leche (si le dais leche artificial) sin consultar antes con el pediatra.

Cuerpo y salud

Los 1000 primeros días de tu bebé

■ Lo que sí podéis hacer es ponerle un *supositorio de glicerina* para lactantes (se vende en farmacias) si veis que el niño lleva 72 horas (3 días) sin evacuar.

Si las heces son duras (estreñimiento)

■ *Lactancia materna:* el estreñimiento no se da porque este tipo de alimentación garantiza de por sí el perfecto funcionamiento del intestino y la idoneidad del alimento.

■ *Lactancia artificial:* los casos de estreñimiento son raros.

NO No deis *laxantes al niño*, a menos que se los haya recetado el pediatra (se corre el riesgo de que el niño se habitúe al fármaco de tal manera que luego sólo pueda evacuar con ayuda externa).

SÍ Por iniciativa propia, podéis recurrir a *los supositorios de glicerina para lactantes* cuando el bebé lleve más de tres días sin hacer "caca".

Si las heces son negras

Cuando el niño está tomando *fármacos que tienen hierro*, las heces pueden adquirir un color negruzco. Es un fenómeno normal y no debéis preocuparos.

OJOS

El color de ojos

▶ El color de ojos no es todavía el definitivo.

▶ *El "blanco" de los ojos* tiene matices azulados que irán desapareciendo poco a poco (se debe a lo finos que son los tejidos que recubren el ojo).

▶ *El iris*, en cambio, presenta un color gris, azulón o azul que, no obstante, no será el definitivo e irá cambiando de forma progresiva.

Si el niño "bizquea"

Por ahora, cada ojo "trabaja" por su cuenta, sin estar coordinados, a diferencia de los de los adultos, que trabajan en sintonía para elaborar una sola imagen (ésa es la razón de que las pupilas miren siempre en la misma dirección). Y, precisamente, como los ojos del niño son todavía independientes entre sí, puede ocurrir que, sobre todo cuando está a punto de dormirse, el niño desvíe los ojos hacia la nariz. No es que el bebé sea estrábico. Como acabamos de decir, es un fenómeno normal a esta edad y desaparecerá cuando el niño desarrolle un poco más las estructuras de la vista.

Si el niño tiene muchas legañas

▶ *Consúltese la etapa número 7 (página 107).*

PIEL

Piel caliente

Si notáis que tiene la piel caliente, consultad el apartado "Fiebre y piel caliente", bajo el epígrafe "Datos y consejos útiles".

Piel roja y áspera

▶ *Si está localizada:*

■ en la cara, en especial *en los pómulos, en la frente y en la barbilla,* mientras, en cambio, la piel de la nariz y del contorno de la boca (es decir, de la parte central de la cara) está bien, o

■ en la parte lateral de las extremidades superiores e inferiores, se trata de *dermatitis atópica,* también llamada *eccema,* y debéis avisar al pediatra.

LLANTO

A estas alturas, deberíais haber aprendido a distinguir y a entender el llanto de vuestro hijo.

■ El llanto es su modo de comunicarse.

■ Si oís que llora, no penséis que se encuentra mal, sólo está hablando.

■ Lo más probable es que os esté diciendo: *"tengo hambre", "quiero que alguien me haga caso"* o *"quiero que me cojáis en brazos".*

▶ *No quiere separarse de su madre.*

Tened presente que puede empezar a llorar al ver que su madre se va, o incluso al darse cuenta de que tiene intención de alejarse. Desde muy pequeños, los niños identifican y reconocen los gestos que hace su madre justo antes de marcharse.

Al cabo de un rato, lo normal es que el niño se calme y se quede tranquilo, aunque no vea a su madre durante un período de tiempo más o menos largo. El niño puede llorar de "rabia".

HIPO

Para que se le pase, dadle unas cucharaditas de agua sin gas.

TOS

Cuando el niño tenga un ataque de tos, no os preocupéis.

Si "respira mal", contad el número de aspiraciones y mirad si tiene depresiones entre costilla y costilla, tal y como se indica en el apartado "Respira mal" de la página 44. Si tiene depresiones entre las costillas y presenta más de 40 aspiraciones por minuto, avisad enseguida al pediatra o llevad al niño a Urgencias.

Si el bebé tiene tos a menudo, llevadlo a que lo vea el pediatra.

VACUNAS

Las vacunas son el descubrimiento más importante de la medicina y han permitido la erradicación de enfermedades como la viruela y la polio. Por eso es de vital importancia que se las pongáis a vuestro hijo. No tengáis miedo de que le puedan dar reacciones perjudiciales, ya que los productos que se utilizan hoy en día están tan perfeccionados que apenas provocan molestias. Las vacunas son todas muy importantes, no penséis que las que son opcionales son de menor utilidad. La obligatoriedad es sólo una formalidad administrativa.

Cuerpo y salud

Los 1000 primeros días de tu bebé

Aviso importante

Los recuerdos de las vacunas no "caducan". La fecha o período indicados para efectuarlos son los plazos mínimos antes de los cuales no se pueden volver a poner. En teoría, se pueden posponer para más adelante, pero no es una buena idea, porque el niño ha de tener siempre las defensas inmunitarias al más alto nivel, y eso sólo se consigue con el "recuerdo" de las vacunas, que no es otra cosa que, como ocurre con los estudiantes más perezosos, una forma de "repasar" y hacer "trabajar más" al organismo.

Con cuatro meses, a las 6-8 semanas de las vacunas anteriores, tiene lugar:

- La tercera vacunación.
- *Antipolio oral* (tipo Sabin).
- La segunda dosis de las vacunas contra la *difteria, el tétanos, la tos ferina* y *un tipo de meningitis* (*Haemophilus influenzae* tipo B).
  Estas dos últimas hay que cambiarlas a los 6 y a los 18 meses.
  Se le pueden poner varias vacunas al mismo tiempo sin peligro.
  Después de ponerle la vacuna, el bebé puede hacer vida normal. Se le puede dar de comer, llevarlo de paseo o llevarlo a la guardería (si va).

▶ *¿Cuándo no se pueden poner las vacunas?*
- Si tiene fiebre, o
- diarrea (pero sólo si tiene muchas descargas),
- determinadas enfermedades del sistema nervioso, o que afecten a las funciones del sistema inmunitario (sabréis cuáles son porque, llegado el caso, os avisará el pediatra).
  Cuando se pone la vacuna antipolio, no se pueden poner al mismo tiempo las vacunas necesarias para viajar a determinados países de fuera de Europa, como la vacuna contra la fiebre amarilla (que no se puede poner antes de los 9 meses de edad) o contra el cólera (que no se puede poner antes de los 6 meses). Si pedís que le pongan al niño vacunas de este tipo, se las pondrán con un intervalo de al menos tres semanas entre una y otra.

▶ *Se pueden poner aunque:*
- tenga *tos,*
- esté *resfriado,*
- tenga *conjuntivitis,*
- tenga la *piel irritada,*
- tenga un poco de *diarrea,*
- se alimente con *leche materna,*
- esté pasando una temporada en la que *come menos* de lo normal,
- esté *"más inquieto de lo habitual",*
- esté tomando *antibióticos* o acabe de dejar de tomar uno hace poco,
- sea *alérgico a los antibióticos,*
- se le estén poniendo *pomadas con cortisona,*
- haya estado en contacto con alguien que tenía o que haya desarrollado después una *enfermedad infecciosa,*
- su madre u otras personas que viven con él estén *embarazadas,*
- se le estén poniendo *más vacunas* al mismo tiempo,
- haya comenzado el destete.

▶ *Posibles reacciones que pueden provocar*
La zona de la inyección puede ponerse roja y doler. En tal caso, no le pongáis ni pomadas ni compresas, ya que la irritación desaparecerá por sí sola.

La vacuna contra la gripe

▶ *No se ha de poner*
Está indicada únicamente para niños con enfermedades graves o de larga duración (en todo caso, no antes de los 6 meses).

■ Las siguientes vacunas se ponen a partir del sexto mes de vida.

RECOMENDACIONES PARA LAS MADRES DURANTE LA LACTANCIA

Fármacos que no debe tomar la madre durante la lactancia
Mientras le estés dando el pecho a tu hijo no tomes ningún fármaco sin consultar antes con tu médico de cabecera.

Anticoncepción
Durante la lactancia, las madres no pueden utilizar la píldora, ya que este fármaco interfiere con la lactancia.

Menstruación
Las madres podéis seguir dando el pecho al niño una vez reaparezca la menstruación. No obstante, cuando sobreviene, los niños presentan a veces vómitos, náuseas o hiperexcitabilidad. Se piensa que es por alguna sustancia que se elimina por la leche durante esos días. Es frecuente que a partir de la menstruación disminuya la secreción láctea.

Embarazo
Aunque se quede embarazada de nuevo, la madre puede seguir amamantando al bebé, si bien deberá controlar su dieta para evitar tener carencias de alguna sustancia fundamental.

Trabajo
Si tenéis que volver a trabajar y tenéis que dejar al niño en la guardería, lo mejor es que lo hagáis cuanto antes, entre el cuarto y el sexto mes, ya que luego aparece el temor por la separación.

Si volvéis a trabajar, no os sintáis culpables ante vuestros hijos, estáis en vuestro derecho. Es importante que durante el tiempo que paséis con vuestro hijo os comportéis con normalidad, sin complejos ni sentimientos de culpabilidad. Tampoco toméis actitudes demasiado protectoras.

Grietas en el pecho
Cuando, además de las grietas, notéis que el pezón y la areola están irritados y sintáis una sensación de ardor, probablemente se deba a que en la piel afectada por las grietas se ha formado un hongo, el *Candida albicans*. En tal caso, debéis aplicar en la piel un preparado contra los hongos. Pero, antes de hacer nada, consultad al médico.

Alimentación

► *Si el niño se alimenta de leche materna*

■ No debéis hacer nada, seguid con ese tipo de alimentación.

► *Si el niño se alimenta de leche artificial* (a los 4 meses podéis empezar a utilizar cereales sin gluten en la forma que se indicó anteriormente).

► No olvidéis que...

■ *Podéis seguir dando de mamar al niño aunque volváis a tener la menstruación.* Tanto en los días previos como en los del flujo menstrual, algunos niños comen menos. El sabor de la leche puede variar ligeramente.

■ Cuando el niño llora significa que os necesita, así que si ha comido hace *menos de una hora*:

■ cogedlo en brazos y haced oídos sordos a los consejos autoritarios,

■ ponedle el chupete,

■ habladle con dulzura o cantadle una melodía, y

■ acunadlo.

■ Si sigue llorando, dadle un poco más de leche.

■ Si ha comido *hace más de una hora*, alimentadlo y luego mimadlo un poco.

CITAS IMPORTANTES

Visita al pediatra

A los seis meses, se debe llevar al niño al pediatra.

Tenemos cita para el día ....

y tiene lugar el día ....

Vacunas

Tenemos pensado ponerle las vacunas el día ....

Y se las hemos puesto el día ....

5 A 6 MESES

Una vez que ha cumplido 5 meses

DESARROLLO PSICOMOTOR

Movimientos

► Logra mantenerse sentado si cuenta con un ligero apoyo.

► Logra mantenerse sentado cuando un adulto lo sienta en sus rodillas.

► Cuando está sentado, intenta coger objetos. Aparece la prensión voluntaria. Es una prensión palmar global, todavía imprecisa.

► Manteniéndolo de pie, el niño sostiene una gran parte del peso de su cuerpo.

Éste es el mes de la conquista de la posición sentada, en la que se mantiene sin problemas si se le sienta en las rodillas. Además, mantiene la cabeza erguida perfectamente. Es importante que los padres recuerden la fecha en la que el niño empieza a mantenerse sentado para que el pediatra pueda seguir con exactitud el desarrollo psicomotor del bebé.

► Si, en este período, el niño empieza a tocarse los genitales, no os alarméis. Tampoco deis importancia a que parezca hallar placer al hacerlo. Para él, esta exploración es el descubrimiento de una parte del cuerpo más.

Relación con el entorno

► Consigue coger los objetos que caen cerca de él.
► Emite grititos o se agita para llamar la atención, para que quienes están a su alrededor le hagan caso.

Cómo interpretar el comportamiento del niño

Aunque no hablen, el comportamiento de los niños es simple y repetitivo, de modo que es fácil aprender a interpretar su significado.

Sin duda, os será de gran ayuda el esquema que figura a continuación. En la primera columna se indican los diversos estados de ánimo. Localizad en la tabla los comportamientos del niño y, si veis que coinciden al menos cinco, podéis estar seguros de estar interpretando bien el estado de ánimo de vuestro hijo. Para no equivocaros, podéis anotar vuestras observaciones en las últimas líneas, que hemos dejado en blanco para que podáis comparar con mayor facilidad los resultados obtenidos.

	MOVIMIENTOS DEL CUERPO Y/O DE LAS EXTREMIDADES	PULSO	CIERRA LOS OJOS	LLORA	SONRÍE	EMITE SONIDOS (VOCALIZA)
ALEGRÍA	AUMENTAN	AUMENTA	NO	NO	SÍ	SÍ
SORPRESA	AUSENTES (SE QUEDA QUIETO)	DISMINUYE	NO	NO	NO	NO
DISGUSTO (TIENE HAMBRE, FRÍO, DOLOR)	AUMENTAN	AUMENTA	SÍ	SÍ	NO	NO

Lenguaje

► Emite más sonidos (dice *"aa-guu"*).

Aprendizaje

► Sigue "estudiando" el aspecto y el "funcionamiento" de los objetos que encuentra a su alrededor. Por ejemplo, cuando está tumbado en la cuna y tira de una cuerda que hace sonar un juego colgado cerca de él, tiende a repetir la operación varias veces. El primer descubrimiento lo hace por casualidad, pero luego intenta reproducirlo intencionadamente.

De un niño a otro, se dan grandes variaciones en cuanto al desarrollo psicomotor, de modo que no os preocupéis si vuestro hijo va algo "atrasado" con respecto a los logros que hemos enumerado hasta ahora y sigue comportándose como indicábamos en la etapa anterior. Si el retraso es superior, lo mejor es hablar con el pediatra.

AUMENTO DE PESO

Para saber cómo conseguir pesar al niño cuando no se está quieto en la báscula, véase la etapa número 5, apartado "Cosas que debéis aprender a hacer".

Pesa el doble de lo que pesaba al nacer

▶ *Al cabo de cinco meses, es "normal" que vuestro hijo pese:*
■ varones: entre 6 y 9,2 kg
■ niñas: entre 5,6 y 8,4 kg
Estos valores no son aplicables a los niños que al nacer hayan pesado menos de 2,5 kg, si son varones, y menos de 2,3 kg, si son niñas.
Mi hijo pesa .... kg.
¿Está dentro de lo normal? Sí ❑ No ❑

Para que la valoración sea más precisa, tened en cuenta el peso del niño al nacer y consultad los gráficos de los percentiles y las instrucciones que encontraréis en la página 269.

▶ Debe ganar alrededor de 20-25 gramos al día, 150 gramos a la semana, 500-600 gramos al mes.
■ Si en dos semanas el bebé no gana más de 70 gramos de peso, comunicádselo al pediatra.
▶ *Por ahora, el aumento de peso refleja mejor que la talla el crecimiento del niño.*

TALLA

▶ *Al cabo de cinco meses, es "normal" que vuestro hijo mida:*
■ varones: entre 60,5 y 68,5 cm
■ niñas: entre 60 y 67 cm
Importante: si "no os salen las cuentas", volved a medir al bebé con cuidado de que no tenga las piernas flexionadas o encogidas.
▶ Debería haber crecido unos 15-16 cm, por lo que:
Si al nacer medía .... cm + 15-16 cm =
ahora debería medir .... cm
Y mi hijo mide .... cm.
¿Está dentro de lo normal? Sí ❑ No ❑

PELO

Puede que por detrás de la cabeza no tenga pelo. No se debe ni a la almohada ni a la posición en la que duerme el niño. A esta edad es normal que se le caiga el pelo que tenía al nacer. Hacia los seis meses y medio le empezará a salir un pelo con una "vida" similar al de los adultos.
Por ahora, no hagáis nada ni os preocupéis.

PERÍMETRO CRANEAL

▶ *El perímetro craneal medio es de:*
■ varones: 44 cm, pero es "normal" si está entre 41 cm y 45,5 cm
■ niñas: 42 cm, pero es "normal" si está entre 39,8 cm y 44 cm
Para medir el perímetro del cráneo se puede utilizar un metro de costura.

SUEÑO

▶ *¿Cuánto duerme al día?*
■ 15 horas.

DATOS Y CONSEJOS ÚTILES

Cuando tengáis puesta la calefacción, mantened siempre húmedo el ambiente. Para ello, colocad dos toallas de felpa mojadas encima del radiador o utilizad un vaporizador eléctrico.

ALIMENTACIÓN

En esta etapa, tanto si todavía le dais el pecho a vuestro hijo, como si le dais lactancia artificial podéis introducir una papilla de frutas en sustitución de la toma de leche de por la tarde. Se debe comenzar con 2 ó 3 cucharadas de zumo de frutas (naranja, pera, manzana, por separado) rebajado con agua.

Id aumentando la cantidad de zumo y disminuyendo el aporte de agua para en, 8 ó 10 días, empezar a darle una papilla de frutas con cuchara. Esta papilla se elabora con el zumo de una naranja o mandarina, pera y manzana peladas, troceadas y pasadas por la batidora.

En 6 ó 7 días añadiremos el plátano. No añadir galletas ni endulzar con miel o azúcar. La fruta hay que lavarla bien, así como la batidora que con facilidad acumula restos de alimentos entre sus aspas, siendo el origen de diarreas y otras enfermedades.

La toma de fruta es, con frecuencia, mal aceptada al principio. El niño está aprendiendo a comer con cuchara, a conocer nuevos sabores y esto necesita tiempo. Hasta que no se tome la cantidad necesaria de papilla, se le dará a continuación la toma correspondiente de leche o pecho.

Los alimentos se han de ir introduciendo de forma gradual, separando cada nuevo alimento 6 ó 7 días para dar tiempo a que el organismo lo asimile, y si se produce alguna reacción alérgica de esta manera sabremos a qué alimento es más probable que sea debido. Además, podemos ir conociendo los gustos del bebé. A los 5 meses, lo habitual es que haga 4 tomas pero no os preocupéis si hace más. Cada niño tiene sus pautas de alimentación.

Agua
Al empezar a tomar papillas, el niño empieza a tener más sed. En consecuencia, tanto a la mitad como al final de la comida (e incluso entre tomas) se le debe ofrecer un poco de agua.

El agua ha de ser sin gas y del tiempo.

▶ Recordad que cuando el niño tenga tos, fiebre o diarrea, debe beber más de lo habitual y que la leche es un alimento, no una bebida.

IRRITACIONES

En la zona de los pañales

Cuando notéis que tiene irritada la zona que normalmente está cubierta por los pañales de plástico, por pequeña o leve que sea la irritación, consultad la etapa número 3 (página 41).

DENTICIÓN

A los 5 meses pueden empezar a salirle los primeros dientes.

El orden normal de erupción en la dentición temporal es: *incisivos centrales inferiores, incisivos centrales superiores, incisivos laterales superiores e incisivos laterales inferiores, seguidos por los primeros molares.*

En todo caso, la edad a la que salen los dientes *varía mucho* de un niño a otro, por lo que no os preocupéis si veis que a vuestro hijo no le "salen" en los plazos que vamos indicando. Además, el orden de erupción en los dientes temporales está más influido por factores genéticos que por otras circunstancias, como sería el desarrollo corporal o el sexo.

Aunque no hayan asomado todavía los primeros dientes, si queréis estar seguros de que el proceso de osificación va por buen camino, basta con que vayáis controlando *las dimensiones del perímetro craneal* (véase el apartado al respecto de la página 140). Si están dentro de los valores normales, significa que todo va bien, independientemente de que le hayan salido o no los dientes. De modo que, todo va bien aunque:

■ no le haya salido todavía ningún diente, siempre que el perímetro craneal esté entre los valores indicados,
■ no le salgan en el orden habitual.

En cuanto a las encías, no son muy eficaces las pomadas "analgésicas" o remedios similares, por muy irritadas que estén con motivo de la erupción dentaria.

FÁRMACOS

▶ El bebé puede tomar *gotas polivitamínicas y comprimidos de flúor* que prevengan la caries dental, conforme a las instrucciones de vuestro pediatra.

FIEBRE Y PIEL CALIENTE

Vuestro hijo todavía no suda "bien", así que es probable que notéis que tiene la piel más caliente de lo normal, pero no húmeda, a diferencia de los niños que son un poco mayores y tienen calor.

▶ *Si notáis que tiene la piel caliente:*
■ reflexionad sobre si habéis abrigado demasiado al bebé. Un método infalible es preguntaros si saldríais a la calle vestidos como vuestro hijo. Si la respuesta es negativa, haced caso a ese amigo que os dice que habéis abrigado demasiado al niño,
■ antes de alarmaros, mirad si el ambiente en el que está el niño está a una temperatura excesivamente elevada (sea verano o invierno).
Si habéis descartado las dos posibilidades anteriores, mirad si tiene fiebre.

► *Cuando notéis que el niño tiene la piel caliente y queráis tomarle la temperatura, recordad tres cosas:*

■ En los niños, la temperatura normal es de hasta 37,5 °C si se toma en la ingle y de 38 °C si se toma en el recto.

■ Os recomendamos tomar siempre la temperatura al niño en la ingle después de quitarle los pañales y de haberlo tenido desnudo durante 4-5 minutos.

■ Para saber cómo se toma la temperatura corporal a un bebé, consultad la figura de la página 154, etapa número 11.

► *Si, finalmente, la temperatura del niño es superior a 38 °C, avisad al pediatra.*

HECES

Ahora que el niño ha empezado a tomar más alimentos, es probable que sus heces tengan un olor y un color parecido a las de los niños más mayores.

► *¿Qué hacer si el niño no hace "caca"?*
Al cambiar el tipo de alimentación, las heces del niño cambian también de color y de aspecto.

■ Al pasar de la leche materna a la leche artificial, las heces son más claras y duras, y adquieren un olor putrefacto.

■ Al introducir otros alimentos en la dieta (como frutas o cereales), las heces adquieren un aspecto más parecido al de los niños de más edad.

■ No estiméis el ano con un termómetro, con perejil ni con ninguna otra cosa.

■ No le echéis nada a la leche sin consultar antes con vuestro pediatra.

■ Lo que sí podéis hacer es ponerle un supositorio de glicerina para lactantes (se vende en farmacias) si veis que el niño lleva 72 horas (3 días) sin evacuar.

Si las heces son duras (estreñimiento)

■ *Lactancia materna:* el estreñimiento no se da porque este tipo de alimentación garantiza de por sí el perfecto funcionamiento del intestino y la idoneidad del alimento.

■ *Lactancia artificial:* los casos de estreñimiento son raros.

NO No deis laxantes al niño, a menos que se los haya recetado el pediatra (se corre el riesgo de que el niño se habitúe al fármaco).

SÍ Por iniciativa propia, podéis recurrir a *supositorios de glicerina* cuando el bebé lleve más de tres días sin hacer "caca".

OJOS

El color de ojos

► El color de ojos empieza a aproximarse al definitivo.

► *El "blanco" de los ojos* tiene matices azulados que irán desapareciendo poco a poco (se debe a lo finos que son los tejidos que recubren el ojo).

► *El iris,* en cambio, presenta un color gris, azulón o azul que, no obstante, no será el definitivo e irá cambiando de forma progresiva.

Si el niño "bizquea"

Por ahora, cada ojo "trabaja" por su cuenta, sin estar coordinados, a diferencia de los de los adultos, que trabajan en sintonía para elaborar una sola imagen (ésa es la razón de que las pupilas miren siempre en la misma dirección). Y, precisamente, como los ojos del niño son todavía independientes entre sí, puede ocurrir que, sobre todo cuando está a punto de dormirse, el niño desvíe los ojos hacia la nariz. No es que el bebé sea estrábico. Como acabamos de decir, es un fenómeno normal a esta edad y desaparecerá cuando el niño desarrolle un poco más las estructuras de la vista.

Si el niño tiene muchas legañas

► *Consúltese la etapa número 7 (página 107).*

PIEL

Piel caliente

Si notáis que tiene la piel caliente, consultad el apartado "Fiebre y piel caliente", bajo el epígrafe "Datos y consejos útiles".

Piel roja y áspera

► *Si está localizada:*
■ en la cara, en especial *en los pómulos, en la frente y en la barbilla,* mientras, en cambio, la piel de la nariz y del contorno de la boca (es decir, de la parte central de la cara) está bien, o
■ en la parte lateral de las extremidades superiores e inferiores, se trata de *dermatitis atópica,* también llamada *eccema,* y debéis avisar al pediatra.

LLANTO

A estas alturas, deberíais haber aprendido a distinguir y a entender el llanto de vuestro hijo.
■ El llanto es su modo de comunicarse.
■ Si oís que llora, no penséis que se encuentra mal, sólo está hablando.
■ Lo más probable es que os esté diciendo: *"tengo hambre", "quiero que alguien me haga caso"* o *"quiero que me cojáis en brazos".*
► *No quiere separarse de su madre.*
   Tened presente que puede empezar a llorar al ver que su madre se va, o incluso al darse cuenta de que tiene intención de alejarse. Desde muy pequeños, los niños identifican y reconocen los gestos que hace su madre justo antes de marcharse.
   Al cabo de un rato, lo normal es que el niño se calme y se quede tranquilo, aunque no vea a su madre durante un período de tiempo más o menos largo.

Llora porque la comida no le gusta

Puede que al tomar papillas, sobre todo las primeras veces, el niño se ponga a llorar. No insistáis, dejadlo por el momento y volved a intentarlo de nuevo al cabo de tres o cuatro días.

SALIVACIÓN

No os preocupéis si el niño presenta una salivación abundante que, además de humedecerle los labios, le cae por toda la zona de alrededor de la boca. Se trata de un fenómeno completamente "normal". Se produce mucha saliva con motivo de la erupción dentaria, lo que ocurre es que el niño todavía no es capaz de tragarla bien.

TRONA

De ahora en adelante, podéis sentar al niño en una trona o silla alta. Para el niño supone una conquista muy importante, ya que le permite estar al mismo nivel que sus padres y que los demás adultos, en especial a la hora de la comida. Fijaos sobre todo en que la trona tenga una base lo suficientemente ancha para que no se pueda volcar.

HIPO

Para que se le pase, dadle unas cucharaditas de agua sin gas.

TOS

Cuando el niño tenga un ataque de tos, no os preocupéis.

Si "respira mal", contad el número de aspiraciones y mirad si tiene depresiones entre costilla y costilla, tal y como se indica en el apartado "Respira mal" de la página 44. Si tiene depresiones entre las costillas y presenta más de 40 aspiraciones por minuto, avisad enseguida al pediatra o llevad al niño a Urgencias.

Si el bebé tiene tos a menudo, llevadlo a que lo vea el pediatra.

VACUNAS

Las siguientes vacunas se ponen en el sexto mes de vida.

RECOMENDACIONES PARA LAS MADRES DURANTE LA LACTANCIA

▶ *Véase la etapa número 9 (página 135).*

▶ No olvidéis que...

■ Ahora que el niño sabe darse la vuelta, no debéis dejarlo solo sobre el vestidor o tendido en otras superficies en alto, ya que podría girar sobre sí mismo, acercarse al borde y caer.

■ En cuanto a las niñas, se ha de lavar siempre primero la vagina y después el ano para evitar que los gérmenes que provienen del intestino se extiendan a la vagina y provoquen infecciones.

Visita al pediatra

A los seis meses, se debe llevar al niño al pediatra.
Tenemos cita para el día ....
y tiene lugar el día ....

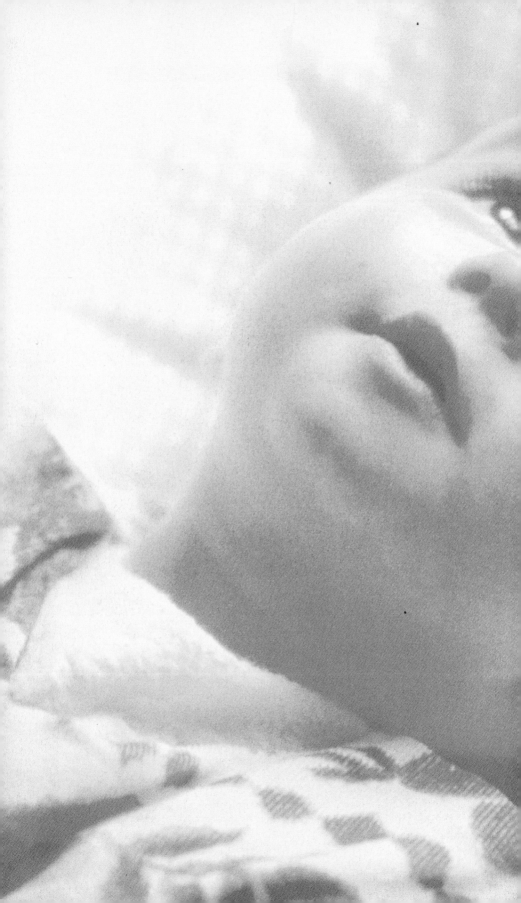

6 A 7 MESES

Una vez que ha cumplido 6 meses

DESARROLLO PSICOMOTOR

Movimientos

▶ Empieza a estar sentado. Para él es una gran conquista porque le permite gozar de una visión circular (de 360º) y ya no tiene un campo de visión limitado, como ocurría en los meses anteriores, que a menudo sólo veía el cielo o el techo. Además, ahora tiene también las manos libres.

▶ Se queda sentado sin ayuda, apoyándose en los brazos, si bien sigue manteniendo la espalda encorvada.

Logra mantenerse sentado en la trona o silla alta.

Manteniéndolo de pie salta y se agacha sobre las piernas, es el estadio llamado del "saltador".

Cuando está tumbado boca arriba, levanta la cabeza.

▶ Se agarra los pies con las manos y se los lleva a la boca.

Logra pasarse objetos grandes de una mano a otra.

Empieza a darse la vuelta: consigue pasar de estar boca abajo a ponerse boca arriba. Dentro de dos meses, lo hará también a la inversa. (Cuando lo dejéis tumbado en el vestidor o tendido en otras superficies tened cuidado de que no pueda girar sobre sí mismo y caer al suelo).

Prensión global voluntaria.

► Si, en este período, el niño empieza a tocarse los genitales, no os alarméis. Tampoco deis importancia a que parezca hallar placer al hacerlo. Para él, esta exploración es el descubrimiento de una parte del cuerpo más.

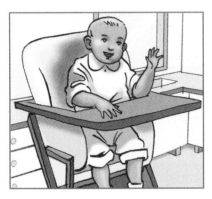

Se mantiene sentado sin ayuda en la trona y piensa: "Eh, aquí estoy, ¡miradme! Soy tan alto como vosotros…" Tiene el mundo "al alcance de la mano", y por eso se vuelve nada más oír un ruido, intenta coger todo lo que ve y, cuando tiene un objeto en cada mano, los golpea uno contra otro.

Relación con el entorno

► Muestra una clara preferencia por quienes se ocupan de él y, en primer lugar, por su madre.

► Se le nota ansioso y disgustado cuando ve acercarse a desconocidos.

Lenguaje

► Para comunicarse, empieza a emitir los primeros bisílabos, pero su principal forma de comunicación sigue siendo el llanto, que todavía no ha sido sustituido por el lenguaje propiamente dicho.

► Balbucea intentando decir cosas a las personas que están a su alrededor.

► Cuando se ve reflejado en un espejo, emite los sonidos que es capaz de producir.

Aprendizaje

► Empieza a ser consciente de la información que extrae de sus propias experiencias, como por ejemplo al manipular, tocar o agarrar objetos, o de lo que ve y lo que siente.

De un niño a otro, se dan grandes variaciones en cuanto al desarrollo psicomotor, de modo que no os preocupéis si vuestro hijo va algo "atrasado" con respecto a los logros que hemos enumerado hasta ahora y sigue comportándose como indicábamos en la etapa anterior. Si el retraso es superior, lo mejor es hablar con el pediatra.

AUMENTO DE PESO

Para saber cómo conseguir pesar al niño cuando no se está quieto en la báscula, véase la etapa número 5, apartado "Cosas que debéis aprender a hacer".

► *A los seis meses, es "normal" que vuestro hijo pese:*

■ varones: entre 6,2 y 9,8 kg

■ niñas: entre 6 y 9,2 kg

Estos valores no son aplicables a los niños que al nacer hayan pesado menos de 2,5 kg, si son varones, y menos de 2,3 kg, si son niñas.
Mi hijo pesa .... kg.
¿Está dentro de lo normal? Sí ❏ No ❏

Para que la valoración sea más precisa, tened en cuenta el peso del niño al nacer y consultad los gráficos de los percentiles y las instrucciones que encontraréis en la página 269.

► Debe ganar alrededor de 15-20 gramos al día, 100 gramos a la semana, 400-500 gramos al mes.

■ Si en dos semanas el bebé no gana más de 70 gramos de peso, comunicádselo al pediatra.

► *Por ahora, el aumento de peso refleja mejor que la talla el crecimiento del niño.*

TALLA

► *Al cabo de seis meses, es "normal" que vuestro hijo mida:*
■ varones: entre 62 y 70,5 cm
■ niñas: entre 61,5 y 69 cm
Importante: si "no os salen las cuentas", volved a medir al bebé con cuidado de que no tenga las piernas flexionadas o encogidas.
► Debería haber crecido unos 17 cm, por lo que:
Si al nacer medía .... cm + 17 cm =
ahora debería medir .... cm
Y mi hijo mide .... cm.
¿Está dentro de lo normal? Sí ❏ No ❏

PELO

Empieza a volverle a crecer el pelo que, a diferencia del que presentaba al nacer, tendrá un ciclo de vida igual al de los adultos. Comienza a crecer por la parte de la frente, después por los lados y luego por la parte de detrás de la cabeza.

PERÍMETRO CRANEAL

► *El perímetro craneal medio es de:*
■ varones: 44 cm, pero es "normal" si está entre 42 cm y 46,5 cm
■ niñas: 43 cm, pero es "normal" si está entre 40,5 cm y 44,9 cm
El perímetro craneal de vuestro hijo es de .... cm.
¿Está dentro de lo normal? Sí ❏ No ❏
Para medir el perímetro del cráneo se puede utilizar un metro de costura.

PERÍMETRO TORÁCICO

► El perímetro torácico medio es de 42 cm, pero puede oscilar entre los 40 y los 44 cm.
El perímetro torácico de vuestro hijo es de .... cm.
¿Está dentro de lo normal? Sí ❏ No ❏

El perímetro del tórax se mide a la altura de los pezones con un metro de costura.

DENTICIÓN

Pueden empezar a salirle *los incisivos centrales inferiores y los incisivos centrales superiores.*

El orden normal de erupción en la dentición temporal es: *incisivos centrales inferiores, incisivos centrales superiores, incisivos laterales superiores e incisivos laterales inferiores, seguidos por los primeros molares.*

En todo caso, la edad a la que salen los dientes *varía mucho* de un niño a otro, por lo que no os preocupéis si veis que a vuestro hijo no le "salen" en los plazos que vamos indicando. Además, el orden de erupción en los dientes temporales está más influido por factores genéticos que por otras circunstancias, como sería el desarrollo corporal o el sexo.

Aunque no hayan asomado todavía los primeros dientes, si queréis estar seguros de que el proceso de osificación va por buen camino, basta con que vayáis controlando *las dimensiones del perímetro craneal* (véase el apartado al respecto de la página 149). Si están dentro de los valores normales, significa que todo va bien, independientemente de que le hayan salido o no los dientes. De modo que, todo va bien aunque:

■ no le haya salido todavía ningún diente, siempre que el perímetro craneal esté entre los valores indicados,

■ no le salgan en el orden habitual.

En cuanto a las encías, no son muy eficaces las pomadas "analgésicas" o remedios similares.

FONTANELA

La fontanela anterior empieza a "cerrarse", es decir, su amplitud comienza a disminuir. Acabará de cerrarse por completo entre los meses noveno y decimoctavo. No os preocupéis por las dimensiones de la fontanela: que siga estando muy "abierta" no quiere decir que el niño tenga carencias de calcio o de vitamina D (para esta valoración, es más importante el valor de las dimensiones del perímetro craneal; véase la página 149). Cuando, en cambio, la tenga muy "cerrada", no temáis que vuestro hijo vaya a tener la cabeza demasiado pequeña, ya que los huesos del cráneo seguirán creciendo igualmente, superponiéndose unas capas sobre otras.

SUEÑO

▶ *¿Cuánto duerme al día?*
■ 14 horas.

DATOS Y CONSEJOS ÚTILES

No le deis el chupete mojado en azúcar o miel, ni lo acostumbréis a dormirse mientras toma agua o líquidos dulces con el biberón, ya que favorece la formación de la caries dental.

Ahora que el niño sabe darse la vuelta, no debéis dejarlo solo sobre el vestidor o tendido en otras superficies en alto, ya que podría girar sobre sí mismo, acercarse al borde y caer.

ALIMENTACIÓN

A los 6 meses podemos sustituir la toma del mediodía por un puré de verduras. La forma de hacerlo es cociendo en un poco de agua patata, zanahoria y judías verdes o acelgas. Una vez cocido, se pasa por la batidora y se echa una cucharada de aceite de oliva. No añadas sal. Posteriormente, y con una separación de 6-7 días entre cada una de ellas, se pueden añadir todo tipo de verduras de temporada. Vamos a exceptuar las coles, espinacas, brócoli y coliflor porque pueden producir gases al bebé.

De momento, no vamos a añadir ni carne, ni pescado ni huevo.

Hasta que no tome la cantidad suficiente de puré se le dará a continuación la toma correspondiente de leche o pecho.

El puré de verdura se puede preparar para dos días e incluso se puede congelar.

A los 6 meses, si estábamos utilizando leche maternizada podemos cambiar la tipo 1 o de inicio por la tipo 2 o de continuación (que se prepara igual).

Normalmente nuestro hijo hace 4 tomas que se distribuyen de la siguiente manera:

DESAYUNO: pecho y/o leche maternizada tipo 2 con cereales sin gluten.
COMIDA: puré de verduras.
MERIENDA: papilla de frutas.
CENA: pecho y/o leche maternizada tipo 2 con cereales sin gluten.

Agua

Al empezar a tomar papillas y purés, el niño empieza a tener más sed. En consecuencia, tanto a la mitad como al final de la comida (e incluso entre tomas) se le debe dar un poco de agua.

El agua ha de ser sin gas y del tiempo.

► Recordad que cuando el niño tenga tos, fiebre o diarrea, debe beber más de lo habitual y que la leche es un alimento, no una bebida.

IRRITACIONES

En la zona de los pañales

Cuando notéis que tiene irritada la zona que normalmente está cubierta por los pañales de plástico, por pequeña o leve que sea la irritación, consultad la etapa número 3 (página 41).

PARQUE

Puede que el niño se sienta "enjaulado". Quizás prefiera estar sobre una mantita en el suelo con sus juguetes preferidos a mano.

FÁRMACOS

▶ El bebé puede tomar *gotas polivitamínicas y comprimidos de flúor* que prevengan la caries dental, conforme a las instrucciones de vuestro pediatra.

HECES

Ahora que el niño ha empezado a tomar más alimentos, es probable que sus heces tengan un olor y un color parecido a las de los niños más mayores.

Diarrea

Cuando las heces del niño sean *semilíquidas o líquidas*:

SÍ Podéis diluir las tomas de leche (1 cacito por cada 40 cc de agua, por ejemplo).

SÍ Utilizad crema de arroz en lugar de sus cereales sin gluten habituales. En la comida no le deis verduras, haced un puré solo de patata y zanahoria. En la merienda, preparadle la papilla de frutas sólo con manzana y plátano (no echéis zumo de naranja ni pera).

SÍ Haced que beba mucho, agua o mejor suero glucohiposalino (se vende en farmacias y se prepara echando un sobre de suero en 1 litro de agua mineral).

NO No le deis medicinas por iniciativa propia, siguiendo el consejo de alguna amiga.

SÍ Avisad a vuestro pediatra.

Si las heces son duras

▶ Reducid el uso de arroz, patata, zanahoria, manzana y plátano. Utilizad sobre todo verduras, naranja y pera. Ofrecedle agua y zumo de naranja.

NO *No deis laxantes al niño*, a menos que se los haya recetado el pediatra (se corre el riesgo de que el niño se habitúe al fármaco de tal manera que luego sólo pueda evacuar con ayuda externa).

SÍ Por iniciativa propia, podéis recurrir a *los supositorios de glicerina para lactantes* cuando el bebé lleve más de tres días sin hacer "caca".

OJOS

El color de ojos

▶ *El color de ojos es ya el definitivo.*

■ Si vuestro hijo tiene los ojos de *color azul claro* o *marrón oscuro*, la tonalidad definitiva será ésa.

Si el niño "bizquea"

A estas alturas, el niño debería haber dejado de "bizquear". Si continúa haciéndolo, observadlo con atención, porque si no remite en dos meses debéis llevar al niño al oculista.

Si el niño tiene muchas legañas

▶ *Consúltese la etapa número 7 (página 107).*

PIEL ROJA Y ÁSPERA

► *Si está localizada:*
■ en la cara, en especial *en los pómulos, en la frente y en la barbilla*, mientras, en cambio, la piel de la nariz y del contorno de la boca (es decir, de la parte central de la cara) está bien, o
■ en la parte lateral de las extremidades superiores e inferiores, se trata de *dermatitis atópica*, también llamada *eccema*, y debéis avisar al pediatra.

LLANTO

Puede que al tomar purés o papillas, sobre todo las primeras veces, el niño se ponga a llorar. No insistáis, dejadlo por el momento y volved a intentarlo de nuevo al cabo de tres o cuatro días.

SALIVACIÓN

No os preocupéis si el niño presenta una salivación abundante que, además de humedecerle los labios, le cae por toda la zona de alrededor de la boca. Se trata de un fenómeno completamente "normal". Se produce mucha saliva con motivo de la erupción dentaria, lo que ocurre es que el niño todavía no es capaz de tragarla bien.

HIPO

Para que se le pase, dadle unas cucharaditas de agua sin gas.

TOS

Cuando el niño tenga un ataque de tos, no os preocupéis.
Si "respira mal", contad el número de aspiraciones y mirad si tiene depresiones entre costilla y costilla, tal y como se indica en el apartado "Respira mal" de la página 44. Si tiene depresiones entre las costillas y presenta más de 40 aspiraciones por minuto, avisad enseguida al pediatra o llevad al niño a Urgencias.
Si el bebé tiene tos a menudo, llevadlo a que lo vea el pediatra.
Tened presente que la tos es una "amiga" del organismo, que sirve para expeler todo material peligroso (polvo, agentes infecciosos y cuerpos extraños) que llega al aparato respiratorio. No debéis recurrir a jarabes ni tampoco asustaros.

VACUNAS

A las 6-8 semanas de las vacunas anteriores (a los 6 meses) tiene lugar:
■ La cuarta vacunación.
■ *Antipolio oral* (tipo Sabin).
■ La tercera dosis de las vacunas contra *la difteria, el tétanos, la tos ferina, hepatitis B y un tipo de meningitis* (*Haemophilus influenzae* tipo B). Las siguientes vacunas se ponen a los 15 meses.

ROPA

No abriguéis demasiado al niño y no le pongáis camisetas de lana en contacto con la piel. Usad camisetas de algodón.

Fiebre

A partir de ahora, ¡quién sabe cuántas veces tendrá fiebre el niño! Por eso es importante que sepáis cómo debéis actuar exactamente.

▶ *¿Qué hacer?*

■ Cuando el niño tiene fiebre, se le debe desabrigar para que pierda mejor el calor. En invierno, dejadle sólo con el pijama y, en verano, con una camiseta de verano. Quitadle también alguna manta.

■ Si come menos o no quiere comer, no insistáis. Al igual que los adultos, cuando "se encuentran mal" se les quita el apetito.

■ Ofrecedle el biberón con agua de vez en cuando, ya que cuando el niño tiene fiebre ha de beber más.

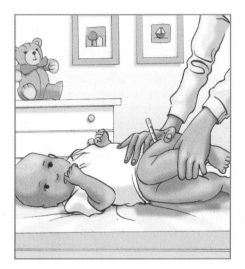

Ésta es la forma correcta de tomar la temperatura a un lactante: se pone al niño de lado y se le pone el termómetro en la ingle, que se inmoviliza durante el tiempo necesario para que "suba" el termómetro sujetándole con una mano la cadera y con otra el muslo. Es preferible usar termómetros de mercurio ya que los electrónicos (incluidos los que se introducen en la oreja para medir la temperatura) son muy sensibles y, en ocasiones, dan una temperatura superior a la real, por ejemplo cuando el niño está sudando porque está demasiado abrigado.

▶ *¿Cómo tomar la temperatura?*

■ Tomádsela en la ingle.

■ No se la toméis en el recto, ya que puede ocasionar traumas en el ano y el resultado puede verse alterado por las condiciones de la piel y de la mucosa de alrededor.

■ No le toméis la temperatura sin quitarle los pañales.

■ Antes de ponerle el termómetro en la ingle, conviene quitarle los pañales y esperar unos minutos para que se pierda el exceso de calor que producen los pañales de plástico.

■ Usad siempre termómetros que "midan la temperatura" (en otras palabras, que alcancen la temperatura máxima) en el menor tiempo posible. Los minutos que tardan en alcanzarla vienen indicados en la caja y en el propio termómetro. Es mejor utilizar los termómetros de mercurio que los electrónicos. Para evitar posibles errores, acordaos de bajar la columna de mercurio antes de utilizar el termómetro.

■ No pongáis al niño bolsas de hielo porque no vale de nada y es otro "suplicio" inútil.

Para transportar al niño

Cuando el niño tiene fiebre, puede ir en coche sin ningún problema, por ejemplo, hasta casa de vuestros padres, si no tenéis más remedio que ir a trabajar. En invierno no tenéis más que envolverlo en una manta. De la misma manera, si estáis fuera de casa cuando os dais cuenta de que el niño tiene fiebre, volved a casa como lo hacéis normalmente. No es que el coche sea el mejor remedio para la fiebre ni mucho menos, pero no merece la pena alterar la vida familiar por ese motivo.

Fármacos

▶ Cuando la temperatura supera los 38 ºC, se le puede suministrar un fármaco antipirético para aliviar los síntomas de la fiebre.

▶ El más indicado es el *paracetamol*, que se vende en farmacias sin receta.

▶ Los que más se usan son *Termalgin, Febrectal, Apiretal* y *Dolostop*.

En adelante, debéis tenerlos siempre en casa y llevarlos con vosotros cuando os vayáis de vacaciones.

Lo más recomendable es dárselos por vía oral (a estas edades, en gotas), pero si el niño los rechaza, se pueden usar los supositorios (por ahora, de 125 mg).

Tras una primera administración, si la fiebre no baja de los 38 ºC, se puede suministrar de nuevo cada 6 horas. Este límite de 6 horas es el intervalo mínimo para darle de nuevo el fármaco al niño si sigue teniendo fiebre.

No le deis más fármacos si no es estrictamente necesario.

Si el niño tiene diarrea, no le pongáis supositorios.

El *paracetamol* es un fármaco muy activo también contra el dolor, por lo que se puede utilizar, siempre cada 6 horas como mínimo, aunque el niño no tenga fiebre, si llora desconsoladamente y sospecháis que quiere deciros que le duele algo.

Dosis según la forma de administración

▶ *Gotas:* para calcular la dosis que le debéis dar cada vez, multiplicad por 3 el peso del niño expresado en kilos. El resultado es el número de gotas que debéis darle.

Veamos un ejemplo: si el niño pesa 6 kg, multiplicáis 6 x 3 y os da 18, que son las gotas que debe tomar el niño cada vez. Si el peso en kilos no es exacto y está fraccionado en hectogramos, a las gotas que corresponden por los kilos debéis añadir una por cada 350 g. Así, si partimos del ejemplo anterior y el niño pesa 6,7 kg, le deberéis dar 20 gotas.

▶ *Supositorios:* hasta que cumpla un año de edad, los supositorios que debéis ponerle son los de 125 g y, como siempre, uno cada 6 horas.

Se considera fiebre la temperatura superior a 37,5 ºC si se toma en la axila, y a 38 ºC si se toma en el recto.

▶ No olvidéis que...

■ Ahora que el niño sabe darse la vuelta, no debéis dejarlo solo sobre el vestidor o tendido en otras superficies en alto, ya que podría girar sobre sí mismo, acercarse al borde y caer.

■ Para evitar que el niño escupa el puré que le habéis preparado al no poder tragarlo bien, tened mucho cuidado de que no tenga grumos.

■ Los padres, y en especial las madres, debéis tener especial cuidado de no caer en una de las trampas que puede presentar la alimentación del niño: si no quiere comer, si rechaza un alimento después de haber seguido las indicaciones que os hemos dado, no le obliguéis a tomarlo. El hecho de que no le guste ese alimento (imaginaos cómo reaccionaría un adulto al que le obligasen a comer algo contra su voluntad), puede convertirse además en un pulso entre madre e hijo. El niño come si quiere premiar a su madre y, en cambio, rechaza el alimento cuando desea castigarla de alguna forma. Por esa razón es conveniente que la madre finja que no le "importa" que el niño no coma. La mejor recomendación es no insistir con un alimento y dejar que coma menos o que no coma en una comida. Ya comerá más en la siguiente.

■ Es importante que no caigáis en la trampa los padres de niños prematuros, niños que han tenido un peso bajo al nacer, niños que en los primeros meses han vomitado con frecuencia, niños que han tenido problemas intestinales o niños que van algo retrasados en lo que respecta al desarrollo psicomotor. Somos conscientes de que es muy probable que caigáis en la tentación de obligar al niño a que coma.

CITAS IMPORTANTES

Visita al pediatra

La siguiente revisión "oficial" se hace a los 9 ó 10 meses.
Tenemos cita para el día ....
y tiene lugar el día ....

Duodécima etapa:

7 A 8 MESES

Una vez que ha cumplido 7 meses

DESARROLLO PSICOMOTOR

Movimientos

▶ Consigue permanecer sentado (sin apoyarse en los brazos), pero sigue manteniendo la espalda ligeramente encorvada.

Ahora que sabe estar sentado piensa: "Qué bien, sé estar sentado yo solito y tengo a mamá siempre a la vista". Como no necesita estar apoyado en nada, puede jugar donde quiera y, otra ventaja, puede tener objetos en las manos. Por ejemplo, puede agarrar un cubo con los dedos pulgar y meñique (pinza inferior). La conquista de la autonomía no acaba aquí, ya que es capaz de coordinar los movimientos de los brazos y las piernas para arrastrarse hacia atrás: un paso más hacia la conquista del entorno.

▶ El niño puede separar una mano del suelo para coger un cubo. El niño pasa un cubo de una mano a otra y los golpea violentamente entre sí o en el suelo.

▶ El niño adquiere el relajamiento voluntario del objeto: es un relajamiento global e impreciso.

▶ Cuando está de pie, logra sostener todo el peso del cuerpo con las extremidades inferiores y da pequeños saltitos, como si rebotase.

▶ Empujándose con las extremidades y arrastrando el cuerpo, consigue moverse, aunque muy poco.

Lenguaje

▶ Emite cuatro sonidos distintos.

Aprendizaje

▶ Es consciente de que al hacer determinados movimientos provoca una reacción en torno a él.

De un niño a otro, se dan grandes variaciones en cuanto al desarrollo psicomotor, de modo que no os preocupéis si vuestro hijo va algo "atrasado" con respecto a los logros que hemos enumerado hasta ahora y sigue comportándose como indicábamos en la etapa anterior. Si el retraso es superior, lo mejor es hablar con el pediatra.

AUMENTO DE PESO

Si, al pesarlo, el niño no se está quieto en el plato de la báscula, el peso real será aquél en el que la barra de la báscula se mueve con oscilaciones más o menos iguales con respecto al punto en el que se detendría para indicar el peso exacto (véase la página 81).

Si tenéis dificultades para pesar al niño o no conseguís pesarlo porque no deja de moverse en el plato de la báscula, probad a ponerlo sentado. Si aun así no hay manera, coged al niño en brazos y pesaos con él.

Luego, pesaos vosotros sin el niño y al hacer la resta de los dos valores obtendréis una buena aproximación del peso de vuestro hijo.

▶ *A los siete meses, es "normal" que vuestro hijo pese:*
■ varones: entre 6,8 y 10,4 kg
■ niñas: entre 6,2 y 9,8 kg
Estos valores no son aplicables a los niños que al nacer hayan pesado menos de 2,5 kg, si son varones, y menos de 2,3 kg, si son niñas.
Mi hijo pesa .... kg.
¿Está dentro de lo normal? Sí ❑ No ❑

Para que la valoración sea más precisa, tened en cuenta el peso del niño al nacer y consultad los gráficos de los percentiles y las instrucciones que encontraréis en la página 269.

▶ Debe ganar alrededor de 15-20 gramos al día, 100 gramos a la semana, 400-500 gramos al mes.

■ Si en dos semanas el bebé no gana más de 70 gramos de peso, comunicádselo al pediatra.

▶ *Por ahora, el aumento de peso refleja mejor que la talla el crecimiento del niño.*

TALLA

▶ *Al cabo de siete meses, es "normal" que vuestro hijo mida:*
■ varones: entre 65 y 74 cm
■ niñas: entre 63 y 71 cm
Importante: si "no os salen las cuentas", volved a medir al bebé con cuidado de que no tenga las piernas flexionadas o encogidas.
▶ Debería haber crecido unos 18 cm, por lo que:
Si al nacer medía .... cm + 18 cm =
ahora debería medir......................... cm
Y mi hijo mide .... cm.
¿Está dentro de lo normal? Sí ❏ No ❏

PELO

Empieza a crecerle de nuevo el pelo que, a diferencia del que presentaba al nacer, tendrá un ciclo de vida igual al de los adultos. Comienza a crecer por la parte de la frente, después por los lados y luego por la parte de detrás de la cabeza.

PERÍMETRO CRANEAL

▶ *El perímetro craneal medio es de:*
■ varones: 45 cm, pero es "normal" si está entre 42,5 cm y 47 cm
■ niñas: 43,5 cm, pero es "normal" si está entre 41,5 cm y 45,5 cm
El perímetro craneal de vuestro hijo es de .... cm.
¿Está dentro de lo normal? Sí ❏ No ❏
Para medir el perímetro del cráneo se puede utilizar un metro de costura.

DENTICIÓN

Pueden empezar a salirle *los incisivos centrales inferiores, los incisivos centrales superiores* y *los incisivos laterales superiores.*

El orden normal de erupción en la dentición temporal es: *incisivos centrales inferiores, incisivos centrales superiores, incisivos laterales superiores e incisivos laterales inferiores, seguidos por los primeros molares.*

Aunque no hayan asomado todavía los primeros dientes, si queréis estar seguros de que el proceso de osificación va por buen camino, basta con que vayáis controlando *las dimensiones del perímetro craneal* (véase el apartado al respecto). Si están dentro de los valores normales, significa que todo va bien, independientemente de que le hayan salido o no los dientes. De modo que, todo va bien aunque:
■ no le haya salido todavía ningún diente, siempre que el perímetro craneal esté entre los valores indicados.
■ no le salgan en el orden habitual.

SUEÑO

▶ *¿Cuánto duerme al día?*

■ 14 horas, que normalmente se reparten de la siguiente manera: 1-2 horas por la mañana; 2 horas por la tarde; y 10-12 horas por la noche.

DATOS Y CONSEJOS ÚTILES

ALIMENTACIÓN

En esta etapa podemos empezar a introducir la carne en el puré de verduras. Comenzamos con pollo sin piel. Cantidad: unos 50 g al día. Lo cocemos con el resto de las verduras y posteriormente lo pasaremos por la batidora. En un par de semanas, y si no ha habido ningún problema de intolerancia con el pollo, probaremos con ternera, conejo y gallina en la misma cantidad.

De momento, no introduciremos ni cordero, ni cerdo, ni vísceras.

A los 7 meses, vuestro hijo hace 4 tomas que se distribuyen de la siguiente manera:

DESAYUNO: pecho y/o leche materna tipo 2 con cereales sin gluten.

COMIDA: puré de verduras con carne.

MERIENDA: papilla de frutas.

CENA: pecho y/o leche maternizada tipo 2 con cereales sin gluten.

▶ *El niño tiene hambre si:*

■ cuando está sentado en la trona, bien se echa hacia delante, hacia su madre, o abre la boca.

▶ *En cambio, está lleno si:*

■ gira la cabeza de un lado a otro para evitar que le metáis la cuchara en la boca, o bien se aleja, echándose hacia atrás, hacia el respaldo de la silla.

Para evitar que el niño escupa la papilla que le habéis preparado al no poder tragarla bien, tened mucho cuidado de que no tenga grumos.

IRRITACIONES

▶ *Véase la etapa número 11 (página 151).*

PARQUE Y ANDADOR

En el parque puede ser que el niño se sienta "enjaulado". Puede que le guste más estar sobre una mantita en el suelo con sus juguetes preferidos a mano.

NO El andador: no es aconsejable porque el niño, en vez de habituarse a andar, aprenderá a "empujar" el andador. Se acostumbrará a echar hacia delante el abdomen y a andar con la punta de los pies. Es una mala costumbre que luego es difícil de quitar cuando el niño ha aprendido a caminar y "anda de puntillas".

FÁRMACOS

▶ El bebé puede tomar g*otas polivitamínicas y comprimidos de flúor* que prevengan la caries dental, conforme a las instrucciones de vuestro pediatra.

FIEBRE

Tomársela en la ingle como se ha expuesto previamente.

► Hasta los 37,5 ºC no se puede considerar fiebre, así que no hagáis nada.

► Entre 37,5 y 38 ºC se considera febrícula.

► A partir de los 38 ºC, dadle *paracetamol*. Para ver las dosis, consultad la etapa número 11, página 154.

► Cuando el niño tenga fiebre, desabrigadlo un poco y quitad alguna de las mantas de la cama. Cuando tenga más de 39 ºC de fiebre, dejadlo vestido sólo con una prenda en el tronco, además de los pañales, como por ejemplo un body -por supuesto, de algodón-, o sólo con el pañal.

HECES

Ahora que el niño ha empezado a tomar más alimentos, es probable que sus heces tengan un olor y un color parecido a las de los niños más mayores.

Diarrea

Cuando las heces del niño sean *semilíquidas o líquidas*:

SÍ Podéis diluir las tomas de leche (1 cacito por cada 40 cc de agua, por ejemplo).

SÍ Utilizad crema de arroz en lugar de sus cereales sin gluten habituales. En la comida no le deis verduras, haced un puré solo de patata y zanahoria. En la merienda, preparadle la papilla de frutas sólo con manzana y plátano (no echéis zumo de naranja ni pera).

SÍ Haced que beba mucho, agua o mejor suero glucohiposalino (se vende en farmacias y se prepara echando un sobre de suero en 1 litro de agua mineral).

NO No le deis medicinas por iniciativa propia, siguiendo el consejo de alguna amiga.

SÍ Avisad a vuestro pediatra.

Si las heces son duras

Reducid el uso de arroz, patata, zanahoria, manzana y plátano. Utilizad sobre todo verduras, naranja y pera. Ofrecedle agua y zumo de naranja.

NO No deis laxantes al niño, a menos que se los haya recetado el pediatra (se corre el riesgo de que el niño se habitúe al fármaco de tal manera que luego sólo pueda evacuar con ayuda externa).

SÍ Por iniciativa propia, podéis recurrir a *los supositorios de glicerina para lactantes* cuando el bebé lleve más de tres días sin hacer "caca".

OJOS

El color de los ojos es ya el definitivo.

Si el niño "bizquea"

A estas alturas, el niño debería haber dejado de "bizquear". Si continúa haciéndolo, observadlo con atención, porque si no remite en un mes debéis llevar al niño al oculista.

Si el niño tiene muchas legañas

▶ *Consúltese la etapa número 7 (página 107).*

OREJAS

Las orejas de los niños son especialmente delicadas. No se las limpiéis por dentro. Se limpian solas y, además, al lavarlas con agua se favorece la formación de tapones de cerumen en los oídos.

PIEL ROJA Y ÁSPERA

▶ *Si está localizada:*
■ en la cara, en especial *en los pómulos, en la frente y en la barbilla*, mientras, en cambio, la piel de la nariz y del contorno de la boca (es decir, de la parte central de la cara) está bien, o
■ en la parte lateral de las extremidades superiores e inferiores, se trata de *dermatitis atópica*, también llamada *eccema*, y debéis avisar al pediatra.

PIES Y DEFECTOS AL ANDAR

Hasta los dos años y medio, se debe dar tiempo al niño a que aprenda a caminar. Sólo a partir de esa edad se empezarán a corregir los posibles defectos.

HIPO

Para que se le pase, dadle unas cucharaditas de agua sin gas.

TOS

Cuando el niño tenga un ataque de tos, no os preocupéis.

Si "respira mal", contad el número de aspiraciones y mirad si tiene depresiones entre costilla y costilla, tal y como se indica en el apartado "Respira mal" de la página 44. Si tiene depresiones entre las costillas y presenta más de 40 aspiraciones por minuto, avisad enseguida al pediatra o llevad al niño a Urgencias.

Si el bebé tiene tos a menudo, llevadlo a que lo vea el pediatra.

VACUNAS

Las siguientes vacunas se ponen a los 15 meses de vida.

COSAS QUE DEBÉIS APRENDER A HACER

Para que el pediatra le "mire" la garganta

▶ Sostened al niño en la posición que aparece en el dibujo de la página siguiente.

Ésta es la posición para que el médico pueda mirarle la garganta al niño sin problemas. El padre soporta el peso del niño con el antebrazo derecho y lo inmoviliza con el izquierdo. El pediatra se coloca frente a una fuente de luz (una ventana o una lámpara lo suficientemente potente) que ilumine convenientemente la garganta, con lo que evita tener que utilizar una de esas linternas de bolsillo que asustan tanto a los niños al no saber si les va a causar dolor.

► No olvidéis que...

► Ahora que el niño sabe darse la vuelta, no debéis dejarlo solo sobre el vestidor o tendido en otras superficies en alto, ya que podría girar sobre sí mismo, acercarse al borde y caer.

► El niño debe dejar de comer cuando está lleno. ¿Y cómo se sabe si sigue teniendo hambre o si, al contrario, está lleno? La respuesta es sencilla: tiene hambre si, cuando está sentado en la trona, bien se echa hacia delante, hacia su madre, o abre la boca. En cambio, está lleno si gira la cabeza de un lado a otro para evitar que le metáis la cuchara en la boca, o bien se aleja, echándose hacia atrás, hacia el respaldo de la silla.

► No le limpiéis las orejas por dentro. Se limpian solas y, además, al lavarlas con agua se favorece la formación de tapones de cerumen en los oídos.

CITAS IMPORTANTES

Visita al pediatra

Al cabo de siete meses, se debe llevar al niño al pediatra. La siguiente revisión es a los 9 ó 10 meses.

Tenemos cita para el día ....
y tiene lugar el día ....

8 A 9 MESES

Una vez que ha cumplido 8 meses

DESARROLLO PSICOMOTOR

Movimientos

- ▶ En posición dorsal puede sentarse.
- ▶ Se mantiene sentado con la espalda recta.
- ▶ Se sienta solo.

En cuanto el niño puede mantenerse solo de pie, piensa: "¡Ahora entiendo por qué papá y mamá son así de grandes!". Sin embargo, también empiezan las primeras preocupaciones: el niño viendo el mundo desde lo alto tiene conciencia del espacio vertical y siente miedo a las alturas; sus padres jamás deben buscar la forma de hacerle "vencer el miedo" a la fuerza. Todo se resolverá espontáneamente a medida que vaya creciendo.

▶ Cuando está boca arriba, se puede poner boca abajo.
▶ Se mueve andando a gatas, apoyándose en los codos. Para ello, flexiona el brazo y el antebrazo.
▶ El dedo índice empieza a participar en la prensión.
▶ Empieza a querer masticar, aunque todavía no tenga dientes.

Relación con el entorno

▶ Los desconocidos le dan miedo.
▶ Busca un objeto fuera de su vista.
▶ Juega a tirar los objetos.
▶ Si el niño tiene 2 cubos en las manos y se le presenta un tercero, puede dejar un cubo para coger el último.

El miedo a los desconocidos

Al ver que se acerca un desconocido, el niño arruga la cara, mira a su madre y al desconocido y al cabo de unos veinte segundos, se echa a llorar.

Es normal que el niño llore al ver a un desconocido, y esto se puede aplicar también a los abuelos, que conocen muy bien a su nieto, le quieren muchísimo y le dan grandes muestras de afecto, pero que, para el pequeño, son desconocidos. De todas formas, el miedo se atenúa si el desconocido se aproxima despacio, llama al niño, le habla con dulzura y, una vez superado el primer impacto, juega con él evitando hacer movimientos bruscos y siendo muy dulce. Si no tiene puesto el chupete, no es mala idea ofrecérselo, puesto que es una forma estupenda de "romper el hielo" y hacerse "amigos".

Si, en cambio, una persona se acerca rápidamente al niño, le habla en voz alta y lo coge en brazos de forma brusca, sin darle tiempo a que vea siquiera si se trata de un desconocido o a que lo reconozca si no lo es, es muy probable que el niño se eche a llorar.

Lenguaje

▶ Emite casi siempre la misma sílaba -un sonido formado por una consonante y una vocal-, pero sin darle un significado concreto.
▶ Surge el fenómeno de la ecolalia, que es una especie de diálogo entre el niño y otra persona, normalmente su padre o su madre. A las palabras del adulto, el niño responde con una melodía continua y homogénea.

Aprendizaje

▶ Sigue interesándose por los objetos que tiene a su alrededor.

Empieza a entender las diferencias entre medio y fin. Cuando quiere obtener un resultado determinado (fin), hace algunas cosas (usa un medio). Manipula de forma intencionada los objetos y, si es necesario, repite varias veces el mismo movimiento, por ejemplo, tira de la manta de la camita para taparse.

De un niño a otro, se dan grandes variaciones en cuanto al desarrollo psicomotor, de modo que no os preocupéis si vuestro hijo va algo "atrasado" con respecto a los logros que hemos enumera-

do hasta ahora y sigue comportándose como indicábamos en la etapa anterior. Si el retraso es superior, lo mejor es hablar con el pediatra.

AUMENTO DE PESO

Si, al pesarlo, el niño no se está quieto en el plato de la báscula, el peso real será aquél en el que la barra de la báscula (la que se detiene cuando el cursor marca el peso exacto) se mueve con oscilaciones más o menos iguales con respecto al punto en el que se detendría para indicar el peso exacto (véase la página 81).

Si tenéis dificultades para pesar al niño o no conseguís pesarlo porque no deja de moverse en el plato de la báscula, probad a ponerlo sentado.

Si aun así no hay manera, coged al niño en brazos y pesaos con él. Luego, pesaos vosotros sin el niño y al hacer la resta de los dos valores obtendréis una buena aproximación del peso de vuestro hijo.

► *A los 8 meses, es "normal" que vuestro hijo pese:*
■ varones: entre 7,2 y 10,9 kg
■ niñas: entre 6,6 y 10,3 kg

Estos valores no son aplicables a los niños que al nacer hayan pesado menos de 2,5 kg, si son varones, y menos de 2,3 kg, si son niñas.

Mi hijo pesa .... kg.

¿Está dentro de lo normal? Sí ❑ No ❑

Para que la valoración sea más precisa, tened en cuenta el peso del niño al nacer y consultad los gráficos de los percentiles y las instrucciones que encontraréis en la página 269.

► Debe ganar alrededor de 15-20 gramos al día, 100 gramos a la semana, 400-500 gramos al mes.

■ Si en dos semanas el bebé no gana más de 70 gramos de peso, comunicádselo al pediatra.

► *Por ahora, el aumento de peso refleja mejor que la talla el crecimiento del niño.*

TALLA

► *A los ocho meses, es "normal" que vuestro hijo mida:*
■ varones: entre 65 y 74 cm
■ niñas: entre 64 y 72,5 cm

Importante: si "no os salen las cuentas", volved a medir al bebé con cuidado de que no tenga las piernas flexionadas o encogidas.

► Debería haber crecido unos 19-20 cm, por lo que:

Si al nacer medía .... cm + 19-20 cm =

ahora debería medir .... cm

Y mi hijo mide .... cm.

¿Está dentro de lo normal? Sí ❑ No ❑

PELO

Empieza a crecerle de nuevo el pelo que, a diferencia del que presentaba al nacer, tendrá un ciclo de vida igual al de los adultos. Comienza a crecer

Cuerpo y salud

Los 1000 primeros días de tu bebé

por la parte de la frente, después por los lados y luego por la parte de detrás de la cabeza.

PERÍMETRO CRANEAL

▶ *El perímetro craneal medio es de:*
■ varones: 45,5 cm, pero es "normal" si está entre 43 cm y 47,7 cm
■ niñas: 44 cm, pero es "normal" si está entre 42 cm y 46 cm
El perímetro craneal de vuestro hijo es de .... cm.
¿Está dentro de lo normal? Sí ❏ No ❏
Para medir el perímetro del cráneo se puede utilizar un metro de costura.

DENTICIÓN

Pueden empezar a salirle *los incisivos centrales inferiores, los incisivos centrales superiores y los incisivos laterales superiores.*

El orden normal de erupción en la dentición temporal es: *incisivos centrales inferiores, incisivos centrales superiores, incisivos laterales superiores e incisivos laterales inferiores, seguidos por los primeros molares.*

Aunque no hayan asomado todavía los primeros dientes, si queréis estar seguros de que el proceso de osificación va por buen camino, basta con que vayáis controlando *las dimensiones del perímetro craneal* (véase el apartado al respecto en esta misma página). Si están dentro de los valores normales, significa que todo va bien, independientemente de que le hayan salido o no los dientes. De modo que, todo va bien aunque:
■ no le haya salido todavía ningún diente, siempre que el perímetro craneal esté entre los valores indicados o,
■ no le salgan en el orden habitual.

SUEÑO

▶ *¿Cuánto duerme al día?*
■ 14 horas.

DATOS Y CONSEJOS ÚTILES

Cuando tengáis puesta la calefacción, mantened siempre húmedo el ambiente. Para ello, colocad dos toallas de felpa mojadas encima del radiador o utilizad un vaporizador eléctrico.

ALIMENTACIÓN

▶ *El niño tiene hambre si:*
■ cuando está sentado en la trona, bien se echa hacia delante, hacia su madre, o abre la boca.
▶ *En cambio, está lleno si:*
■ gira la cabeza de un lado a otro para evitar que le metáis la cuchara en la boca, o bien se aleja, echándose hacia atrás, hacia el respaldo de la silla.

A los 8 meses y medio podemos empezar a darle a nuestro bebé cereales con gluten. Se administran en las mismas tomas y se preparan de igual forma que los cereales sin gluten. A ser posible, evitad los que contengan miel o cacao ya que los alimentos dulces pueden favorecer la aparición de caries.

En la papilla de fruta podéis añadir 1 ó 2 galletas y también le podéis ofrecer alguna corteza de pan para que la mastique.

Si come poco

¡No caigáis en la trampa!

Ahora que el niño ha alcanzado algunos de los logros más importantes del desarrollo psicomotor y tiene más autonomía, consigue mantenerse sentado y puede usar las manos, tiene la tentación de comer solo.

En este período, puede que coma menos por diversas razones:

■ Se interesa más por lo que ve a su alrededor y por todo lo que puede hacer que por la comida.

■ De todos es sabido que los niños son animales de costumbres, por lo que es probable que coma menos debido a todos los cambios relacionados con la alimentación, como la introducción de alimentos nuevos o la seguridad con la que se mantiene sentado.

■ Puede que quiera comer solo y por eso no acepta con el mismo entusiasmo la comida cuando se la dan.

Las razones que acabamos de apuntar pueden llevarle a comer menos, porque es el único modo que tiene para expresar su disgusto y decir que quiere hacer las cosas de otro modo, a su manera.

Lo normal es que durante el segundo semestre de vida los niños inteligentes, extrovertidos y vivaces coman algo menos.

▶ *Queridas mamás, no dejéis que el niño se dé cuenta de que os preocupa que no coma, ya que, de lo contrario, estaréis entrando en su juego.*

Cuando notéis que el niño empieza a comer algo menos con respecto a las semanas anteriores, conviene:

■ darle aquellos alimentos que más le gustan.

■ darle de comer siempre en casa y con las mismas cosas que antes (en el mismo sitio, con los mismos platos...).

■ que sea siempre su madre o la persona que le da de comer habitualmente quien le dé de comer.

Cómo saber cuánta comida ha de tomar

Es importante que la madre calcule bien la cantidad de comida que debe tomar el niño. Debo insistir en que suele ser menos de la que tendemos a pensar. Para saber si el niño come lo suficiente, no tenéis más que ir controlando el peso que gana en el transcurso de un mes (véase el apartado "Aumento de peso"). *Si el aumento se corresponde con el valor indicado, es que come lo suficiente.*

De todas maneras, a esta edad, los niños saben la cantidad de comida que necesitan, de modo que preparad bastante y, al primer indicio de que está lleno, "dejad" que deje de comer.

Cuerpo y salud

Los 1000 primeros días de tu bebé

IRRITACIONES

En la zona de los pañales

Cuando notéis que tiene irritada la zona que normalmente está cubierta por los pañales de plástico, por pequeña o leve que sea la irritación, consultad la etapa número 3 (página 41).

PARQUE Y ANDADOR

Puede que en el parque el niño se sienta "enjaulado". Quizás prefiera estar sobre una mantita en el suelo con sus juguetes preferidos a mano.

NO El andador: no es aconsejable porque el niño, en vez de habituarse a andar, aprenderá a "empujar" el andador. Se acostumbrará a echar hacia delante el abdomen y a andar con la punta de los pies. Es una mala costumbre que luego es difícil de quitar.

FÁRMACOS

▶ El bebé puede tomar *gotas polivitamínicas y comprimidos de flúor* que prevengan la caries dental, conforme a las instrucciones de vuestro pediatra.

FIEBRE

Tomádsela en la ingle como se ha expuesto previamente.

▶ Hasta los 37,5 ºC no se puede considerar fiebre, así que no hagáis nada.

▶ Entre 37,5 y 38 ºC se considera febrícula.

▶ A partir de los 38 ºC, dadle *paracetamol*. Para ver las dosis, consultad la etapa número 11, página 154.

▶ Cuando el niño tenga fiebre, desabrigadlo un poco y quitad alguna de las mantas de la cama. Cuando tenga más de 39 ºC de fiebre, dejadlo vestido sólo con una prenda en el tronco, además de los pañales, como por ejemplo un body -por supuesto, de algodón-, o sólo con el pañal.

HECES

Diarrea

Cuando las heces del niño sean *semilíquidas o líquidas:*

SÍ Podéis diluir las tomas de leche (un cacito por cada 40 cc de agua).

SÍ Utilizar crema de arroz en lugar de sus cereales habituales. En la comida no le deis verduras, haced un puré sólo de patata, zanahoria y pollo. En la merienda, preparar la papilla de frutas sólo con manzana y plátano (no echéis ni zumo de naranja ni de pera).

SÍ Haced que beba mucha agua o mejor suero glucohiposalino (se vende en farmacias y se prepara echando un sobre de suero en 1 litro de agua mineral).

SÍ Dejad de darle leche y queso.

SÍ Haced que beba mucho, dándole aquellas bebidas que más le gusten.

NO No le deis medicinas por iniciativa propia, siguiendo el consejo de alguna amiga.

SÍ Avisad a vuestro pediatra.

Heces duras

Si las heces del niño son duras, aunque sólo sean un poco más duras de lo normal, y notáis que evacua con dificultad, dadle más frutas sobre todo pera, naranja, ciruela y kiwi (quitándole las pepitas del centro) y verduras, evitando el plátano, la manzana, las zanahorias y el arroz, además de reducir la cantidad de patatas. Conviene que el niño coma verdura y fruta todos los días, porque *es la mejor forma de prevenir el estreñimiento*. Ofrecedle también agua y zumos de naranja.

■ *No os preocupéis excesivamente acerca de cómo y cuándo defeca vuestro hijo* (ésta es la segunda regla de oro para prevenir el estreñimiento), y sólo cuando notéis que sus heces son más "duras" de lo normal, dadle la dieta previamente expuesta.

No deis laxantes al niño, a menos que se los haya recetado el pediatra (se corre el riesgo de que el niño se habitúe al fármaco de tal manera que luego sólo pueda evacuar con ayuda externa).

PIEL ROJA Y ÁSPERA

▶ *Si está localizada:*
■ en la cara, en especial *en los pómulos, en la frente y en la barbilla*, mientras, en cambio, la piel de la nariz y del contorno de la boca está bien, o
■ en la parte lateral de las extremidades superiores e inferiores, se trata de *dermatitis atópica*, también llamada *eccema*, y debéis avisar al pediatra.

LLANTO

▶ *Tiene miedo de perder a su madre*
No olvidéis que puede empezar a llorar al ver que su madre se va, o incluso al darse cuenta de que tiene intención de alejarse. Desde muy pequeños, los niños identifican y reconocen los gestos que hace su madre justo antes de marcharse.

▶ *Tiene miedo a los desconocidos*
Tal y como hemos explicado con anterioridad en el apartado "Relación con el entorno" de la etapa número 13 (página 166).

▶ *Llora cuando tiene una decepción*
Al empezar a explorar el entorno, se da cuenta de que es incapaz de hacer determinadas cosas o de que a veces no obtiene los resultados esperados.

▶ *Llora cuando la comida no le gusta*
Puede que el niño llore al tomar (sobre todo las primeras veces) purés, papillas o algún alimento en particular. Si el niño llora porque algo no le gusta, no le obliguéis a comerlo.

PIES Y DEFECTOS AL ANDAR

Hasta los dos años y medio, se debe dar tiempo al niño a que aprenda a caminar. A partir de esa edad se empezarán a corregir los posibles defectos.

Cuerpo y salud

Los 1000 primeros días de tu bebé

CALZADO

▶ *Ha llegado el momento de comprar los primeros zapatitos*
■ Pueden ser de cualquier tipo, siempre que le gusten.
■ Es mejor comprarlos en una zapatería infantil.
■ Cuanto más sencillos sean, mejor. Fijaos en que no tengan plantillas ortopédicas y en que el tacón tenga la misma forma que los de los zapatos para adultos.
■ No es aconsejable utilizar zapatos que hayan utilizado otros niños. Es una mala costumbre que está muy arraigada, es cierto. Así, además de "heredar" el calzado, el niño tiende a heredar también los defectos de la forma de andar del otro niño, defectos que son siempre personales y muy distintos de una persona a otra.
■ No debe calzarse al niño que no ande.
■ Los zapatos deben de ser cómodos desde el primer momento.
■ Las únicas partes que han de ser fuertes en el zapato del niño son la puntera (que además ha de ser ancha) y el contrafuerte del talón. El resto ha de ser muy flexible, sobre todo en la zona del antepie (a nivel de las articulaciones metatarso-falángicas). No se recomienda bota, pero si se prefiere, para abrigar más al niño, la caña de la bota ha de ser muy flexible o disponer de escotadura posterior para que permita una buena movilidad del tobillo. La distancia entre el extremo de los dedos y el final del zapato debe ser de 1 a 1,5 cm.

TOS

Cuando el niño tenga un ataque de tos, no os preocupéis.

Si "respira mal", contad el número de aspiraciones y mirad si tiene depresiones entre costilla y costilla, tal y como se indica en el apartado "Respira mal" de la página 44. Si tiene depresiones entre las costillas y presenta más de 40 aspiraciones por minuto, avisad enseguida al pediatra o llevad al niño a Urgencias. Si el bebé tiene tos a menudo, llevadlo al pediatra.

VACUNAS

Las siguientes vacunas se ponen a los 15 meses de vida.

▶ No olvidéis que...

■ Es normal que, al ver acercarse a alguien a quien no conoce, vuestro hijo se ponga a llorar y quiera que lo cojáis en brazos. Que no os dé vergüenza. El niño no reacciona así porque esa persona en especial le sea antipática, lo que pasa es que los niños de esta edad tienen miedo a los desconocidos. Es completamente normal.

CITAS IMPORTANTES

Visita al pediatra

Al cabo de ocho meses, se debe llevar al niño al pediatra. La revisión "oficial" se hace a los 9 ó 10 meses.
Tenemos cita para el día ....
y tiene lugar el día ....

9 A 10 MESES

Una vez que ha cumplido 9 meses

DESARROLLO PSICOMOTOR

Movimientos

▶ Va de un lado a otro a gatas con mucha más facilidad que el mes pasado, ya que en vez de ir arrastrando el abdomen, avanza con los brazos más estirados, más separado del suelo.

▶ Se pone de pie sosteniéndose en los muebles o en el parque, se mantiene unos instantes y cae.

En cuanto se puede apoyar en algo y está de pie solo, piensa: "Ahora entiendo por qué mamá y papá son tan grandes". Pero aparecen también los primeros quebraderos de cabeza, ya que el niño al ver el mundo desde arriba, toma conciencia del espacio vertical y tiene miedo a la altura. Vosotros, papás, no debéis intentar que "venza sus miedos" a la fuerza, porque al crecer todo se solucionará por sí solo.

- Pasa mucho tiempo sentado.
- Come galletas él solo.
- Sostiene el biberón.

Relación con el entorno

- Intenta repetir e imitar palabras o trozos de frases que dicen los familiares, pero sin entender su significado.
- Aprende a tender un objeto a sus padres.
- Prensión en pinza superior: el niño puede coger un objeto pequeño entre la base del pulgar y el índice. Explora con la punta de los dedos.

Lenguaje

Repite más las sílabas y sonidos idénticos. Además, va variando la entonación.
- Dice cosas como *"ma-ma"*, *"pa-pa"* o *"ta-ta"*. Los niños suelen usar dos de estos fonemas, pero sin atribuirles todavía un significado preciso.
- Intenta repetir los fonemas en el momento en que los oye.
- Entiende "no".
- Agita la mano en "adiós".

Aprendizaje

Aplica a situaciones nuevas los conocimientos que ha adquirido hasta ahora. Así, cuando tiene que hacer una cosa nueva, intenta recordar y aplicar todo aquello que ha aprendido.
- Todas las novedades llaman la atención del niño precisamente porque quiere "aprender" a hacer cosas nuevas.
- Busca nuevas experiencias.
- Explora el entorno.
- Juega a los "cinco lobitos".

De un niño a otro, se dan grandes variaciones en cuanto al desarrollo psicomotor, de modo que no os preocupéis si vuestro hijo va algo "atrasado" con respecto a los logros que hemos enumerado hasta ahora y sigue comportándose como indicábamos en la etapa anterior. Si el retraso es superior, lo mejor es hablar con el pediatra.

AUMENTO DE PESO

Si, al pesarlo, el niño no se está quieto en el plato de la báscula, el peso real será aquél en el que la barra de la báscula (la que se detiene cuando el cursor marca el peso exacto) se mueve con oscilaciones más o menos iguales (tanto hacia arriba como hacia abajo) con respecto al punto en el que se detendría para indicar el peso exacto (véase la página 81).

Si tenéis dificultades para pesar al niño o no conseguís pesarlo porque no deja de moverse en el plato de la báscula, probad a ponerlo sentado. Si aun así no hay manera, coged al niño en brazos y pesaos con él.

Luego, pesaos vosotros sin el niño y al hacer la resta de los dos valores obtendréis una buena aproximación del peso de vuestro hijo.

► *Al cabo de nueve meses, es "normal" que vuestro hijo pese:*
■ varones: entre 7,5 y 11,3 kg
■ niñas: entre 6,9 y 10,8 kg

Estos valores no son aplicables a los niños que al nacer hayan pesado menos de 2,5 kg, si son varones, y menos de 2,3 kg, si son niñas.

Mi hijo pesa .... kg.
¿Está dentro de lo normal? Sí ❏ No ❏

Para que la valoración sea más precisa, tened en cuenta el peso del niño al nacer y consultad los gráficos de los percentiles y las instrucciones que encontraréis en la página 269.

► Debe ganar alrededor de 15 gramos al día, 100 gramos a la semana, 400 gramos al mes.
■ Si en dos semanas el bebé no gana más de 50 gramos de peso, comunicádselo al pediatra.

► *Por ahora, el aumento de peso refleja mejor que la talla el crecimiento del niño.*

175

TALLA

► *Al cabo de nueve meses, es "normal" que vuestro hijo mida:*
■ varones: entre 66,5 y 75,5 cm
■ niñas: entre 65 y 74 cm

Importante: si "no os salen las cuentas", volved a medir al bebé con cuidado de que no tenga las piernas flexionadas o encogidas.

► Debería haber crecido unos 20-21 cm, por lo que:
Si al nacer medía .... cm + 20-21 cm =
ahora debería medir .... cm
Y mi hijo mide .... cm.
¿Está dentro de lo normal? Sí ❏ No ❏

ASPECTO

Seguro que pensáis que está para comérselo, así, tan "regordete". Se debe a que en este período el tejido subcutáneo (que es el responsable de la apariencia algo "hinchada" de la piel) alcanza su máximo desarrollo. De ahora en adelante, el niño empezará a ponerse más delgado y más "musculoso".

PERÍMETRO CRANEAL

► *El perímetro craneal medio es de:*
■ varones: 46 cm, pero es "normal" si está entre 40,5 cm y 48,1 cm
■ niñas: 44,8 cm, pero es "normal" si está entre 42,5 cm y 46,8 cm

El perímetro craneal de vuestro hijo es de .... cm.
¿Está dentro de lo normal? Sí ❏ No ❏
Para medir el perímetro del cráneo se puede utilizar un metro de costura.

Cuerpo y salud

Los 1000 primeros días de tu bebé

DENTICIÓN

Pueden empezar a salirle *los incisivos laterales superiores* y *los incisivos laterales inferiores.*

El orden normal de erupción en la dentición temporal es: *incisivos centrales inferiores, incisivos centrales superiores, incisivos laterales superiores e incisivos laterales inferiores, seguidos por los primeros molares.*

Aunque no hayan asomado todavía los primeros dientes, si queréis estar seguros de que el proceso de osificación va por buen camino, basta con que vayáis controlando *las dimensiones del perímetro craneal* (véase el apartado al respecto). Si están dentro de los valores normales, significa que todo va bien, independientemente de que le hayan salido o no los dientes. De modo que, todo va bien aunque:

■ no le haya salido todavía ningún diente, siempre que el perímetro craneal esté entre los valores indicados.

■ no le salgan en el orden habitual.

SUEÑO

▶ *¿Cuánto duerme al día?*
■ 14 horas.

DATOS Y CONSEJOS ÚTILES

ALIMENTACIÓN

En esta etapa podemos empezar a *alternar la carne con el pescado blanco* (lenguados, merluza, gallos, pescadilla) *en el puré de verduras* (cantidad: unos 50 g al día). Se prepara de la siguiente manera: se cuecen las verduras y, cuando esté a punto de terminar su cocción, se añade el pescado y se deja 5-7 minutos más. Posteriormente se pasa por la batidora. No echaremos sal. Nuestro hijo ya puede tomar un yogur natural sin azúcar que ofreceremos como postre después del puré de verduras o después de las frutas o mezclado con ellas.

IRRITACIONES

En la zona de los pañales

Cuando notéis que tiene irritada la zona que normalmente está cubierta por los pañales de plástico, por pequeña o leve que sea la irritación, consultad la etapa número 3 (página 41).

FÁRMACOS

▶ El bebé puede tomar *gotas polivitamínicas y comprimidos de flúor* que prevengan la caries dental, conforme a las instrucciones de vuestro pediatra.

FIEBRE

Tomársela en la ingle como se ha expuesto anteriormente.

▶ Hasta los 37,5 °C no se considera fiebre, así que no hagáis nada.

▶ Entre 37,5 y 38 °C, se considera febrícula.

▶ A partir de los 38 °C, dadle *paracetamol*. Para ver las dosis, consultad la etapa número 11, página 155.

▶ Cuando el niño tenga fiebre, desabrigadlo un poco y quitad alguna de las mantas de la cama. Cuando tenga más de 39 °C de fiebre, dejadlo vestido sólo con una prenda en el tronco, además de los pañales, como por ejemplo un body -por supuesto, de algodón-, o sólo con el pañal.

HECES

Diarrea

Cuando las heces del niño sean *semilíquidas* o *líquidas*:

SÍ Podéis diluir las tomas de leche (1 cacito por cada 40 cc de agua, por ejemplo).

SÍ Utilizar crema de arroz en lugar de sus cereales habituales. En la comida no les deis verduras, haced un puré solo de patatas, zanahoria, pollo o pescado blanco. En la merienda preparadle la papilla de frutas solo con manzana y plátano (no echéis zumo de naranja ni pera). También podéis darle yogur natural sin azúcar.

SÍ Haced que beba mucho, agua o mejor suero glucohiposalino (se vende en farmacias y se prepara echando 1 sobre de suero en 1 litro de agua mineral).

NO No le deis medicinas por iniciativa propia, siguiendo el consejo de alguna amiga.

SÍ Avisad a vuestro pediatra.

Heces duras

Si las heces del niño son duras, aunque sólo sean un poco más duras de lo normal, y notáis que evacua con dificultad, dadle más frutas (sobre todo pera, naranja, ciruela y kiwi -quitándole las pepitas del centro- y evitando el plátano, la manzana, la zanahoria y el arroz) y verduras (reduciendo la cantidad de patatas).

■ Tanto si está estreñido como para prevenir ese trastorno, es importante que beba mucho (es bueno para todo el organismo). Dadle agua y zumo de naranja.

■ Conviene que el niño coma verdura y fruta *todos los días*, porque *es la mejor forma de prevenir el estreñimiento*.

■ *No os preocupéis excesivamente acerca de cómo y cuándo defeca vuestro hijo* (ésta es la segunda regla de oro para prevenir el estreñimiento), y sólo cuando notéis que sus heces son más "duras" de lo normal, dadle la dieta previamente expuesta.

No deis laxantes al niño, a menos que se los haya recetado el pediatra (se corre el riesgo de que el niño se habitúe al fármaco de tal manera que luego sólo pueda evacuar con ayuda externa).

PIEL ROJA Y ÁSPERA

▶ *Si está localizada:*

■ en la cara, en especial *en los pómulos, en la frente y en la barbilla*, mientras, en cambio, la piel de la nariz y del contorno de la boca está bien, o

177

Cuerpo y salud

Los 1000 primeros días de tu bebé

■ en la parte lateral de las extremidades superiores e inferiores, se trata de *dermatitis atópica*, también llamada *eccema*, y debéis avisar al pediatra.

PIES Y DEFECTOS AL ANDAR

Hasta los dos años y medio, se debe dar tiempo al niño a que aprenda a caminar. Sólo a partir de esa edad se empezarán a corregir los posibles defectos.

TOS

Cuando el niño tenga un ataque de tos, no os preocupéis.

Si "respira mal", contad el número de aspiraciones y mirad si tiene depresiones entre costilla y costilla, tal y como se indica en el apartado "Respira mal" de la página 44. Si tiene depresiones entre las costillas y presenta más de 40 aspiraciones por minuto, avisad enseguida al pediatra o llevad al niño a Urgencias.

VACUNAS

Las siguientes vacunas se ponen a los 15 meses de vida.

CITAS IMPORTANTES

Visita al pediatra

A los nueve meses, se debe llevar al niño al pediatra.
Tenemos cita para el día ....
y tiene lugar el día ....

Decimoquinta etapa:
10 A 11 MESES
Una vez que ha cumplido 10 meses

DESARROLLO PSICOMOTOR

Movimientos

► Se pone de pie solo, agarrándose en los muebles (hace algunos pasos y cae con frecuencia).

La conquista más llamativa de este mes es la de ponerse en pie sin ayuda, que es el último "paso" antes de aprender a andar. Pero hará otros progresos también muy importantes: empieza a usar más una de las manos y descubriréis si es zurdo o diestro, ya que con una mano sostendrá los objetos y con la otra los manipulará. Otra pista para averiguarlo, ahora que empieza a señalar con el índice, es ver qué mano utiliza más.

► Se pasa sentado con la espalda recta todo el tiempo que quiere.

► Usa principalmente la mano derecha, o la izquierda, si es zurdo.

► La pinza superior es más fina: coge el objeto entre la parte digital del pulgar y el índice.

Relación con el entorno

► Señala los objetos con el dedo índice.

► Intenta recoger los objetos que se le caen.

► Si alguien intenta quitarle un objeto, relaja la presión de las manos y se lo da.

► Da palmas con las manitas.

► Dice "adiós" con la mano, pero imitando a quienes se lo hacen.

► Juega a hacer "cucú".

► Responde al oír su nombre.

► Expresa sus sentimientos por medio de los movimientos de la cara (mímica facial): miedo, ira, afecto...

Lenguaje

► Atribuye un significado a las sílabas (una consonante unida a una vocal) que pronuncia: por ejemplo, *"da-da"* significa "dame", y lo dice cuando quiere pedir u obtener algo; *"ma-ma"* significa "mira", y lo dice cuando quiere indicar algo, etc.

► Pronuncia una palabra compuesta.

Aprendizaje

► Para llevar a cabo una acción, empieza a realizar varios movimientos y operaciones, eligiendo unas y otras y coordinándolas.

De un niño a otro, se dan grandes variaciones en cuanto al desarrollo psicomotor, de modo que no os preocupéis si vuestro hijo va algo "atrasado" con respecto a los logros que hemos enumerado hasta ahora y sigue comportándose como indicábamos en la etapa anterior. Si el retraso es superior, lo mejor es hablar con el pediatra.

AUMENTO DE PESO

Si, al pesarlo, el niño no se está quieto en el plato de la báscula, el peso real será aquél en el que la barra de la báscula (la que se detiene cuando el cursor marca el peso exacto) se mueve con oscilaciones más o menos iguales (tanto hacia arriba como hacia abajo) con respecto al punto en el que se detendría para indicar el peso exacto (véase la página 81).

Si tenéis dificultades para pesar al niño o no conseguís pesarlo porque no deja de moverse en el plato de la báscula, probad a ponerlo sentado.

Si aun así no hay manera, coged al niño en brazos y pesaos con él.

Luego, pesaos vosotros sin el niño y al hacer la resta de los dos valores obtendréis una buena aproximación del peso de vuestro hijo.

▶ *A los diez meses, es "normal" que vuestro hijo pese:*
■ varones: entre 7,8 y 11,7 kg
■ niñas: entre 7,2 y 11,2 kg

Estos valores no son aplicables a los niños que al nacer hayan pesado menos de 2,5 kg, si son varones, y menos de 2,3 kg, si son niñas.
Mi hijo pesa .... kg.
¿Está dentro de lo normal? Sí ❏ No ❏

Para que la valoración sea más precisa, tened en cuenta el peso del niño al nacer y consultad los gráficos de los percentiles y las instrucciones que encontraréis en la página 269.

▶ Debe ganar alrededor de 15 gramos al día, 100 gramos a la semana, 400 gramos al mes.

■ Si en dos semanas el bebé no gana más de 50 gramos de peso, comunicádselo al pediatra.

▶ *Por ahora, el aumento de peso refleja mejor que la talla el crecimiento del niño.*

TALLA

▶ *A los diez meses, es "normal" que vuestro hijo mida:*
■ varones: entre 68 y 77 cm
■ niñas: entre 66,5 y 75,5 cm
Importante: si "no os salen las cuentas", volved a medir al bebé con cuidado de que no tenga las piernas flexionadas o encogidas.

▶ Debería haber crecido unos 22 cm, por lo que:
Si al nacer medía .... cm + 22 cm =
ahora debería medir .... cm
Y mi hijo mide .... cm.
¿Está dentro de lo normal? Sí ❏ No ❏

PERÍMETRO CRANEAL

▶ *El perímetro craneal medio es de:*
■ varones: 46,3 cm, pero es "normal" si está entre 44 cm y 48,7 cm
■ niñas: 45 cm, pero es "normal" si está entre 43 cm y 47 cm
Para medir el perímetro del cráneo se puede utilizar un metro de costura.

DENTICIÓN

Pueden empezar a salirle *los incisivos laterales superiores, los incisivos laterales inferiores* y *los primeros molares.*

El orden normal de erupción en la dentición temporal es: *incisivos centrales inferiores, incisivos centrales superiores, incisivos laterales superiores e incisivos laterales inferiores, seguidos por los primeros molares.*

Aunque no hayan asomado todavía los primeros dientes, si queréis estar seguros de que el proceso de osificación va por buen camino, basta con que vayáis controlando *las dimensiones del perímetro craneal* (véase el apartado al respecto de esta misma página). Si están dentro de los valores normales, significa que todo va bien, independientemente de que le hayan salido o no los dientes. De modo que, todo va bien aunque:

- no le haya salido todavía ningún diente, siempre que el perímetro craneal esté entre los valores indicados,
- no le salgan en el orden habitual.

SUEÑO

► *¿Cuánto duerme al día?*
- 14 horas.

DATOS Y CONSEJOS ÚTILES

ALIMENTACIÓN

El niño empieza a comer menos. Esta disminución del apetito se prolongará durante los próximos meses, probablemente a lo largo de todo su segundo año de vida.

A los 10 meses podéis empezar a introducir la yema de huevo cocida en el puré de verdura, además de la carne o pescado. En principio usad sólo 1/4 de yema 2 ó 3 veces a la semana. Si en una semana ha habido buena tolerancia podéis añadir media yema. Si en 2 semanas no habéis observado ningún problema, ya podéis echar la yema entera, pero, recordad sólo 2 ó 3 veces a la semana. Vuestro hijo puede ya tomar pasta: fideos, tapioca, sémola.

Si no come

Si no come, dejadlo, no insistáis. No le estéis dando de comer todo el rato y ofreciéndole más y más comida. Lo único que conseguiréis será agravar el problema.

Cómo debéis actuar

Cuando veáis que vuestro hijo está lleno (si echa la cabeza de un lado a otro para evitar que le metáis la cuchara en la boca, o bien se echa hacia atrás, hacia el respaldo de la silla), dejad de darle de comer. De todas formas, no le deis nada de comer hasta la siguiente comida. (Cabe recordar que a esta edad, el niño debe hacer cuatro comidas o, como máximo, cinco: el desayuno, un tentempié a media mañana, la comida, la merienda y la cena). Es preferible que coma menos a que el niño asocie la alimentación a un continuo tira y afloja con sus padres.

IRRITACIONES

En la zona de los pañales

Cuando notéis que tiene irritada la zona que normalmente está cubierta por los pañales de plástico, por pequeña o leve que sea la irritación, consultad la etapa número 3 (página 41).

FÁRMACOS

► El bebé puede tomar *gotas polivitamínicas y comprimidos de flúor* que prevengan la caries dental, conforme a las instrucciones de vuestro pediatra.

FIEBRE

Tomádsela en la ingle como se ha expuesto anteriormente.

► Hasta los 37,5 °C no se puede considerar fiebre, así que no hagáis nada.

► Entre 37,5 y 38 °C, se considera febrícula.

► A partir de los 38 °C, dadle *paracetamol*. Para ver las dosis, consultad la etapa número 11 (página 154).

► Cuando el niño tenga fiebre, desabrigadlo un poco y quitad alguna de las mantas de la cama. Cuando tenga más de 39 °C de fiebre, dejadlo vestido sólo con una prenda en el tronco, además de los pañales, como por ejemplo un body -por supuesto, de algodón-, o sólo con el pañal.

HECES

Diarrea

SÍ Podéis diluir las tomas de leche (1 cacito por cada 40 cc de agua).

SÍ Utilizad crema de arroz en lugar de sus cereales habituales. En la comida no le deis verduras, haced un puré sólo de patatas, zanahoria, pollo o pescado blanco. En la merienda preparadle la papilla de frutas sólo con manzana y plátano (no echéis zumo de naranja ni de pera). También podéis darle yogur natural sin azúcar.

SÍ Haced que beba mucho, agua o mejor suero glucohiposalino (se vende en farmacias y se prepara echando un sobre de suero en 1 litro de agua mineral).

NO No le deis medicinas por iniciativa propia, siguiendo el consejo de alguna amiga.

SÍ Avisad a vuestro pediatra.

Heces duras

Si las heces del niño son duras, aunque sólo sean un poco más duras de lo normal, y notáis que evacua con dificultad, dadle más frutas (sobre todo pera, naranja, ciruela y kiwi -quitándole las pepitas del centro- y verduras, procurando evitar el plátano, la manzana, la zanahoria y el arroz, y reducid la cantidad de patata. Conviene que el niño coma verdura, y fruta *todos los días, porque es la mejor forma de prevenir el estreñimiento.* Ofrecedle agua y zumos de naranja.

■ *No os preocupéis excesivamente acerca de cómo y cuándo defeca vuestro hijo* (ésta es la segunda regla de oro para prevenir el estreñimiento), y sólo cuando notéis que sus heces son más "duras" de lo normal, dadle la dieta previamente expuesta.

No deis laxantes al niño, a menos que se los haya recetado el pediatra (se corre el riesgo de que el niño se habitúe al fármaco de tal manera que luego sólo pueda evacuar con ayuda externa).

DOLOR DE OÍDOS

► *Si creéis que al niño le duelen los oídos:*

NO No le pongáis gotas en los oídos bajo ningún concepto sin consultar previamente al pediatra.

SÍ Podéis darle *paracetamol*, que es un fármaco muy eficaz contra el dolor (para ver las dosis, consúltese la etapa número 11, página 155).

Cuerpo y salud

Los 1000 primeros días de tu bebé

PIEL ROJA Y ÁSPERA

► *Si está localizada:*

■ en la cara, en especial *en los pómulos, en la frente y en la barbilla,* mientras, en cambio, la piel de la nariz y del contorno de la boca (es decir, de la parte central de la cara) está bien, o

■ en la parte lateral de las extremidades superiores e inferiores, se trata de *dermatitis atópica,* también llamada *eccema,* y debéis avisar al pediatra.

PIES Y DEFECTOS AL ANDAR

Hasta los dos años y medio, se debe dar tiempo al niño a que aprenda a caminar. Sólo a partir de esa edad se empezarán a corregir los posibles defectos.

► *Para más información acerca del calzado, véase la etapa número 13 (página 172).*

TOS

Cuando el niño tenga un ataque de tos, no os preocupéis.

Si "respira mal", contad el número de aspiraciones y mirad si tiene depresiones entre costilla y costilla, tal y como se indica en el apartado "Respira mal" de la página 44. Si tiene depresiones entre las costillas y presenta más de 40 aspiraciones por minuto, avisad enseguida al pediatra o llevad al niño a Urgencias.

Si el bebé tiene tos a menudo, llevadlo a que lo vea el pediatra.

► **No olvidéis que...**

Cuando el niño llora significa que os necesita, así que si ha comido hace menos de una hora, cogedlo en brazos y haced oídos sordos a los consejos autoritarios.

CITAS IMPORTANTES

Visita al pediatra
Se debe llevar al niño al pediatra a los diez meses.
Tenemos cita para el día ....
y tiene lugar el día ....

Decimosexta etapa:
11 A 12 MESES
Una vez que ha cumplido 11 meses

DESARROLLO PSICOMOTOR

Movimientos

▶ "Marcha del oso": el niño gatea sobre las manos y los pies.
▶ El niño anda solo apoyándose en los muebles (puede soltar una mano).
▶ El niño anda si el adulto le coge las dos manos.

Si tiene en qué apoyarse, consigue andar a donde quiere. Eso es sin duda una satisfacción para los padres, que debéis quitar de la habitación del niño todo aquello que pueda coger y tragarse. Es normal que estéis impacientes por ver crecer a vuestro hijo, y mucho más ahora que podéis llevarlo de paseo a dar unos pasitos. De todas formas, no creáis que cuanto más "entrenamiento" tenga, antes va a aprender a andar: los niños aprenden divirtiéndose.

Relación con el entorno

A estas alturas puede ir casi a todas partes "a gatas" o andando si se apoya en los muebles, de modo que el espacio que puede explorar es mucho mayor. Además, fortalece los vínculos con su madre, su padre, sus hermanos y los demás adultos que cuidan de él, ya que les puede seguir cuando van de un lado a otro, sobre todo dentro de casa.

▶ Expresa sus sentimientos por medio de los movimientos de la cara (mímica facial): miedo, ira, afecto...

▶ Explora la tercera dimensión (orificios, hendiduras).

Lenguaje

▶ Domina mucho mejor la pronunciación de las sílabas, y empieza a unir unas con otras como si empezara a querer decir sus primeras palabras.

▶ Dice 2 palabras con significado.

Aprendizaje

▶ Consigue coordinar de forma lógica y secuencial varias acciones distintas. Por ejemplo, si coge del suelo una piedra y la tira hacia otro sitio, mirará hacia el punto en el que cree que va a caer.

▶ Puede lanzar una pelota al adulto.

▶ Si tiene que hacer frente a una situación novedosa y realizar una acción por primera vez, recurre a todos los conocimientos que ha aprendido y demuestra tener cierta "habilidad" y "astucia". Por ejemplo, si tiene que coger un objeto, elimina todos los obstáculos que le impiden agarrarlo.

▶ Al niño le gusta poner los objetos en cajas, es consciente del 2 y el 1, de dentro y fuera, de arriba y abajo…

De un niño a otro, se dan grandes variaciones en cuanto al desarrollo psicomotor, de modo que no os preocupéis si vuestro hijo va algo "atrasado" con respecto a los logros que hemos enumerado hasta ahora y sigue comportándose como indicábamos en la etapa anterior. Si el retraso es superior, lo mejor es hablar con el pediatra.

AUMENTO DE PESO

Si, al pesarlo, el niño no se está quieto en el plato de la báscula, el peso real será aquél en el que la barra de la báscula (la que se detiene cuando el cursor marca el peso exacto) se mueve con oscilaciones más o menos iguales (tanto hacia arriba como hacia abajo) con respecto al punto en el que se detendría para indicar el peso exacto (véase la página 81).

Si tenéis dificultades para pesar al niño o no conseguís pesarlo porque no deja de moverse en el plato de la báscula, probad a ponerlo sentado.

Si aun así no hay manera, coged al niño en brazos y pesaos con él.

Luego, pesaos vosotros sin el niño y al hacer la resta de los dos valores obtendréis una buena aproximación del peso de vuestro hijo.

▶ *A los once meses, es "normal" que vuestro hijo pese:*

■ varones: entre 8 y 12,1 kg

■ niñas: entre 7,4 y 11,6 kg

Estos valores no son aplicables a los niños que al nacer hayan pesado menos de 2,5 kg, si son varones, y menos de 2,3 kg, si son niñas.

Mi hijo pesa .... kg.

¿Está dentro de lo normal? Sí ❏ No ❏

Para que la valoración sea más precisa, tened en cuenta el peso del niño al nacer y consultad los gráficos de los percentiles y las instrucciones que encontraréis en la página 269.

► Debe ganar alrededor de 15 gramos al día, 100 gramos a la semana, 400 gramos al mes.

■ Si en dos semanas el bebé no gana más de 50 gramos de peso, comunicádselo al pediatra.

► *Por ahora, el aumento de peso refleja mejor que la talla el crecimiento del niño.*

TALLA

► *Al cabo de once meses, es "normal" que vuestro hijo mida:*

■ varones: entre 69 y 78,5 cm

■ niñas: entre 68 y 77 cm

Importante: si "no os salen las cuentas", volved a medir al bebé con cuidado de que no tenga las piernas flexionadas o encogidas.

► Debería haber crecido unos 23 cm, por lo que:

Si al nacer medía .... cm + 23 cm =

ahora debería medir .... cm

Y mi hijo mide .... cm.

¿Está dentro de lo normal? Sí ❏ No ❏

PERÍMETRO CRANEAL

► *El perímetro craneal medio es de:*

■ varones: 46,7 cm, pero es "normal" si está entre 44,5 cm y 49 cm

■ niñas: 45,5 cm, pero es "normal" si está entre 43,2 cm y 48 cm

Para medir el perímetro del cráneo se puede utilizar un metro de costura.

DENTICIÓN

Pueden empezar a salirle *los incisivos laterales inferiores* y *los primeros molares.*

El orden normal de erupción en la dentición temporal es: *incisivos centrales inferiores, incisivos centrales superiores, incisivos laterales superiores e incisivos laterales inferiores, seguidos por los primeros molares.*

En todo caso, la edad a la que salen los dientes *varía mucho* de un niño a otro, por lo que no os preocupéis si veis que a vuestro hijo no le "salen" en los plazos que vamos indicando.

Aunque no hayan asomado todavía los primeros dientes, si queréis estar seguros de que el proceso de osificación va por buen camino, basta con que vayáis controlando *las dimensiones del perímetro craneal* (véase el apartado al respecto de esta misma página). Si están dentro de los valores normales, significa que todo va bien, independientemente de que le hayan salido o no los dientes.

Cuerpo y salud

Los 1000 primeros días de tu bebé

De modo que, todo va bien aunque:

- no le haya salido todavía ningún diente, siempre que el perímetro craneal esté entre los valores indicados;
- no le salgan en el orden habitual.

SUEÑO

▶ *¿Cuánto duerme al día?*
- 14 horas.

ALIMENTACIÓN

A los 11 meses podemos introducir el jamón de york o de pavo para dárselo en pequeños trocitos, por ejemplo a la hora de la merienda.

IRRITACIONES

En la zona de los pañales
Cuando notéis que tiene irritada la zona que normalmente está cubierta por los pañales de plástico, por pequeña o leve que sea la irritación, consultad la etapa número 3 (página 41).

FÁRMACOS

▶ El bebé puede tomar *gotas polivitamínicas y comprimidos de flúor* que prevengan la caries dental, conforme a las instrucciones de vuestro pediatra.

FIEBRE

Tomádsela en la ingle como se ha expuesto anteriormente.
▶ Hasta los 37,5 ºC no se puede considerar fiebre, así que no hagáis nada.
▶ Entre 37,5 y 38 ºC, se considera febrícula.
▶ A partir de los 38 ºC, dadle *paracetamol*. Para ver las dosis, consultad la etapa número 11, página 155.
▶ Cuando el niño tenga fiebre, desabrigadlo un poco y quitad alguna de las mantas de la cama. Cuando tenga más de 39 ºC de fiebre, dejadlo vestido sólo con una prenda en el tronco, además de los pañales, como por ejemplo un body -por supuesto, de algodón-, o sólo con el pañal.

HECES

Diarrea
SÍ Podéis diluir las tomas de leche (1 cacito por cada 40 cc de agua).
SÍ Utilizad crema de arroz en lugar de sus cereales habituales. En la comida no le deis verduras, haced un puré sólo de patatas, zanahoria, pollo o pescado blanco. En la merienda preparadle la papilla de frutas sólo con manzana y plátano (no echéis zumo de naranja ni de pera). También podéis darle yogur natural sin azúcar.

SÍ Haced que beba mucho, agua o mejor suero glucohiposalino (se vende en farmacias y se prepara echando un sobre de suero en 1 litro de agua mineral).

NO No le deis medicinas por iniciativa propia, siguiendo el consejo de alguna amiga o del farmacéutico.

SÍ Avisad a vuestro pediatra.

Heces duras

Si las heces del niño son duras, aunque sólo sean un poco más duras de lo normal, y notáis que evacua con dificultad, dadle más frutas (sobre todo pera, naranja, ciruela y kiwi -quitándole las pepitas del centro- y verduras, procurando evitar el plátano, la manzana, la zanahoria y el arroz, y reducid la cantidad de patata. Conviene que el niño coma verdura y fruta *todos los días, porque es la mejor forma de prevenir el estreñimiento.* Ofrecedle agua y zumos de naranja.

▶ *No os preocupéis excesivamente acerca de cómo y cuándo defeca vuestro hijo* (ésta es la segunda regla de oro para prevenir el estreñimiento), y sólo cuando notéis que sus heces son más "duras" de lo normal, dadle la dieta previamente expuesta.

No deis laxantes al niño, a menos que se los haya recetado el pediatra (se corre el riesgo de que el niño se habitúe al fármaco de tal manera que luego sólo pueda evacuar con ayuda externa).

LA CAMA DE PAPÁ Y MAMÁ

El niño ha de dormir en su propia cama. Nunca, nunca os lo metáis a dormir con vosotros. Si tiene dificultades para quedarse dormido o se despierta llorando en plena noche, que uno de vosotros se quede con él hasta que se duerma.

No dejéis que se acostumbre a quedarse dormido en vuestra cama y que luego tengáis que llevarlo vosotros a la suya. Lo que sí podéis hacer es dejar que esté en vuestra cama, con vosotros, cuando está despierto: es una excelente forma de relajación.

PIEL ROJA Y ÁSPERA

▶ *Si está localizada:*
■ en la cara, en especial *en los pómulos, en la frente y en la barbilla,* mientras, en cambio, la piel de la nariz y del contorno de la boca (es decir, de la parte central de la cara) está bien, o
■ en la parte lateral de las extremidades superiores e inferiores, se trata de *dermatitis atópica,* también llamada *eccema,* y debéis avisar al pediatra.

PIES Y DEFECTOS AL ANDAR

Hasta los dos años y medio, se debe dar tiempo al niño a que aprenda a caminar. Sólo a partir de esa edad se empezarán a corregir los posibles defectos.

TOS

Cuando el niño tenga un ataque de tos, no os preocupéis.

Si "respira mal", contad el número de aspiraciones y mirad si tiene depresiones entre costilla y costilla, tal y como se indica en el apartado "Respira mal" de la página 44. Si tiene depresiones entre las costillas y presenta más de 40 aspiraciones por minuto, avisad enseguida al pediatra o llevad al niño a Urgencias.

Si el bebé tiene tos a menudo, llevadlo a que lo vea el pediatra.

VACUNAS

Las siguientes vacunas se ponen a los 15 meses de vida (véase la etapa número 18).

▶ No olvidéis que...

Observaciones importantes acerca de la fiebre:

■ No se la toméis en las axilas.

■ Hasta los 37,5 ºC no se puede considerar fiebre, así que no hagáis nada.

■ Entre 37,5 y 38 ºC, se considera febrícula.

■ A partir de los 38 ºC, dadle *paracetamol*. Para ver las dosis, consultad la etapa número 11 (página 155).

■ Podéis llevar al niño a la guardería una vez que haya pasado un día sin tener fiebre.

■ Cuando tenga fiebre, quitadle ropa y haced que beba mucho.

■ Si tiene fiebre, no hace falta que se quede en la cama. Puede estar levantado con tal de que no salga de casa.

■ Normalmente, cuando la ausencia se prolonga durante más de cinco días, hay que presentar un certificado médico para llevarlo de nuevo a la guardería.

CITAS IMPORTANTES

Visita al pediatra

La siguiente revisión "oficial" es a los 12 meses.

Tenemos cita para el día ....

y tiene lugar el día ....

Decimoséptima etapa:
12 A 13 MESES
Al cumplir 1 año

DESARROLLO PSICOMOTOR

Movimientos

▶ Anda solito. Al principio los pasos son algo titubeantes y tiende a caerse hacia delante. A menudo, todavía prefiere andar a cuatro patas. (No os preocupéis si todavía no ha aprendido a andar. Es algo totalmente normal, así que no os alarméis).

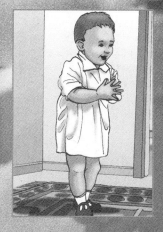

Ya anda solito. Para él es una gran conquista, ya que puede lanzarse solo a descubrir el mundo. El día en que el niño echa a andar es otra fecha que los padres debéis recordar, puesto que es muy significativa para comprobar el grado de desarrollo psicomotor del niño, y será un dato muy útil durante toda su etapa evolutiva.

► Llegado este mes, el niño anda "casi solo" y piensa: "¡Qué bien lo hago, agarrado sólo de un dedo!" También es una gran satisfacción para sus padres que, no obstante, deben adoptar toda una serie de precauciones: han de quitar de los sitios a los que el niño puede llegar, los objetos cortantes o puntiagudos con los que podría lastimarse si los coge o se le caen encima. Otra medida prudente es quitar los objetos de pequeño tamaño que podría tragarse.

► El niño presenta una mímica facial muy desarrollada.

Relación con el entorno

► Tanto de pie como sentado, es capaz de coger un juguete del suelo.

► Sabe jugar a algunos juegos sencillos con la pelota o con cualquier otro juguete.

► Es capaz de meter un cubo en un recipiente, un palo por un agujero y de sacar un objeto de un recipiente.

► Si le pides que te dé un objeto que tiene en la mano indicándoselo también con un gesto, es capaz de soltar la presión en el momento oportuno.

► Sabe distinguir por el tono de voz si se le está prohibiendo u ordenando hacer una cosa.

► Se para cuando se le dice que lo haga.

► Expresa sus sentimientos por medio de los movimientos de la cara, en especial el miedo, el afecto y el enfado.

► Al vestirlo colabora moviendo el cuerpo o cambiando de posición, según sea necesario.

► Se interesa por casi todas las cosas.

► Por su comportamiento, se deduce que sabe el nombre de algunos objetos.

Aprender a ser buenos padres

A estas alturas, habréis tenido que hacer frente y resolver una primera tanda de problemas, vinculados principalmente a diversos aspectos de organización, como, por ejemplo, la alimentación o el sueño, y os habréis acostumbrado a convivir con un niño. Llegados a este punto, es de suma importancia que os paréis un momento a reflexionar sobre cómo podéis ser unos papás de primera.

Antes de nada, pensad que los niños esperan que les demos seguridad. Se sienten indefensos ante la inmensidad del mundo y, como son conscientes de que dependen de nosotros, confían en nosotros. En condiciones normales, esperan que nos mostremos afectuosos y que, de surgir la más mínima emergencia seamos capaces de arreglar las cosas y de no permitir que nos superen los acontecimientos. No se trata de ser un superpapá o una supermamá, sino de que, simplemente, en cada situación, sepáis ver con un considerable grado de lucidez qué es exactamente lo que debéis hacer. Hasta en las circunstancias más triviales (cuando se rompe una botella, si el niño se moja o se ensucia o si se hace un pequeño corte, por ejemplo) debéis demostrar al niño que sois capaces de abordar la situación y de actuar con diligencia y de un modo racional. En otras palabras, que "tenéis la situación bajo control" y sabéis exactamente qué hacer.

► En el plano más estrictamente educativo, debéis tratar de averiguar qué tipo de padres sois y corregir vuestro comportamiento para pareceros en la medida de lo posible al tipo ejemplar, que es, naturalmente, el tipo de padre que hay que aspirar a ser. Se distinguen tres tipos de padres: *los ejemplares, los autoritarios* y *los permisivos*. Estos últimos son los que prefieren padecer o "soportar" a sus hijos en lugar de "tomarse la molestia" de educarlos.

Los padres ejemplares

Deben ser siempre afectuosos y los niños, por pequeños que sean, deben sentirse queridos. Se ocupan de sus hijos y confían en sus posibilidades, es decir, en que vayan a ser capaces de obtener excelentes resultados. Aunque vuestro hijo sea todavía muy pequeño, debéis transmitirle esa confianza, ya que seguramente tienen una capacidad de aprendizaje y de percepción de los mensajes del entorno exterior mucho mayor de lo que sus escasos 10 kilos de peso o 75 centímetros de estatura puedan hacernos pensar. Además, este tipo de padres establece unas normas muy precisas que, cuando el niño tenga una mayor capacidad para relacionarse con el entorno, se las explicarán, haciendo hincapié en las razones que las motivan y los riesgos que se corren si el niño las desobedece. Una vez que hayan establecido todas estas normas, deben hacerlas cumplir a rajatabla, sin que el niño vea que papá y mamá se contradicen o no están de acuerdo. El diálogo es muy importante, especialmente cuando el niño sea algo mayor, para que pueda hablar, dar su opinión y hacer los comentarios que le parezcan. No olvidéis que debéis escuchar a vuestro hijo con suma atención.

Los padres autoritarios

Son los que exigen una obediencia absoluta y un respeto total hacia la autoridad de los padres. Suelen ser fríos y poco afectuosos. Dan órdenes y apenas escuchan -muchas veces ni eso- las razones de sus hijos.

Los padres permisivos

Son más numerosos de lo que pensamos. Muchas veces se comportan así porque el niño nació antes de tiempo, tiene alguna enfermedad, es adoptado o lo han tenido ya "tarde" y no son tan "jóvenes". O porque son personas inseguras, tienen poca confianza en sí mismos, están separados o porque uno de los padres pasa mucho tiempo fuera de casa por motivos de trabajo. Vamos, que siguen las teorías libertarias del "prohibido prohibir". Pese a lo diversas que son todas estas razones, el resultado es siempre el mismo: son muy protectores y no ponen límites al comportamiento de sus hijos, de modo que les dejan hacer todo lo que quieren. Mucho ojo, porque este peligroso comportamiento puede darse incluso desde los primeros meses de vida.

Lenguaje

▶ Confiere numerosos significados a cada palabra que pronuncia; por ejemplo, con el término "mamá" o "ma-má", quiere decir "mamá, ven" o, cuando no la ve, "quiero que venga mamá".

▶ Sabe decir *"mamá"* o *"ma-má"* y *"pa-pá"*.

▶ Dice cosas como *"ta-ta"*, *"da-da"*, *"ca-ca"*, *"ba-ba"*, *"pa-pa"* o *"api"*.

▶ Todavía no construye frases.

▶ Dice 3 palabras con significado.

Aprendizaje

► Experimenta e inventa cosas nuevas. Ahora que es capaz de estar de pie y de andar, adquiere un mayor conocimiento de las cosas y del entorno.

De un niño a otro, se dan grandes variaciones en cuanto al desarrollo psicomotor, de modo que no os preocupéis si vuestro hijo va algo "atrasado" con respecto a los logros que hemos enumerado hasta ahora y sigue comportándose como indicábamos en la etapa anterior. Si el retraso es superior, lo mejor es hablar con el pediatra.

AUMENTO DE PESO

Si tenéis dificultades para pesar al niño o no conseguís pesarlo porque no deja de moverse en el plato de la báscula, probad a ponerlo sentado. Si aun así no hay manera, coged al niño en brazos y pesaos con él.

Luego, pesaos vosotros sin el niño y al hacer la resta de los dos valores obtendréis una buena aproximación del peso de vuestro hijo.

► *Al año, es "normal" que vuestro hijo pese:*
■ varones: entre 8,2 y 12,4 kg
■ niñas: entre 7,7 y 12 kg

Estos valores no son aplicables a los niños que al nacer hayan pesado menos de 2,5 kg, si son varones, y menos de 2,3 kg, si son niñas.

Mi hijo pesa .... kg.

¿Está dentro de lo normal? Sí ❑ No ❑

Para que la valoración sea más precisa, tened en cuenta el peso del niño al nacer y consultad los gráficos de los percentiles y las instrucciones que encontraréis en la página 269.

■ Si en dos semanas el bebé no gana más de 50 gramos de peso, comunicádselo al pediatra.

► *Por ahora, el aumento de peso refleja mejor que la talla el crecimiento del niño.*

TALLA

► *Al cabo de un año, es "normal" que vuestro hijo mida:*
■ varones: entre 70 y 79,5 cm
■ niñas: entre 69 y 78 cm

Importante: si "no os salen las cuentas", volved a medir al bebé con cuidado de que no tenga las piernas flexionadas o encogidas.

► Debería haber crecido unos 24 cm, por lo que:

Si al nacer medía .... cm + 24 cm =

ahora debería medir .... cm

Y mi hijo mide .... cm.

¿Está dentro de lo normal? Sí ❑ No ❑

PERÍMETRO CRANEAL

► *El perímetro craneal medio es de:*
■ varones: 47 cm, pero es "normal" si está entre 45 cm y 49,5 cm

■ niñas: 46 cm, pero es "normal" si está entre 43,5 cm y 48 cm
El perímetro craneal de vuestro hijo es de .... cm.
¿Está dentro de lo normal? Sí ❑ No ❑
Para medir el perímetro del cráneo se puede utilizar un metro de costura.

PERÍMETRO TORÁCICO

▶ *El perímetro torácico medio* es de 47 cm, pero puede oscilar entre los 45 y los 49 cm.
El perímetro torácico de vuestro hijo es de .... cm.
¿Está dentro de lo normal? Sí ❑ No ❑
El perímetro del tórax se mide a la altura de los pezones con un metro de costura.

DENTICIÓN

Al cumplir un año, los niños suelen tener entre 6 y 10 dientes.
■ Pueden empezar a salirle *los primeros molares.*
■ El orden normal de erupción en la dentición temporal es: *incisivos centrales inferiores, incisivos centrales superiores, incisivos laterales superiores e incisivos laterales inferiores, seguidos por los primeros molares.*
■ En todo caso, la edad a la que salen los dientes *varía mucho* de un niño a otro, por lo que no os preocupéis si veis que a vuestro hijo no le "salen" en los plazos que vamos indicando.
■ Aunque no hayan asomado todavía los primeros dientes, si queréis estar seguros de que el proceso de osificación va por buen camino, basta con que vayáis controlando *las dimensiones del perímetro craneal* (véase el apartado al respecto de la página anterior). Si están dentro de los valores normales, significa que todo va bien, independientemente de que le hayan salido o no los dientes. De modo que, todo va bien aunque:
■ no le haya salido todavía ningún diente, siempre que el perímetro craneal esté entre los valores indicados,
■ no le salgan en el orden habitual.

SUEÑO

▶ *¿Cuánto duerme al día?*
■ De 13 a 14 horas.

DATOS Y CONSEJOS ÚTILES

No le deis el chupete mojado en azúcar o miel, ni lo acostumbréis a dormirse mientras toma agua o líquidos dulces con el biberón.

ALIMENTACIÓN

Lactancia materna
Ha llegado el momento de dejar de dar el pecho al niño, pero ha de hacerse de forma gradual para que no sea traumático para él.

Preparación de los alimentos

El niño *quiere saber qué está comiendo*, y por eso debéis hacerle comidas en las que pueda reconocer los alimentos. Evitad los platos demasiado elaborados.

■ Preparad platos sencillos en los que el niño pueda reconocer los ingredientes.

■ *No olvidéis que debéis ir variando los tipos de alimentos y los menús.*

■ Se pueden ir introduciendo, de uno en uno y con intervalos de 5-7 días las legumbres, el resto de las verduras y frutas que no hayan tomado, sopas, quesitos o queso fresco.

■ Es aconsejable continuar con leche de continuación hasta los 18 meses o más porque esto hace disponer de una buena fuente de *hierro* y no sobrepasa el aporte proteínico.

■ Deben aprender a masticar. Es preferible cocer y machacar los alimentos o utilizar un pasapurés.

■ No ofrecerles frutos secos (son muy peligrosos, pues se pueden atragantar e ir al aparato respiratorio).

■ No deben picotear entre horas.

■ No es conveniente acostumbrar a los niños a *alimentos azucarados* (por el problema de la caries) o *salados* (ya que, en un futuro, pueden desarrollar hipertensión).

Pasta

Podéis recurrir a todo tipo de pasta, incluidos los macarrones. Si bien en principio es preferible usar las variedades de menor tamaño; en lo sucesivo debéis dejaros guiar por los gustos de vuestro hijo.

Carne

Puede tomar todo tipo de carne, excepto carnes grasas, vísceras y embutidos.

Podéis prepararla *al vapor, al horno o guisada.* Evitad las barbacoas, porque al no alcanzarse temperaturas elevadas, la cocción no es completa y corréis el riesgo de que no se destruyan todos los agentes infecciosos. Además, tienen otra desventaja: durante la cocción se forman sustancias cancerígenas. Como máximo, preparádsela así una vez a la semana.

Pescado

Podéis darle todo tipo de pescado.

El *pescado azul* es una alternativa estupenda, ya que es barato y tiene un alto valor nutritivo.

Otra magnífica opción es el pescado congelado, que tiene las mismas ventajas que el pescado fresco.

Es demasiado pronto para darle al niño *moluscos, crustáceos, anchoas o conservas*, como por ejemplo *las sardinas o el atún en aceite en lata.*

Huevos

A partir de ahora puede empezar a tomar clara de huevo. Los huevos se digieren mejor si se toman *revueltos, duros o en tortilla.* Nunca crudos.

Zumos de fruta

Los mejores son los zumos caseros. Otra cosa, el niño debe beber siempre del biberón o de un vaso.

Variedad de alimentos

A partir de esta edad, podéis dar al niño una considerable variedad de alimentos. Es conveniente que su dieta sea variada, ya que si la alimentación es monótona puede que se canse y acabe por negarse a comer. Dadle principalmente los alimentos que más le gustan, pero no vayáis rotando siempre los mismos para evitar que a la larga acabe aburriéndose y no los quiera más. Además, debéis aseguraros de que le aportan los diversos principios nutritivos que necesita.

IRRITACIONES

En la zona de los pañales

Cuando notéis que tiene irritada la zona que normalmente está cubierta por los pañales de plástico, por pequeña o leve que sea la irritación, consultad la etapa número 3 (página 41).

FÁRMACOS

▶ Vuestro pediatra os dirá si vuestro hijo debe tomar *gotas polivitamínicas y los comprimidos de flúor* que previenen la caries dental.

FIEBRE

Tomádsela en la ingle como se indicó previamente.

▶ Hasta los 37,5 ºC no se puede considerar fiebre, así que no hagáis nada.

▶ Si tiene entre 37,5 y 38 ºC, se considera febrícula.

▶ A partir de los 38 ºC, dadle *paracetamol.* Para ver las dosis, consultad la etapa número 11 (página 154).

▶ Cuando el niño tenga fiebre, desabrigadlo un poco y quitad alguna de las mantas de la cama. Cuando tenga más de 39 ºC de fiebre, dejadlo vestido sólo con una prenda en el tronco, además de los pañales, como por ejemplo un body -por supuesto, de algodón-, o sólo con los pañales.

HECES

Diarrea

SÍ Podéis diluir las tomas de leche (1 cacito por cada 40 cc de agua, por ejemplo).

SÍ Utilizad crema de arroz en lugar de sus cereales habituales. En la comida no le deis verduras, haced un puré sólo de patatas, zanahoria, pollo o pescado blanco. En la merienda prepararle la papilla de frutas sólo con manzana y plátano (no echéis zumo de naranja ni de pera). También podéis darle yogur natural sin azúcar.

SÍ Haced que beba mucho, agua o mejor suero glucohiposalino (se vende en farmacias y se prepara echando un sobre de suero en 1 litro de agua mineral).

NO No le deis medicinas por iniciativa propia, siguiendo el consejo de alguna amiga.

SÍ Avisad a vuestro pediatra.

Heces duras

Si las heces del niño son duras, aunque sólo sean un poco más duras de lo normal, y notáis que evacua con dificultad, dadle más frutas (sobre todo pera, naranja, ciruela y kiwi -quitándole las pepitas del centro-) verduras y legumbres, procurando evitar el plátano, la manzana, la zanahoria y el arroz, y reducid la cantidad de patata. Conviene que el niño coma verdura, y fruta *todos los días*, porque *es la mejor forma de prevenir el estreñimiento*. Ofrecedle agua y zumos de naranja.

No os preocupéis excesivamente acerca de cómo y cuándo defeca vuestro hijo (ésta es la segunda regla de oro para prevenir el estreñimiento), y sólo cuando notéis que sus heces son más "duras" de lo normal, dadle la dieta previamente expuesta.

No deis laxantes al niño, a menos que se los haya recetado el pediatra (se corre el riesgo de que el niño se habitúe al fármaco de tal manera que luego sólo pueda evacuar con ayuda externa).

PIEL ROJA Y ÁSPERA

▶ *Si está localizada:*

■ en la cara, en especial *en los pómulos, en la frente y en la barbilla*, mientras, en cambio, la piel de la nariz y del contorno de la boca (es decir, de la parte central de la cara) está bien, o

■ en la parte lateral de las extremidades superiores e inferiores, se trata de *dermatitis atópica*, también llamada *eccema*, y debéis avisar al pediatra.

PIES Y DEFECTOS AL ANDAR

Hasta los dos años y medio, se debe dar tiempo al niño a que aprenda a caminar. Sólo a partir de esa edad se empezarán a corregir los posibles defectos.

TOS

Cuando el niño tenga un ataque de tos, no os preocupéis.

Si "respira mal", contad el número de aspiraciones y mirad si tiene depresiones entre costilla y costilla, tal y como se indica en el apartado "Respira mal" de la página 44. Si tiene depresiones entre las costillas y presenta más de 40 aspiraciones por minuto, avisad enseguida al pediatra o llevad al niño a Urgencias. Si el bebé tiene tos a menudo, llevadlo al pediatra.

VACUNAS

Las siguientes vacunas se ponen a los 15 meses de vida.

COSAS QUE DEBÉIS APRENDER A HACER

Pensando en vosotras, mamás

▶ *Ahora que habéis dejado de dar el pecho, debéis reafirmar el pecho.*

■ Preparad compresas con hielo (ponéoslas en el pecho hasta que el hielo se derrita) o lavaos el pecho con agua fría.

- En cambio, procurad no bañaros ni ducharos con agua muy caliente; si está templada, mejor.
- Para aumentar la tonicidad de los músculos pectorales, debéis nadar y hacer algunos ejercicios durante 15 minutos al día (véase la figura de esta misma página).

▶ No olvidéis que...

- Es conveniente ir variando los menús y, sobre todo, elegir entre los alimentos que más le gustan al niño.

Con las palmas de las manos juntas, se colocan los codos a la altura del pecho. El ejercicio consiste en apretar y relajar las palmas. El movimiento se repite 10 veces.
Se estiran los brazos hacia delante a la altura del pecho y se doblan y se estiran 10 veces.
Con los brazos por detrás de la espalda, se juntan las palmas de las manos y se aprietan una contra otra 10 veces.

CITAS IMPORTANTES

Visita al pediatra

Al año, se debe llevar al niño al pediatra.
Tenemos cita para el día ....
y tiene lugar el día ....

Decimoctava etapa:
14 A 15 MESES

DESARROLLO PSICOMOTOR

Movimientos

► Anda solo, aunque sus pasos siguen siendo algo vacilantes.
► Sube las escaleras "a gatas".
► Corre tambaleándose.
► Tiende a superar los obstáculos.

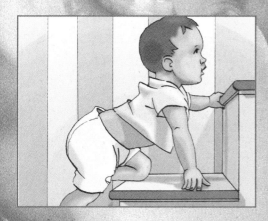

Sube las escaleras y también se encarama a las sillas y a los sillones (consigue hasta ponerse de rodillas), desde los que se puede subir también a las mesas.
El niño piensa: "¿Quién me va a detener?". Está tan decidido que no acepta que los adultos limiten sus movimientos lo más mínimo.

Para mantener a raya el peligro

Ahora que es capaz de moverse con relativa seguridad por la casa, debéis tener sumo cuidado para prevenir todo tipo de accidentes.

Tened especial cuidado de:

■ no dejar las puertas abiertas,

■ cerrarle el acceso a las escaleras,

■ no dejar al "peque" solo en la cocina,

■ tener a buen recaudo los envases de detergente y de otras sustancias de limpieza, así como tener cuidado con el horno, los fuegos de la cocina, la plancha y todo lo que puede quemar,

■ controlar todos aquellos objetos que podrían "caérsele encima" al niño: libros, adornos, lámparas...,

■ revestir de un material blando las mesas y demás muebles que tengan esquinas salientes, y

■ comprobar la seguridad de la instalación eléctrica.

Relación con el entorno

▶ Coloca un cubo encima de otro si se le enseña primero cómo se hace.

▶ Se lleva el vaso o la cuchara a la boca pero se la pone al revés en la boca.

▶ Consigue llenar bastante bien la cuchara metiéndola él solo en el plato o en la taza.

▶ Es capaz de trazar una línea con un lápiz.

▶ Logra introducir una bolita en una botella y luego intenta sacarla con el dedo.

▶ Hace lo que le mandan, siempre que sea algo sencillo.

▶ Señala lo que quiere con el dedo.

▶ Abraza a sus papás.

▶ Le gusta tirar, lanzar y empujar.

▶ Sabe pasar las páginas de un libro con ilustraciones (pasa varias a la vez).

Lenguaje

▶ Sabe decir 4 palabras claras. En su forma de hablar se perciben ya ritmo, inflexiones y entonación.

▶ Inventa palabras nuevas.

Aprendizaje

No cabe duda de que el niño ya no se contenta con reproducir o combinar entre sí las cosas que sabe hacer de antemano. Está intentando descubrir cosas nuevas continuamente y hace tentativas y experimentos sin parar. Este mecanismo queda patente si se le observa cuando está jugando con agua o cuando se baña y golpea el agua con las manos para salpicar, cada vez más y de distinta forma.

▶ *Se acerca objetos, que luego:*

■ lleva de un sitio a otro,

■ hace girar,

- pone del revés,
- tira al suelo,
- los recoge,
- los tira hacia atrás, se da la vuelta, los busca y los coge de nuevo,
- intenta colocarlos en equilibrio,
- los mete en cajas,
- los cambia de caja,
- mete piedras, palos, juguetes y otros objetos en una caja y luego se los lleva todos juntos.

Sigue con la búsqueda y la experimentación de cosas nuevas. Para obtener resultados puede emplear algún instrumento que encuentre cerca. Vuelve a efectuar continuamente los experimentos que ha realizado con anterioridad y los va perfeccionando.

Juegos

Empieza a moverse con más libertad y necesita más espacio para jugar. Consigue arrastrar y lanzar objetos como, por ejemplo, una pelota. Puede estarse quieto o sentado, a veces durante horas, jugando con cajas, cubos, construcciones...

De un niño a otro, se dan grandes variaciones en cuanto al desarrollo psicomotor, de modo que no os preocupéis si vuestro hijo va algo "atrasado" con respecto a los logros que hemos enumerado hasta ahora y sigue comportándose como indicábamos en la etapa anterior. Si el retraso es superior, lo mejor es hablar con el pediatra.

AUMENTO DE PESO

EDAD EN MESES	¿CUÁNTO DEBERÍA PESAR?	ANOTAD EL PESO DE VUESTRO HIJO	¿ESTÁ DENTRO DE LO NORMAL?	
12	Varones: entre 8,2 y 12,4 kg Niñas: entre 7,7 y 12 kg		SÍ	NO
13	Varones: entre 8,5 y 12,7 kg Niñas: entre 7,9 y 12,3 kg		SÍ	NO
14	Varones: entre 8,7 y 12,9 kg Niñas: entre 8,2 y 12,6 kg		SÍ	NO
15	Varones: entre 8,9 y 13,2 kg Niñas: entre 8,3 y 12,8 kg		SÍ	NO

Al cabo de un año, el niño pesa el triple de lo que pesaba al nacer.

Si tenéis dificultades para pesar al niño o no conseguís pesarlo porque no deja de moverse en el plato de la báscula, probad a ponerlo sentado. Si aun así no hay manera, coged al niño en brazos y pesaos con él.

Luego, pesaos vosotros sin el niño y al hacer la resta de los dos valores obtendréis una buena aproximación del peso de vuestro hijo.

Por medio de la tabla de la página anterior podréis controlar, mes a mes, el aumento de peso de vuestro hijo:

TALLA

Por medio de la siguiente tabla podréis controlar, mes a mes, la talla de vuestro hijo:

EDAD EN MESES	¿CUÁNTO DEBERÍA MEDIR?	ANOTAD LA TALLA DE VUESTRO HIJO	¿ESTÁ DENTRO DE LO NORMAL?	
12	Varones: entre 70 y 80 cm Niñas: entre 69 y 78 cm		SÍ	NO
13	Varones: entre 71 y 81 cm Niñas: entre 70 y 79,5 cm		SÍ	NO
14	Varones: entre 72,5 y 82 cm Niñas: entre 71 y 81 cm		SÍ	NO
15	Varones: entre 73,5 y 83 cm Niñas: entre 72 y 82 cm		SÍ	NO

ABDOMEN

Al observar al niño de perfil cuando está de pie, se ve claramente que la parte inferior de la columna vertebral, la zona que se corresponde con el abdomen, hace una curva hacia dentro. La barriguita sobresale hacia fuera de un modo muy evidente, pero se alinea con el resto del cuerpo cuando el niño está tumbado.

Se trata de un fenómeno completamente normal, que tiene lugar porque los músculos aún no están preparados para relajar del todo la pared del abdomen y la columna vertebral. Se atenuará a medida que el organismo del niño se vaya desarrollando.

PERÍMETRO CRANEAL

► *El perímetro craneal medio es de:*
A los doce meses:
■ varones: 47 cm, pero es "normal" si está entre 45 cm y 49,5 cm
■ niñas: 46 cm, pero es "normal" si está entre 43,5 cm y 48 cm

A los quince meses:

- varones: 48 cm, pero es "normal" si está entre 45,8 cm y 50,2 cm
- niñas: 47 cm, pero es "normal" si está entre 44,5 cm y 49 cm

Para medir el perímetro del cráneo se puede utilizar un metro de costura.

DENTICIÓN

A estas alturas, los niños tienen entre 6 y 10 dientes, pero no pasa nada si sólo tienen uno o dos.

- Pueden empezar a salirle *los primeros molares.*
- El orden normal de erupción en la dentición temporal es: *incisivos centrales inferiores, incisivos centrales superiores, incisivos laterales superiores e incisivos laterales inferiores, seguidos por los primeros molares.*

En todo caso, la edad a la que salen los dientes *varía mucho* de un niño a otro, por lo que no os preocupéis si veis que a vuestro hijo no le "salen" en los plazos que vamos indicando.

OLFATO

En adelante, empezará a desarrollarse cada vez más, hasta alcanzar su pleno funcionamiento hacia los cinco años.

SUEÑO

▶ *¿Cuánto duerme al día?*
- 12-14 horas.

DATOS Y CONSEJOS ÚTILES

▶ *A continuación os adelantamos las enfermedades que tendrá vuestro hijo durante el próximo año:*

No nos es grato decirlo pero, a esta edad, los niños se suelen poner enfermos una media de cinco o seis veces a causa de *infecciones respiratorias,* con *tos,* resfriados y hasta fiebre, y también suelen tener un *episodio de diarrea* que dura más de tres días. Es inevitable que los niños caigan enfermos, ya que están en una etapa de "aprendizaje inmunológico". Deben enfrentarse a los diversos agentes infecciosos para generar los anticuerpos necesarios y tener una defensa duradera. En este sentido, cabe insistir en que *el niño "normal" no es el que nunca cae enfermo,* sino el que no enferma más veces de las que acabamos de indicar.

Si vuestro hijo cae enfermo con mayor frecuencia de la prevista, comentádselo al pediatra.

ALIMENTACIÓN

Recordad que no existen fármacos que estimulen el apetito de forma duradera. El único sistema para que el niño coma más consiste en que "os lo ganéis por el estómago" preparándole los platos que más le gustan.

Cuerpo y salud

Los 1000 primeros días de tu bebé

Preparación de los alimentos

■ Puede comer de todo, menos embutidos, moluscos, crustáceos, anchoas y pescados en aceite, los alimentos con demasiada grasa (frutos) y los dulces en exceso (sobre todo los industriales).

■ Es aconsejable continuar con leche de continuación porque esto hace disponer de una buena fuente de *hierro* y no sobrepasa el aporte proteico.

■ *El niño quiere saber qué está comiendo,* y por eso debéis hacerle comidas en las que pueda reconocer los ingredientes. Evitad los platos elaborados.

■ *No olvidéis que debéis ir variando los tipos de alimentos y los menús.*
A estas alturas, vuestro hijo ha probado muchísimos sabores y numerosos platos, tiene su propio gusto y ya deberíais saber qué cosas le gustan más, cuáles le gustan menos y qué alimentos no le gustan nada de nada. Como es lógico, debéis respetar sus gustos personales, ofrecerle las comidas que más le gustan y evitar las que le gustan menos o ni siquiera le gustan. No adoptéis actitudes autoritarias ni coercitivas aunque no quiera tomar carne.

■ Es importante que *la dieta sea variada* para garantizar la ingestión equilibrada de los diversos principios nutritivos y evitar que, a la larga, acabe por cansarse hasta de los alimentos que más le gustan.

■ Es bueno que el niño *coma lo mismo que los demás miembros de la familia.*

■ Aunque no tenga más que un año y poco, *es importante que se siente a la mesa con sus padres, en su silla.*

■ Desde este momento, tenéis que ser conscientes de que *el momento de la comida es una ocasión agradable,* como cuando os reunís con unos amigos. Debéis crear una atmósfera especial porque no es sólo una forma de alimentarse, algo necesario que se hace para sobrevivir y sin una alegría especial, como cuando lleváis a lavar el coche. Estad relajados y tranquilos.

■ Durante la comida, *apagad el televisor e interesaros por el niño* que, aunque es pequeño, se da cuenta de lo que sucede a su alrededor y de lo que llama la atención de los demás.

■ El ambiente que rodea al niño *ha de ser sereno.* No discutáis, os peleéis o habléis de forma brusca cerca de él.

■ *No obliguéis al niño a comer,* sabe regularse solo. Numerosos estudios han demostrado que los niños saben calcular, cuando no se les fuerza, la cantidad de comida que deben tomar aunque estén rodeados de cosas apetitosas o de los alimentos que más les gustan. Si "se ponen como el Quico" a la hora de la comida, comerán menos a la hora de cenar para tomar la cantidad adecuada de calorías a lo largo del día. Esto debería servirnos de lección a los padres.

■ Se debe reservar a la comida *el tiempo suficiente* para que el niño coma sin prisas.

■ Si algún alimento no le gusta, se debe *excluir del menú familiar.*

■ *Si rechaza la leche,* si no la quiere tomar o parece no gustarle (ni siquiera en el desayuno), no le obliguéis a tomarla. El comportamiento del niño puede deberse a que no la tolera bien o a que es alérgico a algún componente de la leche (lo más normal es que a las proteínas), de modo que puede ser que cada vez que el niño toma leche, tenga las molestias propias de este tipo de intolerancia, como "dolor de barriga" y otros trastornos digestivos similares. Puede que el niño no quiera tomar leche porque cuando la toma "se encuentra mal", así que no insistáis. Para desayunar podéis darle zumo de naranja y yogur.

■ Los platos deben prepararse con mimo y presentarse de forma que el niño pueda reconocer los ingredientes hasta en la fuente de servir, así que *evitad las "mezcolanzas".*

■ Si el niño *se niega a comer* y la falta de apetito se prolonga durante algún tiempo, no le forcéis ni con recompensas ni con castigos.

■ Antes que obligar al niño a comer con regañinas y rapapolvos, es mejor que se vaya a la cama con el estómago vacío pero contento. Los riesgos y daños son mucho menores en el segundo caso, no lo olvidéis.

Sobre todo si ha tenido fiebre o ha estado enfermo, puede que pase unos días en los que coma mucho menos. Tampoco debéis insistir en estos casos. Sed astutos y preparadle las comidas que más le gustan, ofrecédselas con indiferencia, como si no las hubierais preparado especialmente para él, y veréis cómo vuelve a comer con ganas en cuanto esté completamente curado.

Podéis darle comida congelada. Las verduras sólo presentan una ligera reducción de algunas vitaminas que, en todo caso, se perderían también al hervirlas, mientras que las proteínas de la carne se digieren mejor, ya que el proceso de congelación hace que se "abran" de tal forma que luego las enzimas digestivas las procesan mejor. No obstante, esta ventaja se pierde cuando la comida lleva más de 10 meses congelada, por lo que debéis consumirla antes de que transcurra ese tiempo. Además, después de tanto tiempo puede ser que las carnes grasas se pongan rancias y cojan "mal sabor".

Cómo ir rotando los diversos tipos de alimentos

▶ *El niño debe tomar más:*

Pescado
Debe tomarlo al menos 3 ó 4 veces a la semana, como alternativa a la carne. Puede ser congelado o pescado azul.

Verduras
Ha de tomarlas de comida o de cena, todos los días. Normalmente a los niños no les gustan los platos muy elaborados en los que no reconocen los ingredientes. Por tanto, lo mejor es evitar los pasteles y los platos con muchos ingredientes. En cambio les gustan las ensaladas y el puré de verduras.

Las espinacas son una cosa que suele gustar poco y, en contra de lo que se cree, no presentan más ventajas que otros alimentos.

Legumbres y cereales
Es bueno combinarlos y preparar, por ejemplo, pasta con judías o arroz con guisantes. Se pueden consumir diariamente.

▶ *Debe tomar menos:*

■ *Alimentos muy salados.* Está comprobado que acostumbrarse desde pequeño a tomar las cosas saladas puede favorecer más adelante, en la edad adulta, la aparición de hipertensión arterial, es decir, la "tensión alta".

■ *Alimentos con mucho azúcar* (esta costumbre favorece la aparición de caries dental), *dulces y mantequilla.*

Carne
No ha de tomarla todos los días, sino sólo 2 ó 3 veces a la semana.

Si no le gusta, que no la tome, ya que corréis el riesgo de que el niño se vuelva inapetente. A fuerza de insistir, la comida, en vez de un placer se convierte en un "trago amargo". En vez de luchar con él y que todo acabe en "desastre", dejad de darle carne. Olvidaos de ella porque no es indispensable. Dadle otros alimentos que tengan hierro. Por ejemplo, podéis *sustituirla* por queso, huevos o pescado.

Con astucia, pero sólo si al niño le gustan los alimentos que os sugerimos, podéis dársela en forma de estofado de carne o rollos rellenos de carne.

De todas formas, si al niño no le gusta la pasta con carne y la prefiere con mantequilla o con aceite, ni le gustan los rollos de carne, paciencia. No le obliguéis a comer y sustituid la carne por otra cosa.

Los tipos de carne que suelen gustar menos a los niños son los filetes de ternera a la parrilla y los chuletones, sobre todo cuando la carne está "dura" y es "mala".

Para entender bien los menús que os proponemos, leed primero estas indicaciones

ESTO SIGNIFICA	RECORDAD QUE...	¿CUÁNTAS VECES A LA SEMANA?
C = carne	debe ser magra y estar muy hecha	2-3 veces
P = pescado	puede ser congelado o pescado azul	3-4 veces
HIG = hígado	puede sustituir, una vez a la semana, al pescado o a la carne	1 vez
LC = legumbres y cereales	es un plato único, como por ejemplo, pasta con judías o arroz con guisantes. Las legumbres pueden ser garbanzos, habas, lentejas; los cereales: pasta, arroz, cebada; se pueden consumir diariamente	
QUE = queso	se puede consumir diariamente	
F = fiambre	pueden tomar jamón serrano o cocido (sin conservantes) y cecina, pero no embutidos	2 ó 3 veces
H = huevos	se digieren mejor pasados, revueltos, cocidos o en tortilla. Nunca crudos.	3 veces

Qué debe comer el niño cada semana

En las páginas que siguen, encontraréis nuestras sugerencias. Os ofrecemos una lista de segundos platos para que los repartáis en el transcurso de cuatro semanas. Por supuesto, si hay algo que no le gusta a vuestro hijo, cambiadlo por otra cosa.

Si no come

Si no come, dejadlo, no insistáis. No le estéis dando de comer todo el rato y ofreciéndole más y más comida. Lo único que conseguiréis será agravar el problema.

Cuando veáis que vuestro hijo está lleno (si echa la cabeza de un lado a otro para evitar que le metáis la cuchara en la boca, o bien se echa hacia atrás, hacia el respaldo de la silla), dejad de darle de comer. De todas formas, no le deis nada de comer hasta la siguiente comida. (Cabe recordar que a esta edad, el niño debe hacer cuatro comidas o, como máximo, cinco: el desayuno, un tentempié a media mañana, la comida, la merienda y la cena).

Zumos de fruta

Los mejores son los naturales. Los zumos ya preparados tienen muchas calorías y mucho azúcar. No debéis dárselos como bebida -la mejor bebida es el agua-. Pueden sustituir a la fruta fresca si no hay forma de hacérsela comer.

ACETONA

Está provocada por el ayuno y no es una enfermedad ni causa vómitos.
SÍ Para que "desaparezca", basta con que el niño tome una *bebida azucarada* de las que más le gustan.
NO Los medicamentos, incluidos los supositorios, no sirven de nada para paliar la acetona, ni tampoco las bandas reactivas para detectar su presencia en la orina.

BAÑO

Es suficiente con que el agua esté a una temperatura de 32 °C y la habitación a 21-22 °C. Podéis poner al niño de pie para jabonarlo mejor.

FÁRMACOS

▶ Vuestro pediatra os dirá si vuestro hijo debe tomar *gotas polivitamínicas y los comprimidos de flúor* que previenen la caries dental.

FIEBRE

De ahora en adelante es mejor que le toméis la temperatura *bajo las axilas* en vez de en la ingle (esta zona se utiliza sólo si es el único modo de tomar la temperatura al niño, ya que al hacerlo se agita y no colabora).

Con respecto a cómo venís actuando hasta el momento (el tratamiento exhaustivo de la fiebre se recoge en la etapa número 11, página 154), cambian las dosis de *paracetamol* y deberéis comprar dos nuevas modalidades: un *frasco de jarabe* y una *caja de supositorios* de 250 mg.

Tened estos productos siempre en casa y llevadlos con vosotros cuando os vayáis de vacaciones. Si el niño las acepta sin problemas, es preferible usar las *gotas*, ya que la dosis se controla mejor.

Cuerpo y salud

Los 1000 primeros días de tu bebé

Dosis para cada administración

▶ *Gotas*
3 gotas por cada kilo de peso.

▶ *Jarabe*
El dosificador tiene varias marcas que indican ml o cc.
La dosis es de 6 ml cada vez si el niño pesa 10 kg, o bien de 7 ml cada vez si el niño pesa 12 kg.
Una dosis de 8 ml cada vez si el niño pesa 14 kg.
Una dosis de 10 ml cada vez si el niño pesa 16 kg.
Una dosis de 11 ml cada vez si el niño pesa 18 kg.
Una dosis de 12 ml cada vez si el niño pesa 20 kg.

▶ *Supositorios*
125 mg: si el niño pesa menos de 9-10 kg.
250 mg: si el niño pesa más de 9-10 kg y tiene menos de seis años.
Para saber qué cantidad de supositorio hay que ponerle y qué cantidad hay que quitar (se aconseja cortar siempre la cola), pensad que por cada kilo de peso debéis ponerle 15 mg de *paracetamol* que contiene el supositorio (si el niño pesa 12 kilos, habrá que ponerle entre 2/3 y 3/4 del supositorio).

HECES

Diarrea

SÍ Podéis diluir las tomas de leche (1 cacito por cada 40 cc de agua, por ejemplo).
SÍ Utilizad crema de arroz en lugar de sus cereales habituales. En la comida no le deis verduras, haced un puré sólo de patatas, zanahoria, pollo o pescado blanco. En la merienda preparadle la papilla de frutas sólo con manzana y plátano (no echéis zumo de naranja ni de pera). También podéis darle yogur natural sin azúcar.
SÍ Haced que beba mucho, agua o mejor suero glucohiposalino (se vende en farmacias y se prepara echando un sobre de suero en 1 litro de agua mineral).
NO No le deis medicinas por iniciativa propia, siguiendo el consejo de alguna amiga.
SÍ Avisad a vuestro pediatra.

Heces duras

Si las heces del niño son duras, aunque sólo sean un poco más duras de lo normal, y notáis que evacua con dificultad, dadle más frutas (sobre todo pera, naranja, ciruela y kiwi -quitándole las pepitas del centro-) y verduras, procurando evitar el plátano, la manzana, la zanahoria y el arroz, y reducid la cantidad de patata. Conviene que el niño coma verdura, fruta y legumbres *todos los días, porque es la mejor forma de prevenir el estreñimiento.* Ofrecedle agua y zumos de naranja.

No os preocupéis excesivamente acerca de cómo y cuándo defeca vuestro hijo (ésta es la segunda regla de oro para prevenir el estreñimiento), y sólo cuando notéis que sus heces son más "duras" de lo normal, dadle la dieta previamente expuesta.

No deis laxantes al niño, a menos que se los haya recetado el pediatra (se corre el riesgo de que el niño se habitúe al fármaco de tal manera que luego sólo pueda evacuar con ayuda externa).

PIES Y DEFECTOS AL ANDAR

Hasta los dos años y medio, se debe dar tiempo al niño a que aprenda a caminar. Sólo a partir de esa edad se empezarán a corregir los posibles defectos.

TOS

No olvidéis que la tos no es una enfermedad, sino un medio de defensa del organismo.

▶ *Cuando el niño tiene tos, se debe*
- Si está encendida la calefacción, poner dos toallas de felpa mojadas encima del radiador para humidificar el aire.
- No fumar cerca del niño (este consejo vale para siempre).
- Hacer que beba mucho.
- Darle bebidas calientes para que tengan un efecto balsámico (son especialmente eficaces justo antes de acostarse).
- Dadle las bebidas "calientes" que más le gusten. No le deis tisanas ni "pociones" extrañas, porque lo que le "sienta bien" es el líquido caliente. La leche con miel tiene el mismo efecto que el té o la manzanilla. Acordaos de no darle té por la tarde o por la noche (quizá luego no se pueda dormir).
- Para "calmar" la tos ("sedar"), podéis dar al niño bajo recomendación de vuestro pediatra medicamentos con *dextrometorfano*.

VACUNAS

Las vacunas son el descubrimiento más importante de la medicina y han permitido la erradicación de enfermedades como la viruela y la polio. Por eso es de vital importancia que se las pongáis a vuestro hijo. No tengáis miedo de que le puedan dar reacciones perjudiciales, ya que los productos que se utilizan hoy en día están tan perfeccionados que apenas provocan molestias. Las vacunas son todas muy importantes, no penséis que las que son opcionales son de menor utilidad. La obligatoriedad es sólo una formalidad administrativa.

Aviso importante

Los recuerdos de las vacunas no "caducan". La fecha o período indicados para efectuarlos son los plazos mínimos antes de los cuales no se pueden volver a poner. En teoría, se pueden posponer para más adelante, pero no es una buena idea, porque el niño ha de tener siempre las defensas inmunitarias al más alto nivel, y eso sólo se consigue con el "recuerdo" de las vacunas, que no es otra cosa que, como ocurre con los estudiantes más perezosos, una forma de "repasar" y hacer "trabajar más" al organismo.

A los 15 meses, se pone

- La primera dosis de la *vacuna triple vírica contra el sarampión, la parotiditis y la rubeola* (por el momento basta con una sola dosis, y el recuerdo de esta vacuna no se pone hasta los once años).
  Después de ponerle la vacuna, el bebé puede hacer vida normal. Se le puede dar de comer, llevarlo de paseo o llevarlo a la guardería.

▶ *Cuándo no se pueden poner las vacunas:*
- Si tiene fiebre, o

- diarrea (pero sólo si tiene muchas descargas),
- determinadas enfermedades del sistema nervioso, o que afecten a las funciones del sistema inmunitario (sabréis cuáles son porque, llegado el caso, os avisará el pediatra).

▶ *Se pueden poner aunque:*
- tenga *tos,*
- esté *resfriado,*
- tenga *conjuntivitis,*
- esté sano, pero a su alrededor haya *muchos niños enfermos* y se tenga miedo de que pueda haberse contagiado,
- tenga la *piel irritada,*
- tenga un poco de *diarrea,*
- esté pasando una temporada en la que *come menos* de lo normal,
- esté "más inquieto de lo habitual",
- esté tomando *antibióticos* o
- acabe de dejar de tomar uno hace poco,
- sea *alérgico a los antibióticos,*
- se le estén poniendo *pomadas con cortisona,*
- haya estado en contacto con alguien que tenía o que haya desarrollado después una *enfermedad infecciosa;*
- su madre u otras personas que viven con él *estén embarazadas,*
- sea verano y haga mucho calor, o sea invierno y haga frío,
- se les estén poniendo *más vacunas* al mismo tiempo.

Posibles reacciones que pueden provocar

En un intervalo de entre 5 y 14 días desde el día de la vacunación contra el sarampión, la parotiditis y la rubeola (triple vírica), pueden aparecer, si bien en muy pocos casos y de forma muy atenuada, leves síntomas de las tres enfermedades que se quieren prevenir.

La vacuna, que contiene el virus vivo pero atenuado, causa al niño un "amago" de sarampión, parotiditis y rubeola. En ocasiones es más patente porque aparecen síntomas como *fiebre alta, vómitos, dolores en las articulaciones, tos, síntomas de resfriado, diarrea, somnolencia, irritabilidad* o *enrojecimiento de la cara.*

Queridos papás, sed conscientes de que la vacuna ha de ponerse aunque pueda tener como consecuencia esta reacción. El trastorno que se ocasiona es efímero y, a buen seguro, de una duración muy inferior a la de las complicaciones que tendría la enfermedad "real" si el niño la "coge" por no estar vacunado contra estas tres enfermedades.

Eso sí, en lo único que debéis pensar al programar la vacunación es que, en un mínimo de 5 y un máximo de 14 días, el niño puede sufrir una reacción y tener que dejar de ir a la guardería o a casa de los abuelos, por lo que fijad la fecha de forma que durante el período "de riesgo" (que es, insistimos, de un mínimo de 5 y un máximo de 14 días) no tengáis compromisos especialmente importantes o que no se puedan posponer.

La vacuna contra la gripe

▶ *No se ha de poner*
Está indicada únicamente para niños con enfermedades graves o de larga duración.

VÓMITOS

Cuando el niño devuelve

SÍ Hay que darle de beber agua o mejor suero glucohiposalino que se vende en farmacias (se disuelve un sobre en 1 litro de agua mineral) en pequeñas cantidades cada 5 ó 10 minutos. Si pasadas 1 ó 2 horas ha tolerado bien los líquidos se le pueden ofrecer alimentos que le gusten pero que no contengan grasa ni estén muy condimentados (sopa, yogur, pescado cocido, huevo revuelto, etc.) en pequeñas cantidades y sin forzarle.

NO No le deis medicamentos sin consultar previamente a vuestro pediatra.

► No olvidéis que...

■ Vuestro hijo debe comer carne sólo 2-3 veces a la semana.

■ Si no la quiere, no debéis insistir.

■ Si veis que no le gusta mucho en vez de carne dadle queso, huevos o pescado.

CITAS IMPORTANTES

Vacunas

Tenemos pensado ponerle las vacunas el día ....

Y se las hemos puesto el día ....

Decimonovena etapa:
16 A 18 MESES

DESARROLLO PSICOMOTOR

Movimientos

▶ Corre (con los brazos y las piernas separadas) y cae a menudo.

Sube y baja las escaleras si le lleváis de la mano.

Permanece sentado en una silla.

Aunque con alguna dificultad, lanza la pelota u otros objetos.

Anda bien y su paso ya no es vacilante.

Es "curioso" y hurga en los cajones, en los cestos y en las estanterías (conviene mantener fuera del alcance de los niños las sustancias peligrosas o tóxicas y los medicamentos).

▶ Realiza los movimientos de forma más precisa y coordinada.

Comer solo es una de las mayores conquistas para un niño. Además, es mucho más agradable para los adultos a la hora de sentarse a la mesa. Los padres debéis estar contentos con él y no tener miedo de que coma poco. En cuanto tenga algo de "práctica", veréis cómo come más y más contento.

Relación con el entorno

Ésta es la época en la que el "miedo a los desconocidos" alcanza su máxima expresión pero, tranquilos, a partir de los dieciocho meses empezará a disminuir.

► Se alimenta solo.

► Se come a besos a uno de sus padres.

► Pide ayuda cuando está en dificultades.

► Se lamenta cuando se ha hecho "pipí" o "caca" en los pañales (es una forma de avisar a las personas que están a su alrededor).

► Sabe construir torres con tres cubos.

► Sabe hacer garabatos.

► Juega con la pelota.

► Puede chutar el balón sin caer.

► Se agacha para recoger un objeto.

► Puede tirar un objeto mientras anda.

► Hojea los libros y se interesa por las ilustraciones.

► Para sacar una bolita de una botella, la pone del revés.

► Es "curioso" y se interesa por todo.

► Cuando se le hace una pregunta, responde señalando con el dedo.

► Cuando se le dice, indica algunas partes del cuerpo.

Lenguaje

► Pronuncia entre 12 y 22 palabras, de las cuales, entre 15 y 20 se entienden bien.

► Puede empezar a asociar varias palabras entre sí, pero aún no consigue construir frases. Cuando quiere decir algo o expresar un concepto, usa un único término, que por este motivo se denomina "palabra-frase".

► *"Si no habla, ya hablará..."* Aunque diga muy pocas palabras o todavía no hable nada de nada, no os preocupéis, porque lo que está haciendo es estructurar la formulación del lenguaje. Lo está "aprendiendo" mentalmente y precisamente por eso podéis estar seguros de que recuperará el tiempo perdido, puede que hasta adelantando a otros niños de su edad. Cuando tenga alrededor de veinticuatro meses, dirá frases de tres palabras como el resto de los niños.

Aprendizaje

Cuando se engancha la ropa en un saliente, al darse cuenta de que no puede liberarse utilizando sólo la fuerza, vuelve a atrás e intenta soltarse de otra forma.

Juegos

Quizá quiera jugar en grupo con otros niños de su edad. Ese paso ha de ser una decisión suya; los padres no debéis insistir ni obligarle a hacerlo.

De un niño a otro, se dan grandes variaciones en cuanto al desarrollo psicomotor, de modo que no os preocupéis si vuestro hijo va algo "atrasado" con respecto a los logros que hemos enumerado hasta ahora y sigue comportándose como indicábamos en la etapa anterior. Si el retraso es superior, lo mejor es hablar con el pediatra.

AUMENTO DE PESO

Si tenéis dificultades para pesar al niño o no conseguís pesarlo porque no deja de moverse en el plato de la báscula, probad a ponerlo sentado. Si aun así no hay manera, coged al niño en brazos y pesaos con él.

Luego, pesaos vosotros sin el niño y al hacer la resta de los dos valores obtendréis una buena aproximación del peso de vuestro hijo.

Por medio de la siguiente tabla podréis controlar, mes a mes, el aumento de peso de vuestro hijo:

EDAD EN MESES	¿CUÁNTO DEBERÍA PESAR?	ANOTAD EL PESO DE VUESTRO HIJO	¿ESTÁ DENTRO DE LO NORMAL?	
15	Varones: entre 8,9 y 13,2 kg Niñas: entre 8,3 y 12,8 kg		SÍ	NO
16	Varones: entre 9 y 13,4 kg Niñas: entre 8,5 y 13,1 kg		SÍ	NO
17	Varones: entre 9,2 y 13,7 kg Niñas: entre 8,7 y 13,3 kg		SÍ	NO
18	Varones: entre 9,4 y 13,9 kg Niñas: entre 8,9 y 13,6 kg		SÍ	NO

Para que la valoración sea más precisa, tened en cuenta el peso del niño al nacer y consultad los gráficos de los percentiles y las instrucciones que encontraréis en la página 269.

Cuerpo y salud

Los 1000 primeros días de tu bebé

TALLA

Por medio de la siguiente tabla podréis controlar, mes a mes, la talla de vuestro hijo:

EDAD EN MESES	¿CUÁNTO DEBERÍA MEDIR?	ANOTAD LA TALLA DE VUESTRO HIJO	¿ESTÁ DENTRO DE LO NORMAL?	
15	Varones: entre 73,5 y 83 cm Niñas: entre 72 y 82 cm		SÍ	NO
16	Varones: entre 74,5 y 84,5 cm Niñas: entre 73 y 83 cm		SÍ	NO
17	Varones: entre 75 y 85,5 cm Niñas: entre 74 y 84 cm		SÍ	NO
18	Varones: entre 76 y 86,5 cm Niñas: entre 75 y 85 cm		SÍ	NO

ABDOMEN

Al observar al niño de perfil cuando está de pie, se ve claramente que la parte inferior de la columna vertebral, la zona que se corresponde con el abdomen, hace una curva hacia dentro. La barriguita sobresale hacia fuera de un modo muy evidente, pero se alinea con el resto del cuerpo cuando el niño está tumbado. Se trata de un fenómeno completamente normal, que tiene lugar porque los músculos aún no están preparados para relajar del todo la pared del abdomen y la columna vertebral. Se atenuará a medida que el organismo del niño se vaya desarrollando.

PERÍMETRO CRANEAL

▶ *El perímetro craneal medio es de:*
A los quince meses:
■ varones: 48 cm, pero es "normal" si está entre 45,8 cm y 50,2 cm
■ niñas: 47 cm, pero es "normal" si está entre 44,5 cm y 49 cm
A los dieciocho meses:
■ varones: 48,5 cm, pero es "normal" si está entre 46,3 cm y 51 cm
■ niñas: 47,1 cm, pero es "normal" si está entre 45 cm y 49,5 cm
Para medir el perímetro del cráneo se puede utilizar un metro de costura.

DENTICIÓN

A los dieciocho meses, los niños tienen, de media, *12 dientes.*
Pueden empezar a salirle *los primeros molares y los caninos.* El orden normal de erupción en la dentición temporal es: *incisivos centrales infe-*

riores, *incisivos centrales superiores, incisivos laterales superiores e incisivos laterales inferiores, seguidos por los primeros molares.*

En todo caso, la edad a la que salen los dientes *varía mucho* de un niño a otro, por lo que no os preocupéis si veis que a vuestro hijo no le "salen" en los plazos que vamos indicando.

SUEÑO

▶ *¿Cuánto duerme al día?*
■ 12-14 horas.

DATOS Y CONSEJOS ÚTILES

¿Habéis oído hablar del síndrome de la *"peregrinación médica"*? Es la tendencia, bastante extendida entre los padres, de consultar a más de un médico acerca de un mismo problema cuando el niño cae enfermo. Es un comportamiento que conviene evitar, ya que lo único que se consigue es crear confusión y se corre el riesgo de someter al niño a reconocimientos y pruebas inútiles.

ALIMENTACIÓN

Ahora que el niño empieza a comer solo, debéis hacer que utilice:
■ *platos y vasos* irrompibles y con la base ancha,
■ *platos soperos* lo suficientemente hondos para que el niño pueda llenar la cuchara con facilidad,
■ *platos con bordes* lo suficientemente altos para que el niño pueda empujar contra ellos la comida, para pincharlos mejor con el tenedor,
■ *tenedores* con las puntas redondeadas,
■ *tenedores y cucharas* con el mango corto, de un largo suficiente para que se puedan coger con facilidad.

▶ Como es lógico, los primeros intentos del niño de comer solo serán un "desastre": se tirará la comida por encima, manchará a sus padres, las paredes, los muebles... Y después de todo eso apenas habrá comido nada. Aun así, no os preocupéis ni por el estado de la casa ni porque el niño haya comido menos de lo normal, ya que ésta es una etapa más en la vida del niño, que tiene que aprender a comer solo. Por lo tanto, que no os extrañe, dejad que vaya aprendiendo y que cometa sus propios errores. Al fin y al cabo, a todos nos pasa cuando estamos aprendiendo a hacer algo. Les sucede tanto a los niños de primaria cuando aprenden a leer y a escribir, como a cualquiera de nosotros cuando nos decidimos a aprender una lengua extranjera.

Preparación de los alimentos

El niño quiere saber *qué está comiendo*, y por eso debéis hacerle comidas en las que pueda reconocer los alimentos. Evitad los platos demasiado elaborados.
■ Preparad platos sencillos en los que el niño pueda reconocer los ingredientes.
■ No olvidéis que debéis ir variando los tipos de alimentos y los menús.

A esta edad el niño come menos

A partir de esta edad, casi todos los niños tienden a comer menos que en los meses anteriores. Es algo completamente normal y no os debe preocupar. La explicación es sencilla: en los meses anteriores, el niño comía más porque tenía que crecer mucho; sólo en el primer año de vida, ha triplicado los kilos que pesaba al nacer, ganando alrededor de siete kilos, mientras que a partir de ahora el incremento será sólo de dos kilos al año.

Conclusión: el niño come menos porque necesita menos "combustible".

- Es importante que *la dieta sea variada* para garantizar la ingestión equilibrada de los diversos principios nutritivos y evitar que, a la larga, acabe por cansarse hasta de los alimentos que más le gustan.
- Es bueno que el niño *coma lo mismo que los demás miembros de la familia.*
- Aunque tenga poco más de un año, *es importante que se siente a la mesa con sus padres, en su silla.*
- Desde este momento, tenéis que ser conscientes de que *el momento de la comida es una ocasión agradable,* como cuando os reunís con unos amigos. Debéis crear una atmósfera especial porque no es sólo una forma de alimentarse, algo necesario que se hace para sobrevivir y sin una alegría especial, como cuando lleváis a lavar el coche. Estad relajados y tranquilos.
- Durante la comida, *apagad el televisor e interesaros por el niño* que, aunque es pequeño, se da cuenta de lo que sucede a su alrededor y de lo que llama la atención de los demás.
- El ambiente que rodea al niño *ha de ser sereno.* No discutáis, os peléis o habléis de forma brusca cerca de él.
- *No obliguéis al niño a comer,* sabe regularse solo. Numerosos estudios han demostrado que los niños saben calcular, cuando no se les fuerza, la cantidad de comida que deben tomar aunque estén rodeados de cosas apetitosas o de los alimentos que más les gustan. Si "se ponen como el Quico" a la hora de la comida, comerán menos a la hora de cenar para tomar la cantidad adecuada de calorías a lo largo del día. Esto debería servirnos de lección a los padres.
- Se debe reservar a la comida *el tiempo suficiente* para que el niño coma sin prisas.
- Si algún alimento no le gusta, se debe *excluir del menú familiar.*
- Los platos deben prepararse con mimo y presentarse de forma que el niño pueda reconocer los ingredientes hasta en la fuente de servir, así que *evitad las "mezcolanzas".*
- Antes que obligar al niño a comer con regañinas y rapapolvos, es mejor que se vaya a la cama con el estómago vacío pero contento. Los riesgos y daños son mucho menores en el segundo caso, no lo olvidéis.
- *Si el niño se niega a comer* y la falta de apetito se prolonga en el tiempo, no le forcéis ni con recompensas ni, mucho menos, con castigos.

Sobre todo si ha tenido fiebre o ha estado enfermo, puede que pase unos días en los que coma mucho menos. Tampoco debéis insistir en estos casos. Sed astutos y preparadle las comidas que más le gustan, como si no las hubierais preparado especialmente para él, y veréis cómo vuelve a comer con ganas en cuanto esté completamente curado.

▶ Si el niño *come demasiado* y tiende a aumentar de peso, limitadle el consumo de *pan, pasta, dulces y aceite* y dadle *más verduras*, pero poco aliñadas (el aceite de oliva o de otras semillas tiene muchas calorías: 900 kcal en 100 g). Esta dieta deberá seguirla toda la familia porque, si no, el pobre niño verá las cosas tan apetitosas que toman los demás, mientras que él, en cambio...

Cómo ir rotando los diversos tipos de alimentos

► *El niño debe tomar más*

Pescado

Debe tomarlo al menos tres-cuatro veces a la semana, como alternativa a la carne. Puede ser congelado o pescado azul.

Verduras

Ha de tomarlas de comida o de cena, todos los días. Normalmente a los niños no les gustan los platos muy elaborados en los que no reconocen los ingredientes. Por tanto, lo mejor es evitar los pasteles y los platos con muchos ingredientes. En cambio, les gustan las ensaladas y el puré de verduras.

Las espinacas suelen gustar poco y, en contra de lo que se cree, no presentan más ventajas que otros alimentos.

Legumbres y cereales

Es bueno combinarlos y preparar, por ejemplo, pasta con judías o arroz con guisantes. Se pueden consumir diariamente.

► *Debe tomar menos*

■ *Alimentos muy salados.* Está comprobado que acostumbrarse desde pequeño a tomar las cosas saladas puede favorecer más adelante, en la edad adulta, la aparición de hipertensión arterial, es decir, la "tensión alta".

■ *Alimentos con mucho azúcar* (esta costumbre favorece la aparición de caries dental), *dulces y mantequilla.*

Carne

No ha de tomarla todos los días, sino sólo 2 ó 3 veces a la semana.

Si no le gusta, que no la tome, ya que, de lo contrario, corréis el riesgo de que el niño se vuelva inapetente. A fuerza de insistir, la comida, en vez de un placer se convierte en un "trago amargo". En vez de luchar con él y que todo acabe en "desastre", dejad de darle carne. Olvidaos de ella porque no es indispensable. Dadle otros alimentos que tengan *hierro.* Por ejemplo, podéis *sustituirla* por queso, huevos o pescado.

Con un poco de astucia, pero sólo si al niño le gustan los alimentos que os sugerimos, podéis dársela en forma de ragú de carne o rollos rellenos de carne.

De todas formas, si al niño no le gusta la pasta con carne y la prefiere con mantequilla o con aceite, ni le gustan los rollos de carne, paciencia. No le obliguéis a comer y sustituid la carne por otra cosa.

Los tipos de carne que suelen gustar menos a los niños son los filetes de ternera a la parrilla y los chuletones, sobre todo cuando la carne está "dura" y es "mala".

Leche

A partir de los 18 meses ya puede tomar leche de vaca esterilizada.

Si no la quiere o se la bebe de mala gana, no se la deis porque puede que sea alérgico a la leche (comentádselo a vuestro pediatra).

Podéis sustituir la leche *por otros productos lácteos: yogur, queso, etc.*

Para prevenir la caries

No dejéis que el niño se duerma con el biberón lleno de líquidos con azúcar de modo que pueda beber cuando quiera. Es una pésima costumbre que favorece la aparición de caries al prolongar el contacto entre dientes y azúcar.

ACETONA

Está provocada por el ayuno y no es una enfermedad ni causa vómitos.

SÍ Para que "desaparezca", basta con que el niño tome una *bebida azucarada* de las que más le gustan.

NO Los medicamentos, incluidos los supositorios, no sirven de nada para paliar la acetona, ni tampoco las bandas reactivas para detectar su presencia en la orina.

CHUPETE

SÍ El chupete le "hace compañía" y le da seguridad afectiva. Puede usarlo hasta los tres años, ya que, hasta esa edad, todas las alteraciones del paladar y de los dientes se corrigen solas, sin provocar daños permanentes.

NO No se lo deis mojado en miel, en azúcar ni en otras sustancias dulces, ya que favorece la aparición de caries dental.

FÁRMACOS

▶ Si os lo aconseja vuestro pediatra, puede seguir tomando *los comprimidos de flúor* que previenen la caries dental en la misma dosis que durante los meses anteriores.

▶ Dadle siempre los medicamentos antes de las comidas, a menos que el pediatra os indique expresamente lo contrario.

▶ Al final del tratamiento, no vayáis reduciendo las dosis de las medicinas. En otras palabras, la última vez que le deis el medicamento, debéis darle la misma cantidad que en un primer momento (salvo que vuestro pediatra os aconseje lo contrario).

FIEBRE

De ahora en adelante es mejor que le toméis la temperatura *bajo las axilas en vez de en la ingle* (esta zona se utiliza sólo si es el único modo de tomar la temperatura al niño, ya que al hacerlo se agita y no colabora).

Con respecto a cómo venís actuando hasta el momento (el tratamiento exhaustivo de la fiebre se recoge en la etapa número 11, página 154), cambian las dosis de *paracetamol* y deberéis comprar dos nuevas modalidades: un *frasco de jarabe* y una *caja de supositorios* de 250 mg.

Tened estos productos siempre en casa y llevadlos con vosotros cuando os vayáis de vacaciones.

Si el niño las acepta sin problemas, es preferible usar las gotas, ya que la dosis se controla mejor.

Dosis para cada administración

▶ *Gotas*
3 gotas por cada kilo de peso.

▶ *Jarabe*
El dosificador tiene varias marcas que indican cc o ml.
La dosis es de 6 ml cada vez si el niño pesa 10 kg, o bien de 7 ml cada vez si el niño pesa 12 kg.
Una dosis de 8 ml cada vez si el niño pesa 14 kg.
Una dosis de 10 ml cada vez si el niño pesa 16 kg.
Una dosis de 11 ml cada vez si el niño pesa 18 kg.
Una dosis de 12 ml cada vez si el niño pesa 20 kg.

▶ *Supositorios*
125 mg: si el niño pesa menos de 9-10 kg.
250 mg: si el niño pesa más de 9-10 kg y tiene menos de seis años.
Para saber qué cantidad de supositorio hay que ponerle y qué cantidad hay que quitar (se aconseja cortar siempre la cola), pensad que por cada kilo de peso debéis ponerle entre 15 mg de *paracetamol* que contiene el supositorio; de modo que si el niño pesa 12 kilos, habrá que ponerle entre 2/3 y 3/4 del supositorio.

HECES

Diarrea

Cuando las heces del niño sean *semilíquidas o líquidas*:
SÍ Utilizad arroz blanco o crema de arroz, purés de patata, zanahoria y pollo, pescado cocido con limón, manzana rallada, plátano y yogur natural. No le deis leche.
SÍ Haced que beba mucha agua o mejor suero glucohiposalino (se vende en farmacias y se prepara echando un sobre de suero en 1 litro de agua mineral).
NO No le deis medicinas por iniciativa propia, siguiendo el consejo de alguna amiga.
SÍ Avisad a vuestro pediatra.

Heces duras

Si las heces del niño son duras, aunque sólo sean un poco más duras de lo normal, y notáis que evacua con dificultad, dadle más frutas (sobre todo pera, naranja, ciruela y kiwi), verduras y legumbres. Hay que evitar el plátano, la manzana, la zanahoria y el arroz, reduciendo la cantidad de patata. Conviene que el niño coma verdura, fruta y legumbres *todos los días, porque es la mejor forma de prevenir el estreñimiento.*

■ *No os preocupéis excesivamente acerca de cómo y cuándo defeca vuestro hijo* (ésta es la segunda regla de oro para prevenir el estreñimiento), y sólo cuando notéis que sus heces son más "duras" de lo normal, dadle más frutas, verduras y legumbres de lo habitual, pero sin exagerar. Ofrecedle agua y zumos de naranja.
No deis laxantes al niño, a menos que se los haya recetado el pediatra (se corre el riesgo de que el niño se habitúe al fármaco de tal manera que luego sólo pueda evacuar con ayuda externa).

MAREOS AL IR EN COCHE, EN BARCO O EN AVIÓN

Durante el primer año de vida, los niños no se marean cuando viajan en coche, en barco o en avión, por lo que pueden viajar sin problemas. Si notáis que vuestro hijo empieza a presentar los síntomas típicos del mareo, en concreto, vómitos, intentad evitar que viaje con el estómago vacío, y una hora antes del trayecto dadle alimentos sólidos y secos, si están calientes, mejor, como pueden ser biscotes, palitos de pan o pan con jamón. En cambio, no le dejéis tomar alimentos dulces, helados o leche y, de beber, no le deis agua sino zumo de frutas.

TOS

No olvidéis que la tos no es una enfermedad, sino un medio de defensa del organismo.

▶ Cuando el niño tiene tos, se debe:

■ Si está encendida la calefacción, poner dos toallas de felpa mojadas encima del radiador para humidificar el aire.

■ No fumar cerca del niño, si bien este consejo vale para siempre.

■ Hacer que beba mucho.

■ Dadle bebidas calientes para que tengan un efecto balsámico (son especialmente eficaces justo antes de acostarse).

■ Dadle las bebidas "calientes" que más le gusten. No le deis tisanas ni "pociones" extrañas, porque lo que le "sienta bien" es el líquido caliente. La leche con miel tiene el mismo efecto que el té o la manzanilla. Acordaos de no darle té por la tarde o por la noche por si luego no se puede dormir de tanto beberlo.

■ Para "calmar" la tos (el término técnico es "sedar"), podéis dar al niño bajo recomendación de vuestro pediatra medicamentos con *dextrometorfano*.

VACUNAS

▶ *A los 18 meses tiene lugar:*

■ La *sexta vacunación.*

■ *Antipolio oral* tipo Sabin.

■ La 4.ª dosis de las vacunas contra *la difteria, el tétanos, tos ferina y un tipo de meningitis* (*Haemophilus influenzae* tipo B).

Las siguientes vacunas no se ponen hasta los 6 años.

VÓMITOS

Cuando el niño devuelve:

SÍ Hay que darle de beber agua o mejor suero glucohiposalino que se vende en farmacias (se disuelve un sobre en 1 litro de agua mineral) en pequeñas cantidades cada 5 ó 10 minutos. Si pasadas 1 ó 2 horas ha tolerado bien los líquidos se le pueden ofrecer alimentos que le gusten pero que no contengan grasa ni estén muy condimentados (sopa, yogur, pescado cocido, huevo revuelto...) en pequeñas cantidades y sin forzarle.

NO No le deis medicamentos sin consultar previamente a vuestro pediatra.

► No olvidéis que...

■ A partir de esta edad, los niños comen menos de lo que comían en meses anteriores. No os preocupéis y, sobre todo, si vuestro hijo no quiere comer, no insistáis.

CITAS IMPORTANTES

Vacunas

Tenemos pensado ponerle las vacunas el día ....
Y se las hemos puesto el día ....

Vigésima etapa:
19 A 24 MESES
De 1 año y medio a 2 años

DESARROLLO PSICOMOTOR

Movimientos

▶ Corre bien, sin caerse, y salta.

Piensa: "¡Sé correr y soy veloz como el viento!" Prefiere correr que andar y es capaz de trepar, saltar, bailar y dar patadas a la pelota. Acostumbrado a hacerlo todo deprisa, salta el último escalón de la escalera y, cuando ve una barra, se cuelga de las manos y se columpia. Pero eso no es todo, también sabe enroscar y desenroscar cosas.

Si va de la mano, baja las escaleras, y las sabe subir él solo apoyándose en la barandilla.

▶ Se sube a los muebles.

▶ Se sienta y se levanta solo sin apenas caerse.

El niño se transforma

Para comunicarse y expresar sus preguntas o necesidades, en lugar de hacerse entender por medio de gestos únicamente, utiliza una especie de balbuceo que es una forma de lenguaje. Cuando hace algo que no le dejan sus padres, se avergüenza o siente miedo, y ésa es una primera forma de moralidad.

Relación con el entorno

▶ Empuja los juguetes por el suelo, e imita y reproduce en sus juegos las acciones de los adultos, como por ejemplo, hablar por teléfono o beber de una taza.

▶ Juega con las muñecas o con el osito de peluche; se entretiene haciéndoles la cama o acostándolos.

▶ Normalmente juega solo, y toca, manipula o abre los juguetes. Cuando está con otros niños, por ejemplo, en la guardería, se pelea con ellos para controlar o hacerse con un objeto con el que jugar.

▶ Si se lo pedís, introduce o saca un objeto de una caja.

▶ Cambia su forma de jugar: a veces actúa como si él mismo fuera un juguete al que ofrece una cuchara o acerca el auricular del teléfono.

▶ *A los 21 meses* hace una torre con seis cubos, y *a los 24*, con siete.

▶ Dibuja garabatos con forma de círculo con un lápiz y sabe copiar líneas horizontales.

▶ Usa bien la cuchara.

▶ Ayuda con movimientos del cuerpo a que lo desnuden y colabora cuando le quitan los zapatos o los calcetines.

▶ Imita el comportamiento de otras personas además de la madre, no sólo de los adultos, también de sus hermanos o de sus compañeros de juegos.

▶ Comienza el fenómeno del "vagabundeo": pasa con rapidez de un ambiente a otro, a menudo eludiendo la vigilancia de los adultos, para meterse en ambientes "peligrosos" (por ello hay que vigilarlo con mucha atención).

▶ Empieza a expresar y a describir con sus propias palabras las necesidades físicas que tiene y avisa de que ha mojado el pañal o la braguita.

▶ Cuenta sus propias experiencias y lo que acaba de ver.

▶ Escucha con interés los cuentos y las fábulas, y mira las ilustraciones.

Lenguaje

▶ A los 21 meses hace frases de 2 palabras y usa unas 50 palabras.

▶ Dice "no".

▶ Intenta repetir las palabras y frases que oye, reproduciendo con especial exactitud la entonación, que para él es lo más fácil y por eso lo hace tan bien.

▶ Tiene una jerga propia para definir las cosas. Así, por ejemplo, el "popó" es el coche porque se parece al sonido del claxon.

▶ Conoce el significado de muchas palabras sin que nadie se las haya enseñado.

Aprendizaje

▶ Aparecen las primeras formas de "verdadera" inteligencia y empieza a tomar conciencia de sus estados de ánimo y de su capacidad.

▶ Es capaz de imaginar y de recordar con la mente las cosas y los objetos aunque no los tenga delante. En otras palabras, empieza a pensar.

▶ Sabe agrandar un agujero cuando tiene que coger un objeto y emburujar una cadena para meterla por un agujero.

▶ Sabe que si quiere pasar un palito o un juguete por entre los barrotes de la cuna, tiene que meterlo "de punta" y, para hacerlo, lo orienta de la forma adecuada antes incluso de encontrar el obstáculo.

De un niño a otro, se dan grandes variaciones en cuanto al desarrollo psicomotor, de modo que no os preocupéis si vuestro hijo va algo "atrasado" con respecto a los logros que hemos enumerado hasta ahora y sigue comportándose como indicábamos en la etapa anterior. Si el retraso es superior, lo mejor es hablar con el pediatra.

AUMENTO DE PESO

A los dos años pesa el cuádruple de lo que pesaba al nacer.
Por medio de la siguiente tabla podréis controlar, mes a mes, el aumento de peso de vuestro hijo:

EDAD EN MESES	¿CUÁNTO DEBERÍA PESAR?	ANOTAD EL PESO DE VUESTRO HIJO	¿ESTÁ DENTRO DE LO NORMAL?	
18	Varones: entre 9,4 y 13,9 kg Niñas: entre 8,9 y 13,6 kg		SÍ	NO
19	Varones: entre 9,6 y 14,2 kg Niñas: entre 9,1 y 13,8 kg		SÍ	NO
20	Varones: entre 9,7 y 14,4 kg Niñas: entre 9,2 y 14,1 kg		SÍ	NO
21	Varones: entre 9,8 y 14,6 kg Niñas: entre 9,4 y 14,3 kg		SÍ	NO
22	Varones: entre 10 y 14,9 kg Niñas: entre 9,5 y 14,6 kg		SÍ	NO
23	Varones: entre 10,2 y 15,2 kg Niñas: entre 9,7 y 14,8 kg		SÍ	NO
24	Varones: entre 10,2 y 15,4 kg Niñas: entre 9,8 y 15 kg		SÍ	NO

Cuerpo y salud

Los 1000 primeros días de tu bebé

TALLA

Por medio de la siguiente tabla podréis controlar, mes a mes, la talla de vuestro hijo.

EDAD EN MESES	¿CUÁNTO DEBERÍA MEDIR?	ANOTAD LA TALLA DE VUESTRO HIJO	¿ESTÁ DENTRO DE LO NORMAL?	
18	Varones: entre 76 y 86,5 cm Niñas: entre 75 y 85 cm		SÍ	NO
19	Varones: entre 77 y 87,5 cm Niñas: entre 75,9 y 86,1 cm		SÍ	NO
20	Varones: entre 78 y 88,5 cm Niñas: entre 76,5 y 87,2 cm		SÍ	NO
21	Varones: entre 78,8 y 89,5 cm Niñas: entre 77,3 y 88 cm		SÍ	NO
22	Varones: entre 79,5 y 90,5 cm Niñas: entre 78,2 y 89 cm		SÍ	NO
23	Varones: entre 80,2 y 91,2 cm Niñas: entre 79 y 90 cm		SÍ	NO
24	Varones: entre 81 y 92 cm Niñas: entre 80 y 90,8 cm		SÍ	NO

ABDOMEN

Al observar al niño de perfil cuando está de pie, se ve claramente que la parte inferior de la columna vertebral, la zona que se corresponde con el abdomen, hace una curva hacia dentro. La barriguita sobresale hacia fuera de un modo muy evidente, pero se alinea con el resto del cuerpo cuando el niño está tumbado. Se trata de un fenómeno completamente normal, que tiene lugar porque los músculos aún no están preparados para relajar del todo la pared del abdomen y la columna vertebral. Se atenuará a medida que el organismo del niño se vaya desarrollando.

PERÍMETRO CRANEAL

▶ *El perímetro craneal medio es de:*
A los dieciocho meses:
■ varones: 48,5 cm, pero es "normal" si está entre 46,3 cm y 51 cm
■ niñas: 47,1 cm, pero es "normal" si está entre 45 cm y 49,5 cm

A los veinticuatro meses:
- varones: 49,5 cm, pero es "normal" si está entre 45 cm y 52 cm
- niñas: 48,1 cm, pero es "normal" si está entre 45,8 cm y 50,5 cm

Para medir el perímetro del cráneo se puede utilizar un metro de costura.

DENTICIÓN

A los dieciocho meses, los niños tienen, de media, *12 dientes.*
Pueden empezar a salirle *los caninos.*

El orden normal de erupción en la dentición temporal es: *incisivos centrales inferiores, incisivos centrales superiores, incisivos laterales superiores e incisivos laterales inferiores, seguidos por los primeros molares.*

En todo caso, la edad a la que salen los dientes *varía mucho* de un niño a otro, por lo que no os preocupéis si veis que a vuestro hijo no le "salen" en los plazos que vamos indicando.

Aunque no hayan asomado todavía los dientes, si queréis estar seguros de que el proceso de osificación va por buen camino, basta con que vayáis controlando *las dimensiones del perímetro craneal* (véase el apartado al respecto). Si están dentro de los valores normales, significa que todo va bien, independientemente de que le hayan salido o no los dientes.

FONTANELA

A los dieciocho meses, la fontanela anterior ha de estar completamente cerrada. En caso contrario, comunicádselo al pediatra.

SUEÑO

▶ *¿Cuánto duerme al día?*
- 12-14 horas.

DATOS Y CONSEJOS ÚTILES

ALIMENTACIÓN

Ahora que le han "salido" las muelas, mastica mejor.

A esta edad el niño come menos

A partir de esta edad, casi todos los niños tienden a comer menos que en los meses anteriores. Es algo completamente normal y no debe preocuparos. La explicación es sencilla: en los meses anteriores, el niño comía más porque tenía que crecer mucho; sólo en el primer año de vida, ha triplicado los kilos que pesaba al nacer, ganando alrededor de siete kilos, mientras que a partir de ahora el incremento será sólo de dos kilos al año. Conclusión: el niño come menos porque necesita menos "combustible".

Cuál es la cantidad apropiada

Con frecuencia tendéis a pensar que vuestro hijo come menos porque no sabéis calcular con exactitud la cantidad de comida que debe tomar. Os preguntáis: "¿Debe tomar una ración entera?" "¿Le llegará con la mitad?" "¿Tendrá suficiente con lo que ha comido ahora que está en pleno crecimiento?"

La respuesta es sencilla: el niño ha de comer lo que quiera. Si no quiere comer más, no le obliguéis a comer contra su voluntad, ya que puede ser que le coja asco a la comida y que luego no quiera comer.

▶ *Para saber si come lo suficiente, basta con ir viendo lo que crece.*
Para comprobar que vuestro hijo crece con normalidad, consultad los gráficos de los percentiles de la página 269. Estará creciendo adecuadamente si el percentil del peso se corresponde con el de la talla (de no ser así, comunicádselo al pediatra).

■ Es importante que *la dieta sea variada* para garantizar la ingestión equilibrada de los diversos principios nutritivos y evitar que, a la larga, acabe por cansarse hasta de los alimentos que más le gustan.

■ Es bueno que el niño *coma lo mismo que los demás miembros de la familia.*

■ Aunque no tenga más que un año y medio, *es importante que se siente a la mesa con sus padres, en su sillita.*

■ Desde este momento, tenéis que ser conscientes de que *el momento de la comida es una ocasión agradable,* como cuando os reunís con unos amigos. Debéis crear una atmósfera especial porque no es sólo una forma de alimentarse, algo necesario que se hace para sobrevivir y sin una alegría especial, como cuando lleváis a lavar el coche. Estad relajados y tranquilos.

■ Durante la comida, *apagad el televisor e interesaros por el niño* que, aunque es pequeño, se da cuenta de lo que sucede a su alrededor y de lo que llama la atención de los demás.

■ El ambiente que rodea al niño *ha de ser sereno.* No discutáis, os peléis o habléis de forma brusca cerca de él.

■ *No obliguéis al niño a comer,* sabe regularse solo. Numerosos estudios han demostrado que los niños saben calcular, cuando no se les fuerza, la cantidad de comida que deben tomar aunque estén rodeados de cosas apetitosas o de los alimentos que más les gustan. Si "se ponen como el Quico" a la hora de la comida, comerán menos a la hora de cenar para tomar la cantidad adecuada de calorías a lo largo del día. Esto debería servirnos de lección a los padres.

■ Se debe reservar a la comida *el tiempo suficiente* para que el niño coma sin prisas.

■ Si algún alimento no le gusta, se debe *excluir del menú familiar.*

■ Los platos deben prepararse con mimo y presentarse de forma que el niño pueda reconocer los ingredientes hasta en la fuente de servir, así que *evitad las "mezcolanzas".*

■ Si el niño *se niega a comer* y la falta de apetito se prolonga en el tiempo, no le forcéis ni con recompensas ni, mucho menos, con castigos.

■ Antes que obligar al niño a comer con regañinas y rapapolvos, es mejor que se vaya a la cama con el estómago vacío pero contento. Los riesgos y daños son mucho menores en el segundo caso, no lo olvidéis.
Sobre todo si ha tenido fiebre o ha estado enfermo, puede que pase unos días en los que coma mucho menos. Tampoco debéis insistir en estos casos. Sed astutos y preparadle las comidas que más le gustan, como si no las hubierais preparado especialmente para él, y veréis cómo vuelve a comer con ganas en cuanto esté completamente curado.

▶ Si el niño *come demasiado* y tiende a aumentar de peso, limitadle el consumo de *pan, pasta, dulces y aceite* y dadle *más verduras,* pero poco aliñadas (el aceite de oliva o de otras semillas tiene muchas calorías: 900 kcal en 100 g). Esta dieta deberá seguirla toda la familia porque, si no, el pobre niño verá las cosas tan apetitosas que toman los demás, mientras que él, en cambio...

Cómo ir rotando los diversos tipos de alimentos

▶ *El niño debe tomar más*

Pescado

Debe tomarlo al menos 3-4 veces a la semana, como alternativa a la carne. Puede ser congelado o pescado azul.

Verduras

Ha de tomarlas de comida o de cena, todos los días. Normalmente a los niños no les gustan los platos muy elaborados en los que no reconocen los ingredientes. Por tanto, lo mejor es evitar los pasteles y los platos con muchos ingredientes. En cambio les gustan las ensaladas y el puré de verduras.

Las espinacas suelen gustar poco y, en contra de lo que se cree, no presentan más ventajas que otros alimentos.

Legumbres y cereales

Es bueno combinarlos y preparar, por ejemplo, pasta con judías o arroz con guisantes. Se pueden consumir diariamente.

▶ *Debe tomar menos*

■ *Alimentos muy salados.* Está comprobado que acostumbrarse desde pequeño a tomar las cosas saladas puede favorecer la aparición de hipertensión arterial, es decir, la "tensión alta", en la edad adulta.

■ *Alimentos con mucho azúcar* (esta costumbre favorece la aparición de caries dental), *dulces y mantequilla.*

Carne

No ha de tomarla todos los días, sino 2 ó 3 veces a la semana.

Si no le gusta, que no la tome, ya que, de lo contrario, corréis el riesgo de que el niño se vuelva inapetente. A fuerza de insistir, la comida, en vez de un placer se convierte en un "trago amargo". En vez de luchar con él y que todo acabe en "desastre", dejad de darle carne. Olvidaos de ella porque no es indispensable. Dadle otros alimentos que tengan *hierro.* Por ejemplo, podéis *sustituirla* por queso, huevos o pescado.

Con un poco de astucia, pero sólo si al niño le gustan los alimentos que os sugerimos, podéis dársela en forma de ragú de carne o rollos rellenos de carne.

De todas formas, si al niño no le gusta la pasta con carne y la prefiere con mantequilla o con aceite, ni le gustan los rollos de carne, paciencia. No le obliguéis a comer y sustituid la carne por otra cosa.

Los tipos de carne que suelen gustar menos a los niños son los filetes de ternera a la parrilla y los chuletones, sobre todo cuando la carne está "dura" y es "mala".

Si come poco...

▶ *Dadle los siguientes alimentos*

Primeros platos

Por lo general, lo que más suele gustar a los niños es la sopa. Averiguad cuál es la preferida de vuestro hijo y hacédsela a menudo, pero sin abusar. El arroz y la pasta gustan más si se preparan con mantequilla o con aceite.

Segundos platos
Pollo asado (en especial el muslo), jamón cocido (por supuesto, sin conservantes) y quesitos (con un bajo contenido en grasa).
Acompañamientos
Patatas fritas (no en exceso, y mejor hechas en casa), guisantes y puré.
Fruta
Uvas, plátanos y mandarinas.
Merienda
Helado o yogur. Normalmente, los niños prefieren los yogures de frutas, pero debe ser el niño quien elija los que prefiere. Se los podéis dar en el desayuno o de postre en la comida o en la cena, pero nunca fuera de las comidas principales.

Si come demasiado...
► *Dadle los siguientes alimentos*
El niño no debe pasar hambre, así que dadle muchas verduras cocidas o crudas, eso sí, poco aliñadas (ya que cada cucharada sopera de aceite de oliva o de semillas contiene unas cien calorías). Limitad *el pan* y *los dulces*.

Para prevenir la caries
No dejéis que el niño se duerma con el biberón lleno de líquidos con azúcar de modo que pueda beber cuando quiera. Es una pésima costumbre que favorece la aparición de caries al prolongar el contacto entre dientes y azúcar.

ACETONA

Está provocada por el ayuno y no es una enfermedad ni causa vómitos.
SÍ Para que "desaparezca", basta con que el niño tome una *bebida azucarada* de las que más le gustan.
NO Los medicamentos, incluidos los supositorios, no sirven de nada para paliar la acetona, ni tampoco las bandas reactivas para detectar su presencia en la orina.

FÁRMACOS

► Si os lo aconseja vuestro pediatra, puede seguir tomando los *comprimidos de flúor* que previenen la caries dental en la misma dosis que durante los meses anteriores.
► Dadle siempre los medicamentos antes de las comidas, a menos que el pediatra os indique expresamente lo contrario.
► Al final del tratamiento, no vayáis reduciendo las dosis de las medicinas. En otras palabras, la última vez que le deis el medicamento, debéis darle la misma cantidad que en un primer momento (salvo que vuestro pediatra os aconseje lo contrario).

FIEBRE

De ahora en adelante es mejor que le toméis la temperatura *bajo las axilas* en vez de *en la ingle* (esta zona se utiliza sólo si es el único modo de tomar la temperatura al niño, ya que al hacerlo se agita y no colabora). Con respecto a cómo venís actuando hasta el momento (el tratamiento exhaustivo de la fiebre se recoge en la etapa número 11, página 154), cambian las dosis de *paracetamol* y deberéis comprar dos nuevas modalidades: un *frasco de jarabe* y una *caja de supositorios* de 250 mg.

Tened estos productos siempre en casa y llevadlos con vosotros cuando os vayáis de vacaciones.

Si el niño las acepta sin problemas, es preferible usar las gotas, ya que la dosis se controla mejor.

Dosis para cada administración

▶ *Gotas*

3 gotas por cada kilo de peso.

▶ *Jarabe*

El dosificador tiene varias marcas que indican cc o ml.

La dosis es de 6 ml cada vez si el niño pesa 10 kg, o bien de 7 ml cada vez si el niño pesa 12 kg.

Una dosis de 8 ml cada vez si el niño pesa 14 kg.

Una dosis de 10 ml cada vez si el niño pesa 16 kg.

Una dosis de 11 ml cada vez si el niño pesa 18 kg.

Una dosis de 12 ml cada vez si el niño pesa 20 kg.

▶ *Supositorios*

125 mg: si el niño pesa menos de 9-10 kg.

250 mg: si el niño pesa más de 9-10 kg y tiene menos de seis años.

Para saber qué cantidad de supositorio hay que ponerle y qué cantidad hay que quitar (se aconseja cortar siempre la cola), pensad que por cada kilo de peso debéis ponerle 15 mg de *paracetamol* que contiene el supositorio; de modo que si el niño pesa 12 kilos, habrá que ponerle entre 2/3 y 3/4 del supositorio.

HECES

Diarrea

Cuando las heces del niño sean *semilíquidas o líquidas*:

SÍ Utilizad arroz blanco o crema de arroz, purés de patata, zanahoria y pollo, pescado cocido con limón, manzana rallada, plátano y yogur natural. No le deis leche.

SÍ Haced que beba mucha agua o mejor suero glucohiposalino (se vende en farmacias y se prepara echando un sobre de suero en 1 litro de agua mineral).

NO No le deis medicinas por iniciativa propia, siguiendo el consejo de alguna amiga o del farmacéutico.

SÍ Avisad a vuestro pediatra.

Heces duras

Si las heces del niño son duras, aunque sólo sean un poco más duras de lo normal, y notáis que evacua con dificultad, dadle más frutas (sobre todo pera, naranja, ciruela y kiwi), verduras y legumbres. Hay que evitar el plátano, la manzana, la zanahoria y el arroz, reduciendo la cantidad de patata. Conviene que el niño coma verdura, fruta y legumbres *todos los días, porque es la mejor forma de prevenir el estreñimiento*.

No deis laxantes al niño, a menos que se los haya recetado el pediatra (se corre el riesgo de que el niño se habitúe al fármaco de tal manera que luego sólo pueda evacuar con ayuda externa).

DOLOR DE OÍDOS

▶ *Si creéis que al niño le duelen los oídos:*
NO No le pongáis gotas en los oídos bajo ningún concepto sin consultar previamente al pediatra, ya que si la membrana del tímpano está perforada, el fármaco podría penetrar en el interior y causarle daños graves.
SÍ Podéis darle *paracetamol* que es un fármaco muy eficaz para el dolor (para ver las dosis, consúltese la etapa número 11, página 155).

PIES Y DEFECTOS AL ANDAR

Hasta los dos años y medio, se debe dar tiempo al niño a que aprenda a caminar. Sólo a partir de esa edad se empezarán a corregir los posibles defectos.

"PIPÍ" Y "CACA"

A los 21 meses si es una niña y a los 23 si es un niño, podéis sentar al niño en el orinal. Primero aprenderá a controlar la "caca" y luego el "pipí".

Debéis actuar con mucha cautela, ya que enseñar al niño a controlar la "caca" y el "pipí" es una de las situaciones más "delicadas" para los padres, puesto que se pueden provocar graves daños si se presiona demasiado al niño para que aprenda a controlar el esfínter anal y el vesical. Como consecuencia:

■ el niño puede dar excesiva importancia a esta función del organismo; y
■ puede llegar a ver la emisión de heces y de orina como un modo de chantajear o de gratificar a sus padres: cuando quiera premiarles, usará el orinal; y cuando quiera castigarles, se lo hará "encima".
■ Los padres que presionan demasiado a sus hijos para que aprendan a controlar los esfínteres crean alrededor de los niños un ambiente opresivo, ante el cual los niños tienen dos posibilidades: resignarse, o rechazarlo y adoptar una actitud contestataria. En el futuro, dicha situación derivará bien en una sumisión excesiva o bien en agresividad.

TOS

No olvidéis que la tos no es una enfermedad, sino un medio de defensa del organismo.

▶ *Cuando el niño tiene tos, se debe:*
■ Si está encendida la calefacción, poner dos toallas de felpa mojadas encima del radiador para humidificar el aire.
■ No fumar cerca del niño (este consejo vale para siempre).
■ Hacer que beba mucho.
■ Darle bebidas calientes para que tengan un efecto balsámico (son especialmente eficaces justo antes de acostarse).

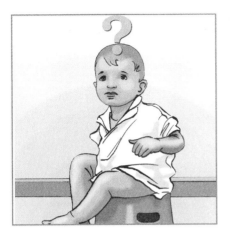

"No entiendo por qué me han puesto en esta situación tan ridícula. ¡Qué vergüenza! ¡Quiero mis pañales!"
Para no caer en un error (las niñas aprenden a controlar la "caca" hacia los 21 meses y los niños hacia los 23 meses), no se debe sentar a los niños en el orinal antes de esta edad. Dejad que el niño elija el orinal y que sea de la forma que más le guste. El único requisito fundamental es que sea estable y, como máximo, de una altura de 10 cm con respecto al suelo.

- Dadle las bebidas "calientes" que más le gusten. No le deis tisanas ni "pociones" extrañas, porque lo que le "sienta bien" es el líquido caliente. La leche con miel tiene el mismo efecto que el té o la manzanilla. Acordaos de no darle té por la tarde o por la noche.
- Para "calmar" la tos (el término técnico es "sedar"), podéis dar al niño bajo recomendación de vuestro pediatra medicamentos con *dextrometorfano*.

VACUNAS

▶ La próxima vacuna no hay que ponérsela hasta los 6 años.

VÓMITOS

Cuando el niño devuelve:
SÍ Hay que darle de beber agua o mejor suero glucohiposalino que se vende en farmacias (se disuelve un sobre en 1 litro de agua mineral) en pequeñas cantidades cada 5 ó 10 minutos. Si pasadas 1 ó 2 horas ha tolerado bien los líquidos se le pueden ofrecer alimentos que le gusten pero que no contengan grasa ni estén muy condimentados (sopa, yogur, pescado cocido, huevo revuelto...) en pequeñas cantidades y sin forzarle.
NO No le deis medicamentos sin consultar previamente a vuestro pediatra.

▶ No olvidéis que...
- En cuanto a *las niñas*, se ha de lavar siempre primero la vagina y después el ano (de delante hacia atrás), para evitar que los gérmenes que provienen del intestino se extiendan a la vagina y provoquen infecciones.
- No presionéis demasiado a vuestro hijo para que aprenda a hacer "pipí" y "caca" en el orinal, podríais ocasionarle daños psicológicos.

CITAS IMPORTANTES

Visita al pediatra
Al cumplir los dos años, se debe llevar al niño al pediatra.
Tenemos cita para el día ....
y tiene lugar el día ....

Vigesimoprimera etapa:
25 A 30 MESES
De los 2 años a los 2 años y medio

DESARROLLO PSICOMOTOR

Movimientos

▶ Sube las escaleras alternando los pies.

El niño es autónomo y se enfada si intentáis ponerle límites. Los padres debéis dejarle espacio para que explore y adquiera seguridad en sí mismo y, al mismo tiempo, tener cuidado con las escaleras, ya que los niños son "curiosos" por naturaleza y quieren descubrirlo todo. Las escaleras esconden miles de peligros. Otro dato que no conviene olvidar es que los varones suelen ser más atrevidos que las niñas.

Sabe caminar hacia atrás.
Lleva objetos de un lado a otro sin que se le caigan.

Tres factores que le confieren una relativa autonomía

► La capacidad de moverse con seguridad en el entorno.
► La capacidad de controlar el "pipí" durante el día.
► Una cierta capacidad para comunicarse.

Relación con el entorno

Se conoce como "los terribles dos años" y es la edad a la que el niño se coge un "berrinche" tras otro, se porta "mal" e intenta "hacer rabiar" a sus padres. Si ve que su madre tiene prisa y quiere vestirlo rápidamente, hará todo lo posible por retardar cada paso. La actitud del niño es consecuencia de su deseo de autonomía, de independencia y de seguir adelante con la búsqueda y el descubrimiento de nuevos conocimientos y experiencias. Para hacerlo realidad, debe tomar distancia de sus padres y de la protección y seguridad que le ofrecen, pero esta búsqueda le hace sentir una cierta inseguridad, y esto hace que el niño se enfrente a un angustioso dilema: por un lado, siente ese deseo de autonomía, de separarse de sus padres, y, por otro, la necesidad de estar cerca de ellos para sentirse seguro. Finalmente, el niño opta por una mayor autonomía, pero le cuesta tanto tomar la decisión que le desconcierta y le causa cierta turbación, que se refleja por medio de "rabietas", "berrinches" e irascibilidad. Es parecido a lo que sentimos la víspera de un examen, cuando tenemos que tomar una decisión importante o los días anteriores a un viaje.

Para saber cómo actuar, consultad el apartado "Datos y consejos útiles".

► Dibuja líneas verticales y horizontales, pero lo normal es que no sepa dibujar una cruz.
► Copia círculos.
► Construye una torre con nueve cubos.
► Ayuda a recoger los objetos y a ponerlos en su sitio.
► Muestra un cierto espíritu independiente.
► Tiene menos miedo a los desconocidos que en los meses anteriores (irá disminuyendo mes a mes).
► Abre las puertas utilizando las manillas.
► Se lava las manos.
► Hojea los libros página por página.
► Sigue sin jugar con otros niños, pero está cerca de ellos, los observa y los imita.
► Se reconoce al mirarse al espejo.
► De día es capaz de controlar la micción; en otras palabras, ya no se "hace pipí".

Lenguaje

► A los 24 meses sabe decir 250-300 palabras, a los 30 meses, 400-500.
► Dice "yo" cuando se refiere a sí mismo.
► Usa los pronombres "mí" y "tú".
► Sabe decir su nombre completo.
► Habla sin parar.
► Dice las primeras frases compuestas de dos o tres palabras. Lo primero que aprende son *los sustantivos*, luego *los verbos* y, por último, *los adjetivos*.

Aprendizaje

Hasta este momento, el niño ha hecho uso de una forma de inteligencia, si se me permite la comparación, similar a la de los perros o determinados simios, que se conoce como inteligencia "senso-motora". A partir de ahora, su inteligencia será de tipo reflexivo, parecida a la de los adultos.

► Tiene grabada en la memoria la imagen de los objetos, se puede decir que se los "ha aprendido de memoria", de modo que puede recordarlos aunque no los tenga delante.

De un niño a otro, se dan grandes variaciones en cuanto al desarrollo psicomotor, de modo que no os preocupéis si vuestro hijo va algo "atrasado" con respecto a los logros que hemos enumerado hasta ahora y sigue comportándose como indicábamos en la etapa anterior. Si el retraso es superior, lo mejor es hablar con el pediatra.

ABDOMEN

Al observar al niño de perfil cuando está de pie, se ve claramente que la parte inferior de la columna vertebral, la zona que se corresponde con el abdomen, hace una curva hacia dentro. La barriguita sobresale hacia fuera pero se alinea con el resto del cuerpo cuando el niño está tumbado.

Se trata de un fenómeno completamente normal, que tiene lugar por dos motivos:

■ los músculos aún no están preparados para relajar del todo la pared del abdomen,

■ hasta la edad de seis años, las curvas de la columna vertebral del pequeño no se "doblan" como las de los adultos.

Estad tranquilos, porque todo se arreglará cuando se desarrolle.

PERÍMETRO CRANEAL

► *El perímetro craneal medio es:*
A los veinticuatro meses:

■ varones: 49,5 cm, pero es "normal" si está entre 47 cm y 52 cm

■ niñas: 48,1 cm, pero es "normal" si está entre 45,8 cm y 50,5 cm

A los treinta meses:

■ varones: 49,9 cm, pero es "normal" si está entre 48 cm y 52,2 cm

■ niñas: 48,8 cm, pero es "normal" si está entre 47 cm y 50,8 cm

Para medir el perímetro del cráneo se puede utilizar un metro de costura, aunque no se suele medir el perímetro cefálico en mayores de 2 años.

PERÍMETRO TORÁCICO

El perímetro torácico medio es de 50 cm, pero puede oscilar entre los 48 y los 52 cm.

El perímetro torácico de vuestro hijo es de .... cm.

¿Está dentro de lo normal? Sí ❑ No ❑

El perímetro del tórax se mide a la altura de los pezones con un metro de costura.

AUMENTO DE PESO

A los dos años pesa el cuádruple de lo que pesaba al nacer.

Si tenéis dificultades para pesar al niño o no conseguís pesarlo porque no deja de moverse en el plato de la báscula, probad a ponerlo sentado. Si aun así no hay manera, coged al niño en brazos y pesaos con él.

Luego, pesaos vosotros sin el niño y al hacer la resta de los dos valores obtendréis una buena aproximación del peso de vuestro hijo.

Podéis pesarlo en cualquiera de las básculas que tenéis en casa. Para aseguraros de que "pesan bien", no tenéis más que comprobar que la aguja marca cero cuando no hay ningún peso encima.

Por medio de la siguiente tabla podréis controlar, mes a mes, el aumento de peso de vuestro hijo:

Para que la valoración sea más precisa, tened en cuenta el peso del niño al nacer y consultad los gráficos de los percentiles y las instrucciones que encontraréis en la página 269.

EDAD EN MESES	¿CUÁNTO DEBERÍA PESAR?	ANOTAD EL PESO DE VUESTRO HIJO	¿ESTÁ DENTRO DE LO NORMAL?	
24	Varones: entre 10,2 y 15,4 kg Niñas: entre 9,8 y 15 kg		SÍ	NO
25	Varones: entre 10,7 y 15 kg Niñas: entre 10 y 14,3 kg		SÍ	NO
26	Varones: entre 10,9 y 15,2 kg Niñas: entre 10,2 y 14,5 kg		SÍ	NO
27	Varones: entre 11 y 16,2 kg Niñas: entre 10 y 16 kg		SÍ	NO
28	Varones: entre 11,2 y 15,6 kg Niñas: entre 10,5 y 14,9 kg		SÍ	NO
29	Varones: entre 11,3 y 15,8 kg Niñas: entre 10,6 y 15,1 kg		SÍ	NO
30	Varones: entre 11 y 17 kg Niñas: entre 10,1 y 16,5 kg		SÍ	NO

TALLA

Por medio de la tabla de la página siguiente podréis controlar, mes a mes, la talla de vuestro hijo:

EDAD EN MESES	¿CUÁNTO DEBERÍA MEDIR?	ANOTAD LA TALLA DE VUESTRO HIJO	¿ESTÁ DENTRO DE LO NORMAL?	
24	Varones: entre 81 y 92 cm Niñas: entre 80 y 90,8 cm		SÍ	NO
25	Varones: entre 83,2 y 94,8 cm Niñas: entre 82,5 y 93 cm		SÍ	NO
26	Varones: entre 84 y 95,8 cm Niñas: entre 83,2 y 94 cm		SÍ	NO
27	Varones: entre 83,5 y 95 cm Niñas: entre 81,5 y 93 cm		SÍ	NO
28	Varones: entre 85,5 y 97,5 cm Niñas: entre 84,8 y 95,8 cm		SÍ	NO
29	Varones: entre 85 y 97,5 cm Niñas: entre 84 y 95 cm		SÍ	NO
30	Varones: entre 85 y 97 cm Niñas: entre 83,5 y 95 cm		SÍ	NO

DENTICIÓN

A esta edad, los niños tienen, de media, *16 dientes*.
Pueden empezar a salirle *los segundos molares*.

El orden normal de erupción en la dentición temporal es: *incisivos centrales inferiores, incisivos centrales superiores, incisivos laterales superiores e incisivos laterales inferiores, seguidos por los primeros molares.*

En todo caso, la edad a la que salen los dientes *varía mucho* de un niño a otro, por lo que no os preocupéis.

Aunque no hayan asomado todavía los dientes, si queréis estar seguros de que el proceso de osificación va por buen camino, basta con que vayáis controlando *las dimensiones del perímetro craneal*. Si están dentro de los valores normales, significa que todo va bien, independientemente de que le hayan salido o no los dientes.

SUEÑO

► *¿Cuánto duerme al día?*
■ 12-13 horas.

La siesta

Sigue durmiendo la siesta después de comer. Para evitar que le cueste quedarse dormido por la noche, el niño ha de dormir la siesta antes de las seis.

Cuerpo y salud

Los 1000 primeros días de tu bebé

Para que se duerma

► Es en esta época cuando comienzan *los rituales de antes de dormir*. Hay niños que quieren que su madre se quede a su lado unos minutos mientras se quedan dormidos, que les lea un cuento o les cuente una historia, que deje la luz de su habitación encendida, o dormir con su osito de peluche, con una muñeca, con su mantita preferida, etcétera.

Es completamente normal, y por ello se debe complacer al niño.

Si veis que el niño tiene dificultades para quedarse dormido por la noche, probad a acostarlo un poco más tarde: hay niños que no necesitan dormir tantas horas.

DATOS Y CONSEJOS ÚTILES

► *A continuación os adelantamos las enfermedades que tendrá vuestro hijo durante el próximo año:*

No nos es grato decirlo pero, a esta edad, los niños se suelen poner enfermos unas cinco veces a causa de *infecciones respiratorias,* con tos, resfriados y hasta fiebre, y también suelen tener un episodio de diarrea que dura más de tres días.

Es inevitable que los niños caigan enfermos, ya que están en una etapa de "aprendizaje inmunológico". Deben enfrentarse a los diversos agentes infecciosos para generar los anticuerpos necesarios y tener una defensa duradera.

En este sentido, cabe insistir en que *el niño "normal" no es el que nunca cae enfermo,* sino el que no enferma más veces de las que acabamos de indicar.

Si vuestro hijo cae enfermo con mayor frecuencia de la prevista, comentádselo al pediatra.

ALIMENTACIÓN

No debéis dar a vuestro hijo, bajo ningún concepto, bebidas alcohólicas, ni siquiera en fiestas o cumpleaños.

En adelante, el niño debe dejar de utilizar el biberón.

Podéis empezar a darle la carne, la verdura y los demás alimentos cortados en trocitos.

Fritos

A partir de ahora, los niños pueden empezar a tomarlos, pero sin abusar. Además, no siempre les gustan tanto como a los adultos, de modo que preparádselos sólo si les gustan.

Vinagre

Podéis empezar a cocinar con vinagre. Es un recurso excelente para dar sabor a los alimentos, especialmente en el caso de niños inapetentes.

Cuál es la cantidad apropiada

Con frecuencia tendéis a pensar que vuestro hijo come menos porque no sabéis calcular con exactitud la cantidad de comida que debe tomar. Os preguntáis: "¿Debe tomar una ración entera?" "¿Le llegará con la mitad?" "¿Tendrá suficiente con lo que ha comido ahora que está en pleno crecimiento?"

La respuesta es sencilla: el niño ha de comer lo que quiera. Si no quiere comer más, no le obliguéis a comer contra su voluntad, ya que puede ser que le coja asco a la comida y que luego no quiera comer.

▶ *Para saber si come lo suficiente, basta con ir viendo lo que crece*

Para comprobar que vuestro hijo crece con normalidad, consultad los gráficos de los percentiles de la página 269. Estará creciendo adecuadamente si el percentil del peso se corresponde con el de la talla (de no ser así, comunicádselo al pediatra).

■ Es importante que *la dieta sea variada* para garantizar la ingestión equilibrada de los diversos principios nutritivos y evitar que, a la larga, acabe por cansarse hasta de los alimentos que más le gustan.

■ Es bueno que el niño *coma lo mismo que los demás miembros* de la familia.

■ Aunque no tenga más que dos años, *es importante que se siente a la mesa con sus padres, en su silla.*

■ Desde este momento, tenéis que ser conscientes de que *el momento de la comida es una ocasión agradable*, como cuando os reunís con unos amigos. Debéis crear una atmósfera especial porque no es sólo una forma de alimentarse, algo necesario que se hace para sobrevivir y sin una alegría especial, como cuando lleváis a lavar el coche. Estad relajados y tranquilos.

■ Durante la comida, *apagad el televisor e interesaros por el niño* que, aunque es pequeño, se da cuenta de lo que sucede a su alrededor y de lo que llama la atención de los demás.

■ El ambiente que rodea al niño *ha de ser sereno.* No discutáis, os peléis o habléis de forma brusca cerca de él.

■ *No obliguéis al niño a comer*, sabe regularse solo. Numerosos estudios han demostrado que los niños saben calcular, cuando no se les fuerza, la cantidad de comida que deben tomar aunque estén rodeados de cosas apetitosas o de los alimentos que más les gustan. Si "se ponen como el Quico" a la hora de la comida, comerán menos a la hora de cenar para tomar la cantidad adecuada de calorías a lo largo del día. Esto debería servirnos de lección a los padres.

■ Se debe reservar a la comida *el tiempo suficiente* para que el niño coma sin prisas.

■ Si algún alimento no le gusta, se debe *excluir del menú familiar.*

■ Los platos deben prepararse con mimo y presentarse de forma que el niño pueda reconocer los ingredientes hasta en la fuente de servir, así que *evitad las "mezcolanzas".*

■ Si el niño *se niega a comer* y la falta de apetito se prolonga en el tiempo, no le forcéis ni con recompensas ni, mucho menos, con castigos.

■ Antes que obligar al niño a comer con regañinas y rapapolvos, es mejor que se vaya a la cama con el estómago vacío pero contento. Los riesgos y daños son mucho menores en el segundo caso, no lo olvidéis.

Sobre todo si ha tenido fiebre o ha estado enfermo, puede que pase unos días en los que coma mucho menos. Tampoco debéis insistir en estos casos. Sed astutos y preparadle las comidas que más le gustan, ofrecédselas con indiferencia, como si no las hubierais preparado especialmente para él, y veréis cómo vuelve a comer con ganas en cuanto esté completamente curado.

■ Si el niño *come demasiado* y tiende a aumentar de peso, limitadle el consumo de *pan, pasta, dulces y aceite* y dadle *más verduras*, pero poco aliñadas (el aceite de oliva o de otras semillas tiene muchas calorías: 900 kcal en 100 g). Esta dieta deberá seguirla toda la familia porque, si no, el pobre niño verá las cosas tan apetitosas que toman los demás, mientras que él, en cambio...

Cómo ir rotando los diversos tipos de alimentos

▶ *El niño debe tomar más*

Pescado

Debe tomarlo al menos 3-4 veces a la semana, como alternativa a la carne. Puede ser congelado o pescado azul.

Verduras

Ha de tomarlas de comida o de cena, todos los días. Normalmente a los niños no les gustan los platos muy elaborados. Por tanto, lo mejor es evitar los pasteles y los platos con muchos ingredientes. En cambio les gustan las ensaladas y el puré de verduras.

Las espinacas suelen gustar poco y, en contra de lo que se cree, no presentan más ventajas que otros alimentos.

Legumbres y cereales

Es bueno combinarlos y preparar, por ejemplo, pasta con judías o arroz con guisantes. Se pueden consumir diariamente.

▶ *Debe tomar menos*

■ *Alimentos muy salados.* Está comprobado que acostumbrarse desde pequeño a tomar las cosas saladas puede favorecer la aparición de hipertensión arterial, es decir, la "tensión alta", en la edad adulta.

■ *Alimentos con mucho azúcar* (esta costumbre favorece la aparición de caries dental), *dulces y mantequilla.*

Carne

No ha de tomarla todos los días, sino sólo 2-3 veces a la semana.

Si no le gusta, que no la tome ya que, de lo contrario, corréis el riesgo de que el niño se vuelva inapetente. A fuerza de insistir, la comida, en vez de un placer se convierte en un "trago amargo". En vez de luchar con él y que todo acabe en "desastre", dejad de darle carne. Olvidaos de ella porque no es indispensable. Dadle otros alimentos que tengan *hierro*. Por ejemplo, podéis *sustituirla* por queso, huevos o pescado.

Con astucia, pero sólo si al niño le gustan los alimentos que os sugerimos, podéis dársela en forma de ragú de carne y rollos rellenos de carne.

De todas formas, si al niño no le gusta la pasta con carne y la prefiere con mantequilla o con aceite, ni le gustan los rollos de carne, paciencia. No le obliguéis a comer y sustituid la carne por otra cosa.

Los tipos de carne que suelen gustar menos a los niños son los filetes de ternera a la parrilla y los chuletones, sobre todo cuando la carne está "dura" y es "mala".

Si come poco...

▶ *Dadle los siguientes alimentos*

Primeros platos

Por lo general, lo que más suele gustar a los niños es la sopa. Averiguad cuál es la preferida de vuestro hijo y hacédsela a menudo, pero sin abusar, para que no acabe cansándose de tomarla. El arroz y la pasta gustan más si se preparan con mantequilla o con aceite.

Segundos platos

Pollo asado (en especial el muslo), jamón cocido (por supuesto, sin conservantes) y quesitos (con un bajo contenido en grasa). No utilicéis carne que lleve congelada más de 10 meses (podría tener mal sabor) ni carne conservada en envases sin tapar, ya que los estratos superficiales de la pieza pueden haberse deshidratado.

Acompañamientos
Patatas fritas (no en exceso y, mejor hechas en casa), guisantes y puré.

Fruta
Uvas, plátanos y mandarinas.

Merienda
Helado o yogur. Normalmente, los niños prefieren los yogures de frutas, pero debe ser el niño quien elija los que prefiere. Se los podéis dar en el desayuno o de postre en la comida o en la cena, pero nunca fuera de las comidas principales.

Si come demasiado...

▶ *Dadle los siguientes alimentos*
El niño no debe pasar hambre, así que dadle muchas *verduras* cocidas o crudas, eso sí, poco aliñadas (ya que cada cucharada sopera de aceite de oliva o de semillas contiene unas cien calorías). Limitad *el pan* y *los dulces*.

Procurad que el niño beba agua antes de empezar a comer (así se mitiga un poco el apetito).

Desayuno
Acostumbradlo desde pequeño a desayunar bien.

Para evitar que sea una comida realizada a toda prisa y sin ton ni son, sería bueno que toda la familia desayunara a la vez, como ocurre a la hora de cenar. Además, es conveniente elegir cuidadosamente las tazas y los platos, así como tomar los alimentos preferidos del niño.

Normalmente, a los niños les encanta *la leche con galletas y el pan con mermelada*, que son, además, los alimentos más indicados. Así que, no lo dudéis, ¡para una vez que coincide lo que más les gusta con lo que más les conviene! Podéis darle también yogur, cereales secos, miel y fruta de temporada.

▶ Si el niño no quiere tomar leche, no le obliguéis a hacerlo. En muchos casos, los niños a los que no les gusta son alérgicos a alguno de sus componentes y la rechazan porque después de beberla notan trastornos digestivos y les duele la barriga. Sustituidla por zumo de frutas o yogur y queso.

Merienda
No debe ser muy abundante para evitar que el niño no tenga hambre a la hora de la cena.

Es preferible que no tome dulces ni pastas, porque son alimentos que se consumen en exceso, muchas veces más por gula que por hambre.

Evitad los productos preparados, como los bollos, las pastas...

Al igual que las demás comidas, la merienda ha de transcurrir de forma tranquila y relajada. Apagad la televisión, porque comer con la televisión puesta es una mala costumbre que no debe adquirir.

Bebidas dulces
Si tienen sed, los niños deben beber agua. No le acostumbréis a calmar la sed con bebidas dulces, zumos de frutas envasados o bebidas con gas: tienen demasiados azúcares, demasiadas calorías y pueden producir molestias abdominales y trastornos intestinales.

Nada de tentempiés

El niño no debe picar entre las comidas. Acostumbradlo desde pequeño para que no coja esa mala costumbre, que puede llegar a ser muy perjudicial para la salud.

ACETONA

Está provocada por el ayuno y no es una enfermedad ni causa vómitos.

SÍ Para que "desaparezca", basta con que el niño tome una bebida azucarada de las que más le gustan.

NO Los medicamentos, incluidos los supositorios, no sirven de nada para paliar la acetona, ni tampoco las bandas reactivas para detectar su presencia en la orina.

RABIETAS

Al principio, sed *tolerantes y comprensivos* cuando se coja un berrinche. No es que quiera haceros rabiar, simplemente es que el deseo de tener una mayor autonomía (es algo normal en el desarrollo de todo niño) le empuja a querer imponer su voluntad y a enfrentarse a sus padres para demostrar que es capaz de condicionar el ambiente. Por tanto, si se muestra especialmente "irritable", sólo es debido a la inseguridad que le hace sentir la necesidad y la voluntad de "arreglárselas solo" y de no apoyarse en sus padres.

De modo que debéis mostraros comprensivos pero, eso sí, sin dejar de poner límites al comportamiento del niño. Para ello, seguid estas dos reglas:

■ Si tomáis una decisión, debéis mantenerla y ser coherentes en el tiempo.

■ El padre y la madre deben estar de acuerdo. Lo contrario es contraproducente y es hacerle el juego al niño.

▶ A la hora de determinar qué actitud debéis adoptar con respecto a vuestro hijo, analizad la situación y desterrad de vuestra memoria los recuerdos de actitudes autoritarias y "militarescas" de vuestros padres, abuelos, tíos, etc.

▶ A continuación, razonad con los elementos que tenéis a vuestro alcance y reflexionad sobre la conveniencia de adoptar actitudes de fuerza con respecto a vuestro hijo, que seguirá teniendo rabietas y es pequeño y no puede defenderse.

▶ ¡Y a tomar una decisión!

CHUPETE

El chupete le "hace compañía" y le da *seguridad afectiva*. Puede usarlo hasta los tres años, ya que, hasta esa edad, todas las alteraciones del paladar y de los dientes se corrigen solas, sin provocar daños permanentes.

RECONOCIMIENTOS

Si el niño está bien, no es necesario hacer reconocimientos "preventivos".

FÁRMACOS

▶ Si vuestro pediatra os lo aconseja vuestro hijo puede seguir tomando los comprimidos de flúor que previenen la caries dental en la misma dosis.

▶ Dadle siempre los medicamentos antes de las comidas, a menos que el pediatra os indique expresamente lo contrario.

▶ Al final del tratamiento, no vayáis reduciendo las dosis de las medicinas. En otras palabras, la última vez que le deis el medicamento, debéis darle la misma cantidad que en un primer momento (salvo que vuestro pediatra os aconseje lo contrario).

FIEBRE

Cuando el niño tiene fiebre, es inútil obligarle a que se quede en la cama: él se agitará y vosotros os enfadaréis. Vestidlo y dejad que se mueva por la casa. No olvidéis que aunque tenga fiebre, podéis trasladar al niño de una casa a otra con tal de que vaya bien abrigado si hace frío.

HECES

Diarrea

Cuando las heces del niño sean *semilíquidas o líquidas*:

SÍ Utilizad arroz blanco o crema de arroz, purés de patata, zanahoria y pollo, pescado cocido con limón, manzana rallada, plátano y yogur natural. No le deis leche.

SÍ Haced que beba mucha agua o mejor suero glucohiposalino (se vende en farmacias y se prepara echando un sobre de suero en 1 litro de agua mineral).

NO No le deis medicinas por iniciativa propia, siguiendo el consejo de alguna amiga o del farmacéutico.

SÍ Avisad a vuestro pediatra.

Heces duras

Si las heces del niño son duras, aunque sólo sean un poco más duras de lo normal, y notáis que evacua con dificultad, dadle más frutas (sobre todo pera, naranja, ciruela y kiwi), verduras y legumbres. Hay que evitar el plátano, la manzana, la zanahoria y el arroz, reduciendo la cantidad de patata. Conviene que el niño coma *verdura, fruta y legumbres todos los días, porque es la mejor forma de prevenir el estreñimiento*.

No deis laxantes al niño, a menos que se los haya recetado el pediatra (se corre el riesgo de que el niño se habitúe al fármaco de tal manera que luego sólo pueda evacuar con ayuda externa).

LAVARSE LOS DIENTES

En cuanto pueda hacerlo, es conveniente que el niño se lave los dientes una o dos veces al día. Enseñadle cómo se hace. Si os laváis los dientes con él, se pondrá muy contento y lo hará mucho más a gusto.

Cuerpo y salud

Los 1000 primeros días de tu bebé

OREJAS

Las orejas de los niños son especialmente delicadas. No se las limpiéis por dentro. Se limpian solas y, además, al lavarlas con agua se favorece la formación de tapones de cerumen en los oídos.

LLANTO

Puede expresar el miedo del niño a equivocarse.

PIES Y DEFECTOS AL ANDAR

Hasta los dos años y medio, se debe dar tiempo al niño a que aprenda a caminar. Sólo a partir de esa edad se empezarán a corregir los posibles defectos.

▶ *Véase la etapa siguiente.*

"PIPÍ" Y "CACA"

A los veinticuatro meses, puede empezar a controlar la emisión de orina: empieza a no "hacerse pipí" durante el día.

Debéis actuar con mucha cautela, ya que enseñar al niño a controlar la "caca" y el "pipí" es una de las situaciones más *"delicadas"* para los padres, puesto que se pueden provocar graves daños si se presiona demasiado al niño para que aprenda a controlar el esfínter anal y el vesical. Como consecuencia:

- el niño puede dar excesiva importancia a esta función del organismo; y
- puede llegar a ver la emisión de heces y de orina como un modo de chantajear o de gratificar a sus padres: cuando quiera premiarles, usará el orinal, y cuando quiera castigarles, se lo hará "encima".
- Los padres que presionan demasiado a sus hijos para que aprendan a controlar los esfínteres crean alrededor de los niños un ambiente opresivo, ante el cual los niños tienen dos posibilidades: resignarse, o rechazarlo y adoptar una actitud contestataria. En el futuro, dicha situación derivará bien en una sumisión excesiva o bien en agresividad.

RECONSTITUYENTES

Si la talla y el peso del niño están dentro de los límites indicados en las páginas 242 y 243, no es necesario que tome "reconstituyentes". En todo caso, no debéis darle medicamentos por iniciativa propia. Si el niño mide y pesa menos de lo normal, llevadlo al pediatra.

TOS

No olvidéis que la tos no es una enfermedad, sino un medio de defensa del organismo.

▶ *Cuando el niño tiene tos, se debe:*
- Si está encendida la calefacción, poner dos toallas de felpa mojadas encima del radiador para humidificar el aire.

- No fumar cerca del niño, si bien este consejo vale para siempre.
- Hacer que beba mucho.
- Darle bebidas calientes para que tengan un efecto balsámico (son especialmente eficaces justo antes de acostarse).
- Dadle las bebidas "calientes" que más le gusten. No le deis tisanas ni "pociones" extrañas, porque lo que le "sienta bien" es el líquido caliente. La leche con miel tiene el mismo efecto que el té o la manzanilla. Acordaos de no darle té por la tarde o por la noche por si luego no se puede dormir de tanto beberlo.
- Para "calmar" la tos (el término técnico es "sedar"), podéis dar al niño bajo recomendación de vuestro pediatra medicamentos con *dextrometorfano*.

VACUNAS

▶ *La próxima vacunación tiene lugar a los 6 años.*

En el tercer año de vida se ha de poner...

- La cuarta dosis de la *vacuna antipolio oral* (tipo Sabin).

El niño debe estar *en ayunas* desde una hora antes y no comer nada hasta 10 minutos después para evitar que vomite después de haber tomado la vacuna y eche por tierra todo el esfuerzo. Durante la media hora siguiente a haber tomado las gotas, el niño no deberá usar el chupete para evitar que la vacuna, en vez de ir a parar al intestino, se deposite en el chupete.

Después de ponerle la vacuna, el bebé puede hacer vida normal. Se le puede dar de comer, llevarlo de paseo o llevarlo a la guardería (si va), como de costumbre.

- La siguiente vacunación tiene lugar a los 6 años.

VÓMITOS

Cuando el niño devuelve:

SÍ Hay que darle de beber agua o mejor suero glucohiposalino que se vende en farmacias (se disuelve un sobre en 1 litro de agua mineral) en pequeñas cantidades cada 5 ó 10 minutos. Si pasadas 1 ó 2 horas ha tolerado bien los líquidos se le pueden ofrecer alimentos que le gusten pero que no contengan grasa ni estén muy condimentados (sopa, yogur, pescado cocido, huevo revuelto...) en pequeñas cantidades y sin forzarle.

NO No le deis medicamentos sin consultar previamente a vuestro pediatra.

▶ No olvidéis que...

- Esta edad se conoce como "los terribles dos años", así que no os preocupéis si vuestro hijo se coge grandes berrinches y rabietas.
- Sed comprensivos, tolerantes y, al mismo tiempo, muy firmes cuando toméis una decisión.
- Los padres debéis poneos de acuerdo previamente sobre la actitud que vais a adoptar ante vuestro hijo e intentar no contradecíos en su presencia.

Vigesimosegunda etapa:
31 A 36 MESES
De los 2 años y medio a los 3 años

DESARROLLO PSICOMOTOR

Movimientos

- ► Anda en triciclo.
- ► Trepa a los sitios.
- ► Se mantiene en equilibrio a la pata coja durante unos instantes.
- ► Salta con los dos pies a la vez.

Domina a la perfección su primer medio de transporte. Un medio de transporte con el que podrá jugar a reproducir algunas situaciones que le llaman la atención, como lo que pasa cuando va en coche con papá y con mamá. Si os fijáis, veréis lo bien que vuestro hijo recuerda las situaciones, las personas y los diálogos, y cómo, a lomos de su triciclo, reconstruye los acontecimientos por diversión convirtiéndose en el centro de atención.¡Tened en cuenta que lleva viajando en coche desde que apenas levantaba un palmo del suelo!

Relación con el entorno

▶ Construye una torre con diez cubos.

▶ Aprende enseguida a hacer un "puente" con tres cubos con sólo verlo construir una vez.

▶ Sabe dibujar un círculo o una cruz, si los puede copiar.

▶ Ayuda y colabora cuando lo están vistiendo.

▶ Sabe desabrocharse la ropa y ponerse los zapatos.

▶ Se lava las manos.

▶ Juega con otros niños, pero todavía todos siguen haciendo más o menos las mismas cosas. Al ir a cumplir los tres años, empiezan a representar situaciones imaginarias en las que cada uno elige el papel que prefiere y la "escena" que componen es mucho más variada.

Lenguaje

En el transcurso de este período, el niño aprende de forma muy rápida un número cada vez mayor de palabras, aprendiendo palabras nuevas todos los días. Deja de balbucear y emitir sonidos sin ningún significado y utiliza el lenguaje para comunicar cosas.

Las frases suelen estar compuestas por dos o tres palabras. Usa lo que se conoce como lenguaje telegráfico, utilizando solamente las palabras esenciales. Apenas utiliza preposiciones o verbos auxiliares, y no cambia los tiempos de los verbos ni las desinencias del plural. Si por ejemplo, le pedís que repita "quiero ver la tele", dirá "ver tele".

Si el niño tartamudea, no os preocupéis. No es un trastorno del lenguaje; es un fenómeno normal que suele desaparecer solo antes de la edad de 5 años.

Vuestro hijo entiende más de lo que expresa: entiende cinco veces más palabras de las que emplea.

A los tres años, se le entiende bien al hablar: se entienden tres cuartas partes de lo que dice.

▶ A los 30 meses, utiliza 400-500 palabras; a los 36 meses, 800-1 000 palabras.

▶ Emplea los pronombres "yo", "mi" y "tú".

▶ Sabe decir su edad y cuál es su sexo.

▶ Sabe contar hasta tres objetos y repetir tres números.

▶ Repite una frase de seis sílabas.

▶ Sabe contar una historia breve.

Aprendizaje

▶ En este período, el niño recrea en sus juegos las situaciones que le han llamado la atención o que le han preocupado.

▶ Todavía no es capaz de entender la diferencia entre "uno", "algunos" y "todos" (conceptos fundamentales para llegar a establecer razonamientos lógicos).

▶ Empieza a dejar de mojar la cama por las noches.

De un niño a otro, se dan grandes variaciones en cuanto al desarrollo psicomotor, de modo que no os preocupéis si vuestro hijo va algo "atrasado" con respecto a los logros que hemos enumerado hasta ahora y sigue comportándose como indicábamos en la etapa anterior. Si el retraso es superior, lo mejor es hablar con el pediatra.

Al ser la última vez que vamos a hablar del aumento de peso y de la talla del niño, no está de más rebatir dos ideas:
1. *La talla es el mejor indicador del crecimiento, pero está condicionada por la estatura media de los padres, por lo que los padres que son altos tendrán hijos altos, y los que son bajos, bajos.*
2. *No se debe exagerar con el tema del peso. Que el niño esté "rollizo", que es como decir que tiene sobrepeso, no quiere decir que los padres lo estén criando bien. Tanto es así, que el exceso de peso en los niños es un asunto preocupante. Es un fenómeno que aumenta continuamente y que, en la edad adulta, favorece la aparición de enfermedades como la arteriosclerosis, el infarto, la diabetes, etc.*

AUMENTO DE PESO

Si tenéis dificultades para pesar al niño o no conseguís pesarlo porque no deja de moverse en el plato de la báscula, probad a ponerlo sentado. Si aun así no hay manera, coged al niño en brazos y pesaos con él.

Luego, pesaos vosotros sin el niño y al hacer la resta de los dos valores obtendréis una buena aproximación del peso de vuestro hijo.

Podéis pesarlo en cualquiera de las básculas que tenéis en casa. Para aseguraros de que "pesan bien", no tenéis más que comprobar que la aguja marca cero cuando no hay ningún peso encima.

EDAD EN MESES	¿CUÁNTO DEBERÍA PESAR?	ANOTAD EL PESO DE VUESTRO HIJO	¿ESTÁ DENTRO DE LO NORMAL?	
30	Varones: entre 11 y 17 kg Niñas: entre 10,1 y 16,5 kg		SÍ	NO
31	Varones: entre 11,6 y 16,2 kg Niñas: entre 11 y 15,5 kg		SÍ	NO
32	Varones: entre 11,7 y 16,4 kg Niñas: entre 11,1 y 15,8 kg		SÍ	NO
33	Varones: entre 11,9 y 17,8 kg Niñas: entre 10,9 y 17 kg		SÍ	NO
34	Varones: entre 12 y 16,9 kg Niñas: entre 11,4 y 16,1 kg		SÍ	NO
35	Varones: entre 12,2 y 17,1 kg Niñas: entre 11,5 y 16,4 kg		SÍ	NO
36	Varones: entre 12 y 18 kg Niñas: entre 11 y 18 kg		SÍ	NO

Cuerpo y salud

Los 1000 primeros días de tu bebé

Para que la valoración sea más precisa, tened en cuenta el peso del niño al nacer y consultad los gráficos de los percentiles y las instrucciones que encontraréis en la página 269.

TALLA

Por medio de la siguiente tabla podréis controlar, mes a mes, la talla de vuestro hijo:

EDAD EN MESES	¿CUÁNTO DEBERÍA MEDIR?	ANOTAD LA TALLA DE VUESTRO HIJO	¿ESTÁ DENTRO DE LO NORMAL?	
30	Varones: entre 85 y 97 cm Niñas: entre 83,5 y 95 cm		SÍ	NO
31	Varones: entre 88 y 99,8 cm Niñas: entre 87 y 98 cm		SÍ	NO
32	Varones: entre 88,8 y 100,5 cm Niñas: entre 87,8 y 98,8 cm		SÍ	NO
33	Varones: entre 87 y 100 cm Niñas: entre 85 y 97 cm		SÍ	NO
34	Varones: entre 90 y 101,8 cm Niñas: entre 89 y 100,2 cm		SÍ	NO
35	Varones: entre 90,8 y 102,5 cm Niñas: entre 89,5 y 101 cm		SÍ	NO
36	Varones: entre 89 y 102 cm Niñas: entre 87 y 100 cm		SÍ	NO

DENTICIÓN

Entre los treinta y los treinta y seis meses, los niños suelen tener *20 dientes*, es decir, todos los dientes de leche (también llamados "caducos"), aunque puede que todavía no les hayan salido todos.

Les pueden estar saliendo *los segundos molares*.

SUEÑO

▶ *¿Cuánto duerme al día?*
■ Unas 12 horas.

La siesta

Sigue durmiendo la siesta después de comer. Para evitar que luego le cueste quedarse dormido por la noche, el niño ha de dormir la siesta antes de las seis.

Ha de seguir durmiendo la siesta después de comer hasta los cuatro años.

Para que se duerma

► Es en esta época cuando comienzan *los rituales de antes de dormir.* Hay niños que quieren que su madre se quede a su lado unos minutos mientras se quedan dormidos, que les lea un cuento o les cuente una historia, que deje la luz de su habitación encendida, o dormir con su osito de peluche, con una muñeca, con su mantita preferida... *Es completamente normal y por ello se debe complacer al niño.*

DATOS Y CONSEJOS ÚTILES

ALIMENTACIÓN

No debéis dar a vuestro hijo, bajo ningún concepto, bebidas alcohólicas, ni siquiera en fiestas o cumpleaños.

Cuál es la cantidad apropiada

Con frecuencia tendéis a pensar que vuestro hijo come menos porque no sabéis calcular con exactitud la cantidad de comida que debe tomar. Os preguntáis: "¿Debe tomar una ración entera?" "¿Le llegará con la mitad?" "¿Tendrá suficiente con lo que ha comido ahora que está en pleno crecimiento?".

La respuesta es sencilla: el niño ha de comer lo que quiera. Si no quiere comer más, no le obliguéis a comer contra su voluntad, ya que puede ser que le coja asco a la comida y que luego no quiera comer.

► *Para saber si come lo suficiente, basta con ir viendo lo que crece.*

Para comprobar que vuestro hijo crece con normalidad, consultad los gráficos de los percentiles de la página 269. Estará creciendo adecuadamente si el percentil del peso se corresponde con el de la talla (de no ser así, comunicádselo al pediatra).

■ Es importante que *la dieta sea variada* para garantizar la ingestión equilibrada de los diversos principios nutritivos y evitar que, a la larga, acabe por cansarse hasta de los alimentos que más le gustan.

■ Es bueno que el niño *coma lo mismo que los demás miembros de la familia.*

■ Aunque no tenga más que dos años y medio, *es importante que se siente a la mesa con sus padres, en su silla.*

■ Desde este momento, tenéis que ser conscientes de que *el momento de la comida es una ocasión agradable,* como cuando os reunís con unos amigos. Debéis crear una atmósfera especial porque no es sólo una forma de alimentarse, algo necesario que se hace para sobrevivir y sin una alegría especial, como cuando lleváis a lavar el coche. Estad relajados y tranquilos.

■ Durante la comida, *apagad el televisor e interesaos por el niño* que, aunque es pequeño, se da cuenta de lo que sucede a su alrededor y de lo que llama la atención de los demás.

Cuerpo y salud

Los 1000 primeros días de tu bebé

- El ambiente que rodea al niño *ha de ser sereno.* No discutáis, os peléis o habléis de forma brusca cerca de él.
- *No obliguéis al niño a comer,* sabe regularse solo. Numerosos estudios han demostrado que los niños saben calcular, cuando no se les fuerza, la cantidad de comida que deben tomar, aunque estén rodeados de cosas apetitosas o de los alimentos que más les gustan. Si "se ponen como el Quico" a la hora de la comida, comerán menos a la hora de cenar para tomar la cantidad adecuada de calorías a lo largo del día. Esto debería servirnos de lección a los padres.
- Se debe reservar a la comida *el tiempo suficiente* para que el niño coma sin prisas.
- Si algún alimento no le gusta, se debe *excluir del menú familiar.*
- Los platos deben prepararse con mimo y presentarse de forma que el niño pueda reconocer los ingredientes hasta en la fuente de servir, así que *evitad las "mezcolanzas".*
- Si el niño *se niega a comer* y la falta de apetito se prolonga en el tiempo, no le forcéis ni con recompensas ni, mucho menos, con castigos.
- Antes que obligar al niño a comer con regañinas y rapapolvos, es mejor que se vaya a la cama con el estómago vacío pero contento. Los riesgos y daños son mucho menores en el segundo caso, no lo olvidéis.

Sobre todo si ha tenido fiebre o ha estado enfermo, puede que pase unos días en los que coma mucho menos. Tampoco debéis insistir en estos casos. Sed astutos y preparadle las comidas que más le gustan, ofrecédselas con indiferencia, como si no las hubierais preparado especialmente para él, y veréis cómo vuelve a comer con ganas en cuanto esté completamente curado.

▶ Si el niño *come demasiado* y tiende a aumentar de peso, limitadle el consumo *de pan, pasta, dulces y aceite* y dadle *más verduras* poco aliñadas.

Esta dieta deberá seguirla toda la familia porque, si no, el niño verá las cosas tan apetitosas que toman los demás, mientras que él, en cambio...

Lo siguiente es válido también para los próximos años

▶ *El niño debe tomar más*

Pescado

Al menos 3-4 veces a la semana, como alternativa a la carne.

Verduras

En la comida o en la cena, todos los días.

Legumbres y cereales

Es bueno combinarlos y preparar, por ejemplo, pasta con judías o arroz con guisantes. Se pueden consumir diariamente.

Carne

Basta con que la tome sólo 2-3 veces a la semana. Si así os quedáis más tranquilos, echad un vistazo a las estadísticas, que demuestran que nuestros hijos comen demasiada carne. Si no le gusta, que no la tome ya que, de lo contrario, corréis el riesgo de que el niño se vuelva inapetente. Podéis *sustituirla* por queso, huevos o pescado.

Si come poco...

▶ *Dadle los siguientes alimentos*

Primeros platos

Por lo general, lo que más suele gustar a los niños es *la sopa.* Averiguad cuál es la preferida de vuestro hijo y hacédsela a menudo, pero sin abusar, para que acabe cansándose de tomarla. *El arroz y la pasta* gustan más si se preparan con mantequilla o con aceite.

Segundos platos
Pollo asado (en especial el muslo), jamón cocido (por supuesto, sin conservantes) y quesitos (con un bajo contenido en grasa).

Acompañamientos
Patatas fritas (no en exceso y, mejor hechas en casa), guisantes y puré.

Fruta
Uvas, plátanos y mandarinas.

Merienda
Helado o yogur. Normalmente, los niños prefieren los yogures de frutas, pero debe ser el niño quien elija los que prefiere. Se los podéis dar en el desayuno o de postre en la comida o en la cena, pero nunca fuera de las comidas principales.

Si come demasiado...

▶ *Dadle los siguientes alimentos*
El niño no debe pasar hambre, así que dadle de muchas verduras cocidas o crudas, eso sí, poco aliñadas (ya que cada cucharada sopera de aceite de oliva o de semillas contiene unas cien calorías). Limitad *el pan* y *los dulces*.

Procurad que el niño beba agua antes de empezar a comer (así se mitiga un poco el apetito).

Desayuno

Acostumbradlo desde pequeño a desayunar bien.

Para evitar que sea una comida realizada a toda prisa y sin ton ni son, sería bueno que toda la familia desayunara a la vez, como ocurre a la hora de cenar. Además, es conveniente elegir cuidadosamente las tazas y los platos, así como tomar los alimentos preferidos del niño.

Normalmente, a los niños les encanta *la leche con galletas y el pan con mermelada*, que son, además, los alimentos más indicados. Así que, no lo dudéis. Podéis darle también yogur, cereales secos, miel y fruta de temporada.

▶ Si el niño no quiere tomar leche, no le obliguéis a hacerlo. En muchos casos, los niños a los que no les gusta son alérgicos a alguno de sus componentes y la rechazan porque después de beberla notan trastornos digestivos y les duele la barriga. Sustituidla por zumo de frutas o probad con yogur y queso.

Nada de tentempiés

El niño no debe picar entre las comidas. Acostumbradlo desde pequeño para que no coja esa mala costumbre, que puede llegar a ser muy perjudicial para la salud.

ACETONA

Está provocada por el ayuno y no es una enfermedad ni causa vómitos.
SÍ Para que "desaparezca", basta con que el niño tome una *bebida azucarada* de las que más le gustan.

NO Los medicamentos, incluidos los supositorios, no sirven de nada para paliar la acetona, ni tampoco las bandas reactivas para detectar su presencia en la orina.

RABIETAS

Al principio, sed *tolerantes y comprensivos* cuando se coja un berrinche. No es que quiera haceros rabiar, simplemente es que el deseo de tener una mayor autonomía (es algo normal) le empuja a querer imponer su voluntad y a enfrentarse a sus padres para demostrar que es capaz de condicionar el ambiente. Por tanto, si se muestra especialmente "irritable", sólo es debido a la inseguridad que le hace sentir la necesidad y la voluntad de "arreglárselas solo" y de no apoyarse en sus padres.

De modo que debéis mostraros comprensivos pero, eso sí, sin dejar de poner límites al comportamiento del niño. Para ello, seguid estas dos reglas:
- Si tomáis una decisión, debéis mantenerla y ser coherentes en el tiempo.
- El padre y la madre deben estar de acuerdo. Lo contrario es contraproducente y es hacerle el juego al niño.

▶ A la hora de determinar qué actitud debéis adoptar con respecto a vuestro hijo, analizad la situación y desterrad de vuestra memoria todos vuestros recuerdos de actitudes autoritarias y "militarescas" de vuestros padres, abuelos, tíos, etc.

▶ A continuación, razonad con los elementos que tenéis a vuestro alcance y reflexionad sobre la conveniencia de adoptar actitudes de fuerza con respecto a vuestro hijo, que seguirá teniendo rabietas y es pequeño y no puede defenderse.

▶ ¡Y a tomar una decisión!

CHUPETE

A los tres años, el niño debe dejar de utilizar el chupete porque provoca graves alteraciones en los dientes y en el paladar. Para convencerlo para que se separe de este "gran amigo", debéis actuar con mucho tacto y mucha cautela.
- Explicadle que es "mayor" y que el chupete sólo lo utilizan los niños pequeños.
- Prometed regalarle algo que le gusta y que desea tener con todas sus fuerzas.

▶ De todas formas, si notáis que "sufre" mucho sin el chupete (le cuesta quedarse dormido o duerme mal, está más irritable y llora con mayor facilidad), dejadlo estar, volved a darle el chupete y volved a intentarlo dentro de seis meses.

FÁRMACOS

▶ Si el pediatra lo aconseja, vuestro hijo puede seguir tomando los *comprimidos de flúor* que previenen la caries dental en la misma dosis que durante los meses anteriores.

▶ Dadle siempre los medicamentos antes de las comidas, a menos que el pediatra os indique expresamente lo contrario.

► Al final del tratamiento, no vayáis reduciendo las dosis de las medicinas. En otras palabras, la última vez que le deis el medicamento, debéis darle la misma cantidad que en un primer momento (salvo que vuestro pediatra os aconseje lo contrario).

HECES

Diarrea

Cuando las heces del niño sean *semilíquidas o líquidas*:
SÍ Utilizad arroz blanco o crema de arroz, purés de patata, zanahoria y pollo, pescado cocido con limón, manzana rallada, plátano y yogur natural. No le deis leche.
SÍ Haced que beba mucha agua o mejor suero glucohiposalino (se vende en farmacias y se prepara echando un sobre de suero en 1 litro de agua mineral).
NO No le deis medicinas por iniciativa propia, siguiendo el consejo de alguna amiga.
SÍ Avisad a vuestro pediatra.

Heces duras

Si las heces del niño son duras, aunque sólo sean un poco más duras de lo normal, y notáis que evacua con dificultad, dadle más frutas (sobre todo pera, naranja, ciruela y kiwi), verduras y legumbres. Hay que evitar el plátano, la manzana, la zanahoria y el arroz, reduciendo la cantidad de patata. Conviene que el niño coma *verdura, fruta y legumbres todos los días, porque es la mejor forma de prevenir el estreñimiento.*

No deis laxantes al niño, a menos que se los haya recetado el pediatra (se corre el riesgo de que el niño se habitúe al fármaco de tal manera que luego sólo pueda evacuar con ayuda externa).

DOLOR DE OÍDOS

► Si creéis que al niño *le duelen los oídos* u os lo dice él mismo:
NO No le pongáis gotas en los oídos bajo ningún concepto sin consultar previamente al pediatra, ya que si la membrana del tímpano está perforada, el fármaco podría penetrar en su interior y causar daños graves.
SÍ Podéis darle *paracetamol*, que es un fármaco muy eficaz para el dolor (para ver las dosis, consúltese la etapa número 11, página 155).

PIES Y DEFECTOS AL ANDAR

Reconocimiento ortopédico

A lo largo de estos seis meses, deberéis llevar al niño al ortopedista si notáis que:
■ al caminar mueve un pie de forma diferente a como mueve el otro,
■ gasta los tacones y las punteras de los zapatos de forma desigual en el pie derecho y en el izquierdo,
■ en vuestra opinión, anda de un modo extraño y de forma distinta a los demás niños.

En la medida de lo posible, intentad que la visita al ortopedista coincida entre finales de agosto y principios de septiembre, ya que además de que los zapatos de invierno son más gordos y se prestan más a que se les apliquen las posibles correcciones que indique el ortopedista o a que se les pongan plantillas, puede ser que no os sirvan los zapatos que acabáis de comprar a vuestro hijo si os mandan comprar algún tipo especial de zapatos.

"PIPÍ" Y "CACA"

A los treinta meses, puede que ya no moje la cama por la noche.

Debéis actuar con mucha cautela, ya que enseñar al niño a controlar la "caca" y el "pipí" es una de las situaciones más "delicadas" para los padres, puesto que se pueden provocar graves daños si se presiona demasiado al niño para que aprenda a controlar el esfínter anal y el vesical. Como consecuencia:

- el niño puede dar excesiva importancia a esta función del organismo; y
- puede llegar a ver la emisión de heces y de orina como un modo de chantajear o de gratificar a sus padres: cuando quiera premiarles, usará el orinal, y cuando quiera castigarles, se lo hará "encima".
- Los padres que presionan demasiado a sus hijos para que aprendan a controlar los esfínteres crean alrededor de los niños un ambiente opresivo, ante el cual los niños tienen dos posibilidades: o resignarse, o rechazarlo y adoptar una actitud contestataria. En el futuro, dicha situación derivará bien en una sumisión excesiva o bien en agresividad.

TELEVISIÓN

Éste es un tema muy delicado y de vital importancia. Nuestro consejo es que los niños no vean la tele más de dos horas al día.

TOS

No olvidéis que la tos no es una enfermedad, sino un medio de defensa del organismo.

▶ *Cuando el niño tiene tos, se debe:*

- Si está encendida la calefacción, poner dos toallas de felpa mojadas encima del radiador para humidificar el aire.
- No fumar cerca del niño, si bien este consejo vale para siempre.
- Hacer que beba mucho.
- Darle bebidas calientes para que tengan un efecto balsámico (son especialmente eficaces justo antes de acostarse).
- Dadle las bebidas "calientes" que más le gusten. No le deis tisanas ni "pociones" extrañas, porque lo que le "sienta bien" es el líquido caliente. La leche con miel tiene el mismo efecto que el té o la manzanilla. Acordaos de no darle té por la tarde o por la noche por si luego no se puede dormir de tanto beberlo.
- Para "calmar" la tos (el término técnico es "sedar"), podéis dar al niño bajo recomendación de vuestro pediatra *medicamentos con dextrometorfano*.

VACUNAS

La siguiente dosis de vacuna se pone a los 6 años.

ROPA

Al cumplir los tres años, el niño puede empezar a llevar ropa *con botones.*

VISITA AL OCULISTA

Es el único reconocimiento preventivo que es eficaz. Todos los niños deberían ir al oculista al cumplir tres años de edad. Si todavía no habéis llevado a vuestro hijo al oculista, no esperéis más.

VÓMITOS

Cuando el niño devuelve:
SÍ Hay que darle de beber agua o mejor suero glucohiposalino que se vende en farmacias (se disuelve un sobre en 1 litro de agua mineral) en pequeñas cantidades cada 5 ó 10 minutos. Si pasadas 1 ó 2 horas ha tolerado bien los líquidos se le pueden ofrecer alimentos que le gusten pero que no contengan grasa ni estén muy condimentados (sopa, yogur, pescado cocido, huevo revuelto...) en pequeñas cantidades y sin forzarle.
NO No le deis medicamentos sin consultar previamente a vuestro pediatra.

▶ No olvidéis que...

- Los niños no deben tomar bebidas alcohólicas bajo ningún concepto, ni siquiera en fiestas o cumpleaños.
- El niño no debe "picar" entre horas, sobre todo mientras ve la televisión.
- Debe hacer cinco comidas al día: desayuno, un tentempié a media mañana, comida, merienda y cena.
- Acostumbradlo desde pequeño a desayunar bien. Para evitar que sea una comida realizada a toda prisa y sin ton ni son, sería bueno que toda la familia desayunara a la vez, como ocurre a la hora de cenar. Además, es conveniente elegir cuidadosamente las tazas y los platos, así como tomar los alimentos preferidos del niño.
- No le obliguéis a comer carne.
- Para freír, utilizar, a poder ser, aceite de oliva. El aceite se usa una sola vez.

CITAS IMPORTANTES

Visita al pediatra

A los tres años, se debe llevar al niño al pediatra.
Tenemos cita para el día ....
y tiene lugar el día ....

PENSANDO EN LOS PRÓXIMOS MIL DÍAS

Si echáis la vista atrás ahora que vuestro hijo o vuestra hija ha superado la meta de los mil días, veréis que las cosas han sido más fáciles de lo que os imaginabais nada más llegar a casa con el recién nacido. Los momentos felices y las satisfacciones han sido muchos, y las dificultades escasas. Si estáis pensando en cómo afrontar los próximos mil días, dejad que os recuerde el dicho popular que afirma algo que se suele decir en el fútbol: "cuando un equipo gana, no hay que hacer cambios". Así que seguid como hasta ahora y si alguna vez tenéis alguna duda sobre vuestra capacidad para ser unos padres de primera, contemplad a vuestro hijo mientras juega y os convenceréis de lo buenos padres que sois. A estas alturas podéis mirar a los próximos mil días con confianza y seguridad. Sed conscientes de que es una etapa muy importante para el desarrollo del lenguaje, de la memoria y de la organización de las operaciones mentales.

Como orientación, para saber si vuestro hijo crece como es debido, pensad que es suficiente con que de los 3 a los 5 años crezca unos 6-8 cm al año; que vaya aumentando de peso; y que a los cinco años haya dejado de hablar como un "niño pequeño" y de tartamudear.

Una última cosa que os servirá incluso para los próximos 2 000 días: *¿Cuánto pesará y cuánto medirá el niño?*

■ Para calcular la talla media -de forma aproximada- se debe multiplicar la edad del niño por 6 y sumar 75 al resultado. El valor obtenido expresa la talla en centímetros.

■ El peso del niño se obtiene -de forma aproximada- multiplicando por 2 la edad del niño y sumando 8 al resultado. El valor obtenido expresa el peso en kilos.

MIS FOTOGRAFÍAS

....
....
....
....

....
....
....
....

Cuerpo y salud

....
....
....
....
....

Los 1000 primeros días de tu bebé

GRÁFICOS DE LOS PERCENTILES
Desde el nacimiento hasta los 36 meses

Los gráficos de los percentiles indican con exactitud cómo va creciendo vuestro hijo, al tiempo que permiten cotejar su peso y su estatura. Para entendernos mejor, pongamos un ejemplo: imaginaos que tenemos cien niños y los ponemos en fila, del más bajo al más alto y del más "delgado" al más "gordito"; los "normales" son los que están entre el 3.º y el 97.º lugar. Las "clasificaciones" se indican por medio de varias líneas, numeradas con los valores: 3, 10, 25, 50, 75, 90 y 97, que señalan cerca de qué puesto se encuentra vuestro hijo. Tomemos por ejemplo los valores de la estatura: los niños más bajos estarán en los puestos más bajos, que corresponden al 3 y, progresivamente, al 10 y al 25. Como se disponen en orden creciente, por encima del puesto 50.º (que es la media en la que se sitúa la mayor parte de los individuos) estarán los más altos.

Cómo elaborar los percentiles
Medid al niño una vez al mes y marcad el valor obtenido en el gráfico de los percentiles (tal y como se explica en la columna de la derecha de las páginas 272 y 274) y haced lo mismo con el peso. Mirad el punto en el que se cruzan las variables en el gráfico de los percentiles y señaladlo con un bolígrafo. Al cabo de unos pocos meses, comprobaréis que la línea de puntos que habéis ido trazando va "subiendo" como las curvas de los percentiles.

Cuerpo y salud

Los 1000 primeros días de tu bebé

La influencia de los padres

Durante los primeros dos años de vida, es normal que cada niño dibuje su propio percentil, ya que el peso al nacer no depende de factores hereditarios, sino únicamente de las condiciones en las que se encontraba en el útero materno (esta influencia se prolonga durante todo el primer año de vida). Y no es hasta después de cumplir los dos o tres años cuando la estatura empieza a estar correlacionada con la de los padres. Esta información es importante a la hora de interpretar los percentiles, especialmente cuando el niño mide más de 50 cm al nacer y sus padres tienen una estatura media inferior a 170 cm (la estatura media se obtiene sumando la estatura del padre y la de la madre y dividiendo el resultado entre dos). En este caso, por ejemplo, puede que entre los 3 y los 18 meses el niño presente un crecimiento más lento y pierda algunos puestos en el gráfico de los percentiles, mientras que, en cambio, si el niño mide al nacer menos de 50 cm y la estatura media de sus padres es superior a 170 cm, es probable que, en ese mismo período, aumente la velocidad de crecimiento y "escale" varias curvas de percentiles.

Lo normal es que los percentiles de la talla de los hijos de padres cuya estatura media es inferior a 165 cm se sitúen por debajo del 50.º y que los de los hijos de padres con una estatura media superior a 175 cm estén por encima del 50.º

Interpretación

Cuando el punto que marca el percentil de vuestro hijo está situado entre dos curvas, tomad como referencia el valor de la línea que esté por debajo.

El percentil de la talla no tiene por qué coincidir siempre con el percentil del peso. La mayor parte de los niños se "sitúa" entre los percentiles 25.º y 75.º Pero conviene tener presente que si está por encima, entre el 75.º y el 95.º, no pasa nada, como tampoco denota problema alguno que los percentiles estén entre el 25.º y el 10.º En ese sentido, tampoco hay que preocuparse si un niño está entre los percentiles 3.º y 10.º y la estatura media de sus padres es inferior a 160 cm, ya que al ser bajos los padres, lo normal es que los hijos sean también bajos. En cambio, si la estatura media de los padres es superior a 160 cm, es conveniente hablar con el pediatra.

LAS CURVAS DE LOS PERCENTILES
DESDE EL NACIMIENTO HASTA LOS 36 MESES

TALLA DE LOS VARONES DE 0 A 36 MESES

A continuación os enseñamos a descubrir el percentil de vuestro hijo

■ Buscad la edad en meses de vuestro hijo en los números indicados en las líneas horizontales inferior y superior del gráfico. Con una regla y un lápiz, trazad una línea vertical que una los dos números encontrados.

■ Haced lo mismo con los números que figuran en sentido vertical a la derecha y a la izquierda del gráfico, localizando entre los valores el peso o la talla de vuestro hijo, según proceda, y trazad una línea horizontal que una los dos valores encontrados con la ayuda de una regla. El punto en el que se cruzan las líneas horizontal y vertical que habéis trazado es el percentil de vuestro hijo (el puesto que ocupa). Marcad con un bolígrafo ese punto y borrad con una goma las dos líneas que habéis trazado a lápiz.

▶ *Para comprobar que habéis entendido las instrucciones, os damos los siguientes resultados:*

■ A un varón de 12 meses que pesa 9 kg le corresponde el percentil 10.º
■ A un varón de 30 meses que mide 97 cm le corresponde el percentil 97.º

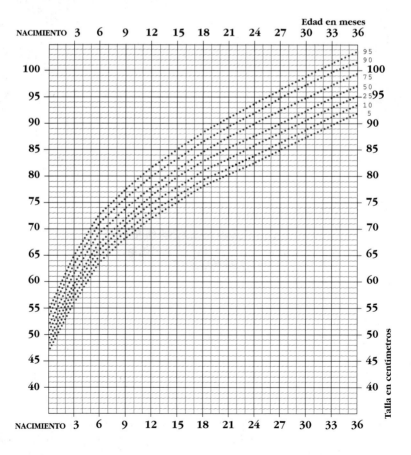

La respuesta

Se consideran normales todos los valores comprendidos entre los percentiles 3.º y 97.º El niño se está alimentando como es debido y está creciendo con normalidad, aunque el percentil de peso no se corresponda con el de la talla siempre que la diferencia entre las dos curvas (la del peso y la de la talla) sea, como máximo, de dos curvas de desviación, es decir, si por ejemplo el peso se sitúa en el percentil 25.º y la talla en el 75.º, o si la talla se sitúa en el percentil 50.º y el peso en el 90.º

Si la diferencia es superior, hablad con el pediatra del niño, sin olvidar, eso sí, que el niño que sigue curvas distintas en los dos gráficos no tiene por qué tener necesariamente una enfermedad o un trastorno de crecimiento. Así que, antes de asustaros o alarmaros, hablad con el pediatra.

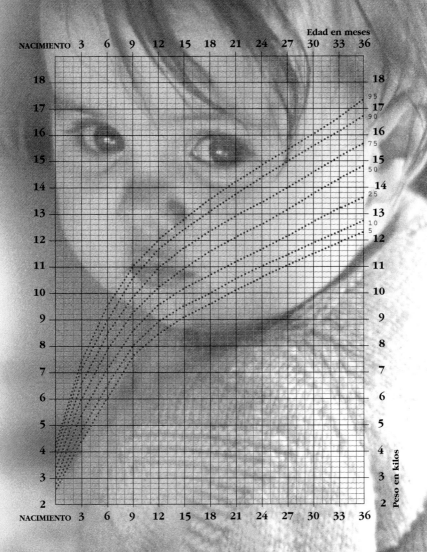

LAS CURVAS DE LOS PERCENTILES DESDE EL NACIMIENTO HASTA LOS 36 MESES

TALLA DE LAS NIÑAS DE 0 A 36 MESES

A continuación os enseñamos a descubrir el percentil de vuestra hija

- Buscad la edad en meses de vuestra hija en los números indicados en las líneas horizontales inferior y superior del gráfico. Con una regla y un lápiz, trazad una línea vertical que una los dos números encontrados.
- Haced lo mismo con los números que figuran en sentido vertical a la derecha y a la izquierda del gráfico, localizando entre los valores el peso o la talla de vuestra hija, según proceda, y trazad una línea horizontal que una los dos valores encontrados con la ayuda de una regla. El punto en el que se cruzan las líneas horizontal y vertical que habéis trazado es el percentil de vuestra hija (el puesto que ocupa). Marcad con un bolígrafo ese punto y borrad con una goma las dos líneas que habéis trazado a lápiz.

Para comprobar que habéis entendido las instrucciones, os damos los siguientes resultados:

- A una niña de 6 meses que pesa 7 kg le corresponde el percentil 25.º
- A una niña de 24 meses que mide 85 cm le corresponde el percentil 50.º

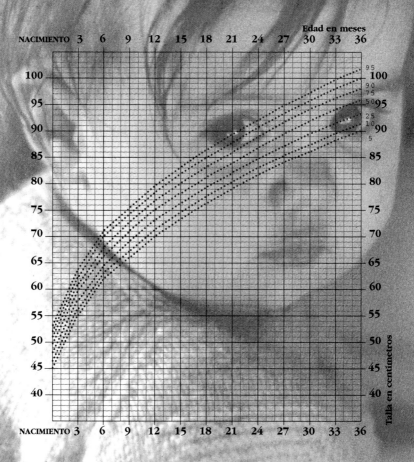

La respuesta

Se consideran normales todos los valores comprendidos entre los percentiles 3.º y 97.º La niña se está alimentando como es debido y está creciendo con normalidad, aunque el percentil de peso no se corresponda con el de la talla, siempre que la diferencia entre las dos curvas (la del peso y la de la talla) sea, como máximo, de dos curvas de desviación, es decir, si por ejemplo el peso se sitúa en el percentil 25.º y la talla en el 75.º, o si la talla se sitúa en el percentil 50.º y el peso en el 90.º

Si la diferencia es superior, hablad con el pediatra de la niña, sin olvidar, eso sí, que la niña que sigue curvas distintas en los dos gráficos no tiene por qué tener necesariamente una enfermedad o un trastorno de crecimiento. Así qué, antes de asustaros o alarmaros, hablad con el pediatra.

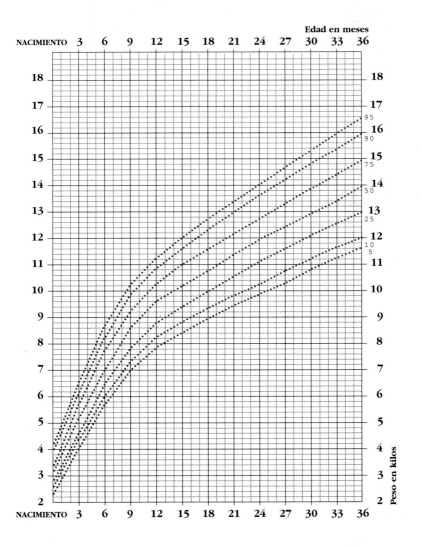

Cuerpo y salud

Los 1000 primeros días de tu bebé

Cuerpo y salud

Los 1000 primeros días de tu bebé

Los 1000 primeros días de tu bebé

Observación importante:
La Editorial declina cualquier tipo de responsabilidad que pudiera derivarse de los comentarios, opiniones, recomendaciones o exposición general de esta obra, así como de la aplicación, interpretación o de otra clase que pudiera desprenderse de su lectura o visión.
Cualquier aspecto referente a la salud, individual o colectiva, siempre se debe poner en conocimiento de la autoridad médica competente para que adopte las medidas oportunas.

Dirección editorial: Raquel López Varela
Coordinación editorial: Ángeles Llamazares Álvarez
Diseño de la colección: David de Ramón
Título original: *I primi 1000 giorni del tuo bambino*
Traducción: Carmen Peris Caminero
Revisión técnica: Dra. Isabel Cañón Álvarez
Fotografía de cubierta: AGE Fotostock
Fotografías: Luciano Tomasin, Agenzia Franca Speranza, Milán
Ilustraciones: Jacopo Bruno, Milán

© Mondadori,
y EDITORIAL EVEREST, S. A.
Carretera León-La Coruña, km 5 - LEÓN
ISBN: 84-241-2614-9
Depósito Legal: LE: 19-2001
Printed in Spain - Impreso en España

EDITORIAL EVERGRÁFICAS, S. L.
Carretera León-La Coruña, km 5
LEÓN (ESPAÑA)

Cuerpo y salud

Los 1000 primeros días de tu bebé